# LE PC
## POUR
# LES NULS

# Quatrième édition

## Dan Gookin & Andy Rathbone

SYBEX

**Paris • San Francisco • Düsseldorf • Londres • Amsterdam**

# Sommaire

. . . . . . . . . . . . . . . . . . . . . . . . . . . . . . . . . . . . . . . . . . . . . . . . . . . . . . . . .

**x**

# Introduction

Bienvenue dans le monde du "PC démystifié" ou *PC pour les Nuls*, quatrième du nom ; la toute nouvelle édition pratiquement complètement réécrite du livre qui répond à la question : "Comment un ordinateur peut-il faire passer un être intelligent et sensé tel que vous pour un nul ?"

Tout le monde s'accorde pour dire que les ordinateurs sont utiles, et si beaucoup s'y attachent immodérément, d'autres, comme vous et moi, se sentent complètement nuls devant cet objet froid et repoussant. Non que l'utilisation d'un ordinateur soit hors de portée de notre Q.I., mais tout simplement parce que personne n'a jamais pris ni le temps ni la peine de nous en expliquer le maniement dans un langage compréhensible.

Cet ouvrage décrit l'utilisation d'un ordinateur en termes simples et souvent irrévérencieux. L'électronique peut être vénérée par d'autres. Ce livre se concentre sur *vous* et *vos besoins*. Vous y découvrirez tout ce que vous aimeriez savoir sur votre ordinateur sans jamais oser le demander, et ce sans le jargon indigeste qui accompagne souvent ce genre de littérature et sans avoir besoin d'appartenir à la lignée des grands gourous docteurs ès informatique.

## Quelques mots à propos du livre

Ce livre est destiné à être utilisé comme un outil de référence : vous pouvez l'ouvrir à n'importe quelle page et commencer à lire. Il contient 29 chapitres et un glossaire. Ces chapitres sont tous autonomes, chacun s'attachant à un aspect particulier de votre ordinateur : mise en route, utilisation d'une imprimante, lancement de logiciels, etc. Chaque chapitre est divisé en entités indépendantes, centrées autour d'un thème principal. Voici quelques exemples de sections :

- Que doit-on allumer en premier ?

- Comment initialiser l'ordinateur ?

- Quels sont les boutons dont on peut se passer ?

- Que se passe-t-il lorsque l'ordinateur se met en route ?

- Comment faire travailler l'ordinateur ?

- Comment sortir d'un programme ?

- Comment éteindre l'ordinateur ?

Vous n'avez pas besoin de mémoriser quoi que ce soit dans ce livre. Laissons donc cette tâche à la mémoire de l'ordinateur. Chaque chapitre contient des informations qui peuvent être lues et digérées rapidement de sorte que vous puissiez reposer le livre et continuer à utiliser l'ordinateur. Lorsque survient un événement technique, vous en êtes prévenu à temps, afin de pouvoir l'éviter soigneusement.

## Comment l'utiliser

Ce livre s'utilise comme une encyclopédie : commencez par le sujet qui vous intéresse le plus et reportez-vous à l'index ou au sommaire pour y trouver les numéros des pages qui sauront répondre à votre demande. Le sommaire contient les titres des chapitres et sous-chapitres avec leurs numéros de pages ; l'index contient toutes les occurrences des termes clés de l'ouvrage. Lisez les pages qui vous intéressent (inutile d'en lire plus qu'il n'en faut), puis fermez le livre et mettez-vous au travail. Bien entendu, si vous souhaitez un complément d'information, il vous est toujours loisible de continuer la lecture et de profiter des nombreuses références croisées mises à votre disposition.

Lorsqu'un message apparaît à l'écran, il est reproduit dans ce livre de la manière suivante :

```
Ceci est un message à l'écran
```

Les commandes Windows apparaissent de la façon suivante :

Choisissez Fichier/Quitter.

Vous devez sélectionner le menu Fichier, puis choisir la commande Quitter. Vous pouvez utiliser la souris pour cela ou appuyer sur la touche Alt et la lettre soulignée de la commande, F, puis Q dans cet exemple.

Les combinaisons de touches apparaissent de la façon suivante :

Ctrl+S

Vous devez presser la touche Ctrl, la maintenir enfoncée, puis taper S et enfin relâcher les deux touches en même temps.

## Ce que vous pouvez éviter de lire

A l'utilisation d'un ordinateur sont associées de nombreuses informations techniques. Pour mieux vous en prémunir, nous les avons isolées dans des rectangles clairement identifiés. Inutile de les lire si vous n'y tenez pas vraiment. Le plus souvent, il s'agit tout simplement d'une explication complexe d'informations déjà traitées dans le chapitre. Elles ne font qu'apporter des informations supplémentaires qui ne sont pas *indispensables* à la compréhension du sujet.

# A qui s'adresse ce livre

Ce livre suppose que vous possédez un ordinateur doté de Windows 95 et que vous êtes une personne *normale*. En d'autres termes, vous n'êtes pas un accro de la micro et, franchement, vous n'avez nulle envie de vous farcir le jargon technique qui jalonne souvent les ouvrages d'informatique.

Ce livre est spécifique à Windows 95. Chaque fois que vous voyez "Windows", il s'agit de Windows 95. Pour toute information sur son ancienne version, reportez-vous à l'ouvrage *PC pour les Nuls, 3ᵉ édition* ou *Windows 3.1 pour les Nuls*. Pour toute information sur DOS, reportez-vous au *DOS pour les Nuls, 2ᵉ édition* ; pour exécuter DOS sous Windows 95, voyez *DOS pour les Nuls, édition Windows 95*. Ces livres sont tous disponibles aux éditions Sybex.

Ouf !

# Organisation du livre

Ce livre contient sept parties, chacune présentant un aspect du monde des PC. A l'intérieur des parties, chaque chapitre couvre un sujet majeur, lui-même divisé en sous-chapitres vous renseignant sur des points spécifiques au sujet traité. Voilà pour la structure du livre ; maintenant, la façon dont vous allez l'aborder vous regarde. Vous pouvez, à l'aide du sommaire, commencer par choisir un sujet, un chapitre ou une section de chapitre, ou commencer par l'index, ou encore tout simplement par le début.

# Suivez le guide !

 Cette icône vous prévient que des informations techniques superflues vous attendent au tournant. Certaines sont très intéressantes mais, si vous n'êtes pas friand de jargon informatique, passez votre chemin, on ne vous en voudra pas.

 Cette icône annonce des raccourcis et astuces utiles qui vous aideront à utiliser au mieux votre PC. Par exemple, lorsque vous renversez de l'acide sur votre ordinateur, pensez bien à porter des gants et des lunettes de protection.

Euh ! Que signifie cette icône déjà ?

 Cette icône vous prévient d'un danger et vous indique généralement ce qu'il ne faut *pas* faire.

## A vous de jouer !

Avec ce livre en main, vous êtes prêt à conquérir le monde du PC. Vous pouvez commencer par consulter le sommaire ou l'index. Choisissez un sujet, allez à la page indiquée, et lancez-vous. N'hésitez pas à prendre des notes sur le livre, à remplir les blancs, à écorner les pages et à faire tout ce qui ferait blêmir de rage un bibliothécaire. Surtout, installez-vous bien confortablement et préparez-vous à passer un bon moment en découvrant que l'informatique n'est pas aussi soporifique et inaccessible que cela. Bonne lecture...

# Première partie
# Bienvenue sur la planète PC !

## Dans cette partie...

Il n'existe aucune incompatibilité entre *être très intelligent* et *ne rien savoir sur l'utilisation d'un ordinateur*. A dire vrai : aucune étude supérieure n'est requise, aucune connaissance des maths n'est nécessaire, et vous n'avez certainement pas besoin de maîtriser toutes les fonctionnalités insoupçonnées de l'appareil. Ceux qui en éprouvent le besoin s'y intéresseront. Quant à nous, nous pouvons utiliser cette infernale machine pour nos besoins immédiats, et l'éteindre aussitôt la tâche réalisée.

Cette première partie contient des informations de base qu'il est utile de connaître, même si vous ne possédez pas d'ordinateur ou si vous envisagez seulement d'en acheter un. Ou encore, si vous venez d'acheter un revolver et tenez à savoir exactement sur quoi vous allez tirer. Quel que soit votre cas, cette partie vous conviendra sans aucun doute.

# Chapitre 1
# Notions de base

*L*a probabilité que votre ordinateur explose est nulle. Pas d'étincelles, pas d'éclairs, pas d'explosions. Dans les vieux films de science-fiction, les ordinateurs finissaient toujours par exploser dans un tourbillon d'étincel-les. Ceux d'aujourd'hui sont bien moins ludiques.

Une telle croyance nous vient des années 60, au temps où Irwin Allen produi-sait des téléfilms de science-fiction dans lesquels les ordinateurs projetaient toujours des flammes aux moments les plus dramatiques. Vous vous rappelez cette intervention de M. Spock dans *Star Treck*, lorsqu'il désigne un ordina-teur étranger et dit : "Détruisez ce composant et la planète entière sera aussitôt réduite en cendres." N'en doutez pas, c'est du cinéma ! Il n'y a rien de tel dans la réalité.

Vous voilà donc rassuré sur ce point : les ordinateurs n'explosent pas. Déten-dez-vous ; certes, vous n'êtes pas au cinéma, mais vous allez faire connais-sance avec votre ordinateur et pénétrer dans un monde très particulier où règne une terminologie tout aussi particulière, un monde intéressant et convivial à condition d'avoir les bons outils en mains. Ce chapitre vous fournit une sorte d'alphabet qui vous permettra de décoder le reste du livre. En fait, la plupart des concepts de base qui y sont décrits sont détaillés plus amplement dans les chapitres suivants.

# L'ordinateur : un autre gadget électronique

Un ordinateur est cette chose posée sur votre bureau qui ressemble à un téléviseur relié à un clavier et à un gros boîtier. Quel que soit le petit nom que vous lui donnez, c'est toujours un ordinateur. Toutefois, dans la mesure où vous pouvez également avoir un ordinateur à votre poignet, dans votre voiture ou votre grille-pain, il nous faut être plus précis : ce que vous voyez sur votre bureau est en fait un PC (un *Personal Computer*, ou ordinateur personnel).

- Les ordinateurs sont, pour l'essentiel, des calculateurs avec beaucoup plus de boutons et un plus grand écran. Ils vous permettent d'organiser des informations (mots et chiffres) et peuvent être utilisés dans tous les domaines professionnels ainsi que dans les milieux de l'éducation et des loisirs.

- Ils n'ont rien de diabolique et ne cachent aucune sinistre intelligence. En fait, vous vous apercevrez très vite qu'ils sont même plutôt bêtes.

- Ils peuvent éventuellement devenir très conviviaux. Dans la mesure où ils affichent des informations sur écran, ils peuvent proposer des listes de choix possibles, exprimer des suggestions ou vous dire ce que vous devez faire. Les fours à micro-ondes ne sont pas si loquaces...

- L'heure des ordinateurs ne se remet pas à zéro après une coupure de courant.

- N'oubliez jamais que c'est *vous* qui menez la barque. Vous informez l'ordinateur de ce que vous voulez faire, et ce dernier se charge du reste. Le problème est qu'il vous obéira quelles que soient vos instructions - même si vous lui demandez d'effectuer une opération absolument insensée, voire démoniaque. L'art d'utiliser un ordinateur est un art extrêmement précis.

## Qu'est-ce qu'un ordinateur ?

Un ordinateur n'est rien de plus qu'un autre gadget électronique, mais contrairement à votre grille-pain ou au carburateur de votre voiture, lesquels sont conçus pour ne faire qu'une seule chose, un ordinateur personnel peut être *programmé* pour réaliser plusieurs tâches intéressantes. Il ne tient qu'à vous de lui dire exactement ce que vous voulez qu'il fasse.

- D'une certaine façon, l'ordinateur est le caméléon des appareils électroniques. Votre téléphone ne peut être utilisé que pour parler à une personne éloignée et votre magnétoscope ne vous permet que d'enregistrer ou de passer des vidéos. En revanche, les possibilités d'un ordinateur sont illimitées.

- Les ordinateurs réalisent le travail qui leur est demandé à l'aide de *logiciels*. C'est la partie logicielle d'un ordinateur qui le programme et lui indique ce qu'il doit faire.

- Non, vous n'aurez jamais besoin d'apprendre à programmer votre PC pour l'utiliser. Des spécialistes se chargent de la programmation, vous achetez ensuite leurs programmes (les logiciels) pour réaliser votre travail.

- Votre tâche, en tant que simple opérateur, consiste uniquement à indiquer au logiciel ce qu'il doit faire, lequel en informe ensuite l'ordinateur.

- Ce n'est que dans les films de science-fiction de série B que vous pourrez voir un ordinateur donner ses instructions à un opérateur.

- L'aspect logiciel n'est qu'une moitié de l'ordinateur, l'autre moitié est constituée du *matériel*, lequel est traité dans la section suivante.

- Ne rêvez pas. Les ordinateurs sont incapables de nettoyer une maison. Ils n'y voient rien et n'ont ni bras ni jambes. Ce dont vous avez besoin pour de telles tâches ménagères s'appelle un *robot*, bizarrerie que les scientifiques n'ont pas encore mis au point à des fins domestiques. Lorsque ce jour arrivera, ne manquez pas d'acheter *Les Robots pour les Nuls*.

---

**Un peu d'histoire que vous pouvez ignorer**

Il  n'y a pas si longtemps, on appelait les ordinateurs individuels *micro-ordinateurs* (de *microprocesseur*, composant électronique principal ou cerveau de l'ordinateur). Les gros ordinateurs étaient appelés *mainframes* (centres serveurs). Pour les P.M.E. ou les universités, le terme consacré était *mini-ordinateur*. Selon les gourous des centres informatiques qui régissent les gros et les mini-ordinateurs, les micro-ordinateurs n'étaient rien de plus que des jouets pour adultes. En attendant, la plupart des possibilités dont vous disposez aujourd'hui sur votre PC (micro-ordinateur) dépassent nombre des fonctions des premiers mainframes. Et toc !

---

## Logiciel et matériel

Chaque ordinateur est composé de deux parties, fondamentalement différentes et complémentaires, que vous devez connaître, ainsi que les termes techniques qui les désignent : *matériel* (ou *hardware*) et *logiciel* (ou *software*).

Le matériel est l'aspect physique d'un ordinateur - tout ce que vous pouvez toucher. Seul, le matériel n'est d'aucune utilité ; il a besoin d'un logiciel pour lui dire ce qu'il doit faire. D'une certaine façon on peut comparer le matériel à une voiture sans conducteur ou à un orchestre symphonique sans musique.

Le logiciel constitue le cerveau de l'ordinateur. Il indique au matériel ce qu'il doit faire et comment il doit procéder. Sans logiciel pour diriger les tâches, le matériel ne serait rien de plus qu'une boîte métallique encombrante. Pour animer votre ordinateur, celui-ci doit donc contenir un logiciel. En fait, le logiciel est ce qui détermine la personnalité de votre ordinateur.

- Dans un ordinateur, le matériel est la partie visible, ce que vous pouvez toucher, sentir sous votre main, faire tomber par terre, charrier d'aéroport en aéroport, jeter par la fenêtre, etc.

- Le logiciel est le cerveau du système, les instructions qui dictent à l'ordinateur ce qu'il doit faire, comment le faire, quand détruire votre rapport mensuel que tout le monde attend, etc.

- Le logiciel est plus important que le matériel, car c'est lui qui dicte au matériel ce qu'il doit faire.

- Bien que les logiciels soient livrés sur disquettes, ces disquettes en elles-mêmes ne constituent pas les logiciels. Ceux-ci sont simplement _enregistrés_ sur disquettes tout comme les morceaux de musique sont enregistrés sur des vinyles ou des CD.

- Sans logiciel adéquat, votre ordinateur devient un presse-papiers bigrement lourd.

## PC, clones et compatibles

Le terme _PC_ (_Personal Computer_) a été inventé par IBM pour désigner le premier ordinateur de bureau. Le PC IBM a été le modèle de quelque 100 millions d'ordinateurs vendus depuis sa création. Il est, comme la Ford modèle T, le premier de son espèce. Bien que le prototype ait été créé en 1981, la plupart de ses éléments d'origine sont encore inclus dans les modèles actuels (à vous d'en déduire ce que vous voulez).

- Le terme _clone_, et plus tard _compatible_, désignait, il y a encore peu de temps, tout ordinateur ressemblant au matériel d'IBM et utilisant des logiciels pour PC. Ces appellations ont progressivement disparu permettant au terme PC d'accéder au rang de standard universel. En fait, les ordinateurs sont aujourd'hui vendus d'après leur système d'exploitation (voir "Le système d'exploitation (Ze big boss)", plus loin dans ce chapitre).

- Le seul ordinateur personnel à ne pas porter le nom de PC est le Macintosh. Les propriétaires de ce type d'ordinateurs aiment à se démarquer et les appellent des _Mac_. Plutôt snob, n'est-il pas ?

- Au fait, ce livre ne concerne absolument pas les utilisateurs de Mac. Si vous faites partie de cette autre espèce d'individus, ruez-vous sur l'œuvre du grand magicien David Pogue, _Mac pour les Nuls_.

# *Votre environnement matériel type*

Regardez bien la Figure 1.1, elle représente une configuration classique de micro-ordinateur ; un PC type. Familiarisez-vous avec les différentes parties qui le composent et les termes affreux qui les désignent. Ce sont là des connaissances de base qu'il vous faut, hélas ! assimiler. La suite du livre vous en dit plus.

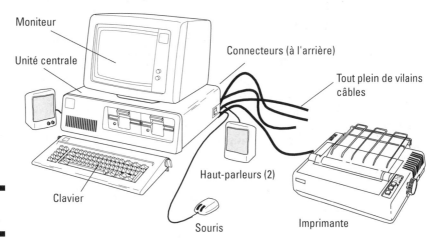

Figure 1.1 :
Un PC type.

Voici un descriptif de chacun de ces composants :

**Moniteur :** Bidule qui ressemble à un téléviseur et qui est souvent situé au-dessus de l'unité centrale. On y fait référence par un certain nombre de termes intéressants que seul un utilisateur patenté serait capable d'apprécier : *écran CRT* (*Cathode Ray Tube*, pour tube à rayons cathodiques), *VDT* (*Video Display Terminal*, pour terminal à écran de visualisation - ne pas confondre avec *VTT*, *vélo tout terrain*), et enfin *écran* (bien que ce terme concerne uniquement la face visible du moniteur). Les moniteurs seront étudiés au Chapitre 13.

**Unité centrale** : Espèce de boîte qui constitue l'élément principal de l'ordinateur. On l'appelle aussi *système*. L'unité centrale abrite ses composants internes et secrets, puces, circuits électroniques et autres. Voyez la section "Composants de l'unité centrale" pour les détails de ses étranges locataires.

**Clavier** : Composite de machine à écrire et de calculatrice que vous utilisez pour dire à l'ordinateur ce qu'il doit faire. Le Chapitre 15 en dit beaucoup plus long sur les claviers d'ordinateur.

**Souris** : Ces petites choses que vous tenez dans la main et qui ressemblent à des rongeurs sont spécialement conçues pour logiciels graphiques. Au fait, la souris de la Figure 1.1 pointe dans la mauvaise direction pour vous permettre de voir ses deux boutons (elles peuvent parfois en contenir trois). Reportez-vous au Chapitre 14 pour tout savoir sur ces petites bêtes.

**Haut-parleurs** : A peu près tous les PC peuvent émettre des petits sons via leurs propres haut-parleurs. Mais si un ordinateur est doté d'une carte son spéciale (s'il est *multimédia*), il comportera deux haut-parleurs stéréo de chaque côté du moniteur.

**Imprimante** : Objet généralement situé à côté de votre ordinateur qui imprime des informations sur papier. Faites une incursion dans le Chapitre 16 pour améliorer vos connaissances en matière d'imprimantes PC.

**Connecteurs** : A l'arrière de l'unité centrale, vous trouverez principalement des branchements de câbles et des prises qui relient l'ordinateur aux différents éléments ou *périphériques*, tels que l'imprimante sur la Figure 1.1.

**Nombreux fils électriques** : Ce que l'on ne vous montre jamais - surtout pas dans les manuels informatiques et encore moins dans les publicités - c'est cet enchevêtrement de fils électriques à l'arrière de tout ordinateur. Quelle pagaille ! Ces câbles sont nécessaires pour relier entre eux les différents éléments de votre PC, l'unité centrale aux éventuel périphériques et le tout à la prise murale. Aucun démêlant après-shampooing ne serait capable de venir à bout de cette masse tentaculaire.

- Tous ces éléments sont importants. Sachez les distinguer les uns des autres dans votre propre système.

- La quatrième partie de cet ouvrage traite en détail du matériel informatique.

- L'élément essentiel d'un ordinateur est le gros boîtier, l'unité centrale, ou UC. Tout matériel relié à l'UC peut être considéré comme un *périphérique*. Voyez le Chapitre 18 pour en savoir plus.

## Composants de l'unité centrale

L'unité centrale est le coeur de l'ordinateur. C'est la partie matérielle avec laquelle vous travaillez la plupart du temps. Tous les éléments de votre ordinateur vivent soit à l'intérieur de cette unité centrale, soit à l'extérieur reliés par des câbles. La Figure 1.2 illustre la face avant d'une unité centrale type.

**Ventilateur** : OK, cette petite chose souvent bruyante n'est pas très importante. Toutefois, il faut savoir que la plupart des unités centrales sont dotées d'un système d'aération sur leur face avant ou à l'arrière lorsqu'il s'agit d'une tour (ça chauffe là-dedans !).

**Lecteur de disquettes** : Petite ouverture horizontale qui avale des disquettes. La plupart des boîtiers d'aujourd'hui comportent un seul lecteur 3 pouces 1/2, mais certains contiennent encore des lecteurs plus gros pouvant accepter des disquettes 5 pouces 1/4.

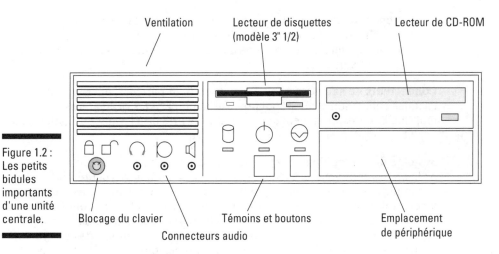

Ventilation    Lecteur de disquettes    Lecteur de CD-ROM
(modèle 3" 1/2)

Figure 1.2 :
Les petits
bidules
importants
d'une unité
centrale.

Blocage du clavier        Témoins et boutons        Emplacement
de périphérique
Connecteurs audio

**Lecteur de CD-ROM** : Il s'agit d'un lecteur de disques de capacité élevée. Ces disques sont identiques à vos CD audio, si ce n'est qu'ils contiennent des données informatiques. Le Chapitre 7 vous entretiendra plus longuement sur les unités de lecture (disquettes, CD-ROM et disques durs) et leur utilisation.

**Future extension** : Emplacement vide caché par une petite porte sur la face avant du boîtier. De tels emplacements sont généralement destinés à accueillir d'autres disques durs, des lecteurs de CD-ROM, des dérouleurs de bande magnétique (ou *unités de sauvegarde sur bande*) et autres petites friandises adorées des PC.

**Boutons et voyants** : Vous trouverez logiquement la plupart des boutons d'un ordinateur sur son clavier. Toutefois, certains des plus importants sont situés sur la face avant de l'unité centrale accompagnés, pour les plus sophistiqués des PC, de petites lumières troublantes. Ces boutons et lumières comprennent généralement les effets suivants :

> **Bouton marche/arrêt** : Il s'agit du bouton d'alimentation générale du PC, interrupteur principal que vous utilisez pour allumer la bête. Il peut se trouver sur la face avant de l'ordinateur, mais certains modèles le placent encore à l'arrière, sur la droite. Ce bouton est généralement accompagné d'un petit voyant vous indiquant son état. Attention délicate mais inutile, les ordinateurs faisant suffisamment de ramdam pour pouvoir en déduire à l'oreille qu'ils sont allumés.

> **Bouton Reset** : Ce bouton vous permet de relancer l'ordinateur sans avoir à l'éteindre et à le rallumer. Le Chapitre 4 explique pourquoi toute personne sensée devrait agir ainsi.

> **Bouton Turbo** : Souvenir du temps où l'on faisait tourner les PC en deux modes : très lent ou aussi vite que possible. De toute évidence, personne n'opterait aujourd'hui pour la première solution. Une petite lumière accompagne le bouton Turbo.

**Voyant disque dur** : Ce voyant s'éclaire lorsque le disque dur est en marche. Dans la mesure où celui-ci loge à l'intérieur du boîtier, cette petite lumière est votre assurance qu'il est toujours en vie et content de faire son travail.

**Connecteurs de son** : Des connexions pour haut-parleurs, microphones et casques sont aujourd'hui populaires sur la plupart des ordinateurs multimédias. Ces branchements sont parfois prévus à l'avant du boîtier, mais le plus souvent vous les trouverez à l'arrière.

**Système de verrouillage** : Depuis une quinzaine d'années, de nombreux ordinateurs sont vendus avec un système de verrouillage (petite porte accompagnée d'une clé) protégeant l'accès des boutons et des lecteurs de la face avant du boîtier. Il en va de même pour certains claviers dont l'accès peut également être verrouillé par une clé. Lorsque le clavier est verrouillé, l'ordinateur ignore tout ce que vous pouvez taper. La plupart de ces systèmes ne servent toutefois qu'à dissuader les éventuels fouineurs. J'ai au bureau, par exemple, différents ordinateurs provenant de différents fabricants, et la même clé fonctionne avec toutes les serrures. Vous parlez d'une sécurité !

- L'unité centrale n'est pas l'unique composant de votre système informatique à être équipé d'un interrupteur marche/arrêt. Vos moniteur, imprimante, modem, etc., possèdent également leur propre "bouton rouge". Le Chapitre 4 vous en dit plus sur ces interrupteurs, leurs emplacement, fonction et utilisation.

- Ne posez rien sur les grilles du système de ventilation de votre PC, celui-ci risquerait de surchauffer, voire de suffoquer.

- Consultez le Chapitre 11 si vous voulez en savoir plus sur les horreurs qui sommeillent sous le couvercle gris de l'UC.

- Le voyant signalant l'activité du disque dur était autrefois rouge, mais cela effrayait tout le monde dans la mesure où une lumière rouge clignotante indique généralement que quelque chose ne va pas (pour preuve, les gyrophares des pompiers). Aussi, a-t-il semblé aux fabricants actuels qu'une lumière verte serait plus réconfortante et appropriée.

## Lecteur A ou B

Tous les ordinateurs possèdent un lecteur A (c'est aussi leur lecteur préféré). Si votre ordinateur est équipé d'un deuxième lecteur de disquettes, il est appelé lecteur B. Le lecteur A est généralement situé *au-dessus* du lecteur B (mais pas toujours).

Pour savoir à quel lecteur de disquettes vous avez affaire, observez la face avant de votre PC au moment de l'allumage. Le petit voyant du premier lecteur de disquettes (lecteur A) va s'éclairer un court instant. Vous saurez alors qu'il s'agit du lecteur A.

- Votre ordinateur comporte très vraisemblablement un autre lecteur. Celui-ci, soigneusement placé à l'intérieur du PC se nomme *unité de disque dur*, aussi appelé simplement *disque dur*, ou *lecteur C*, ou encore *C:* (entendez *C deux-points*). Si vous avez installé un second disque dur, il s'agit alors du lecteur D.

- Le Chapitre 7 vous en dira plus sur toute cette histoire de lettres, de disques et de lecteurs.

## L'art de déchiffrer les hiéroglyphes

En plus des nombreux voyants et interrupteurs, l'unité centrale d'un ordina-teur type comporte également des symboles dont on ne vous parle jamais puisqu'ils sont sensés être internationaux (même un extra-terrestre serait capable d'en déduire les fonctions sans consulter son dictionnaire intergalac-tique). Mais, dans l'éventualité où le sens d'un de ces symboles vous échappe-rait, et qu'aucun extra-terrestre ne soit à portée de main, la Figure 1.3 vous propose une traduction des plus courants.

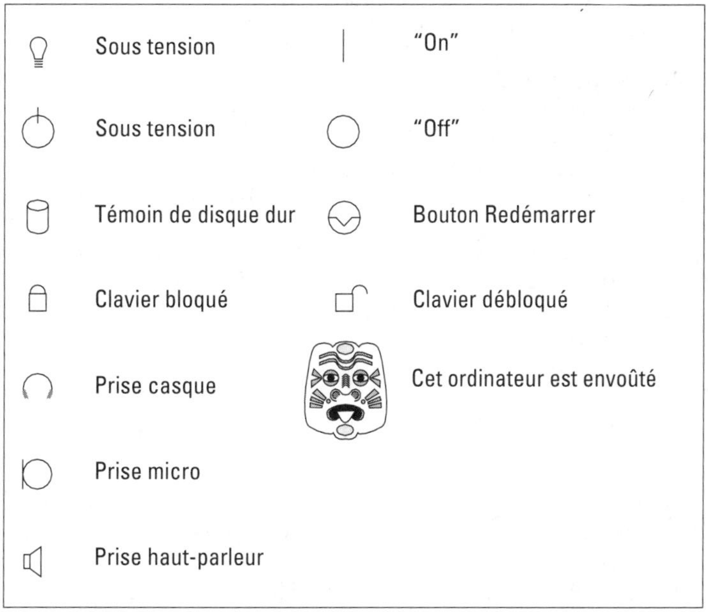

| | | | |
|---|---|---|---|
| ♀ | Sous tension | │ | "On" |
| ⏻ | Sous tension | ○ | "Off" |
| ⛁ | Témoin de disque dur | ⊖ | Bouton Redémarrer |
| 🔒 | Clavier bloqué | 🔓 | Clavier débloqué |
| ◠ | Prise casque | 👹 | Cet ordinateur est envoûté |
| ○ | Prise micro | | |
| 🔊 | Prise haut-parleur | | |

Figure 1.3 :
Quelques
hiéroglyphes
informatiques.

- Oubliez les termes Marche/Arrêt ou ON/OFF. Les ordinateurs *politiquement corrects* d'aujourd'hui utilisent un trait vertical pour indiquer la position Marche et un cercle pour la position Arrêt (comme vous pouvez le constater sur la Figure 1.3).

- Sur la plupart des UC figure un petit voyant qui s'éclaire lorsque l'ordinateur est en marche. Cette petite lumière est généralement accompagnée d'un symbole spécial qui n'est malheureusement pas toujours le même (sur la Figure 1.3, trois symboles différents sont associés à cette même fonction). Quoi qu'il en soit, lorsqu'un ordinateur est en marche, il fait du bruit, et c'est là une indication qui ne devrait pas vous tromper.

## Variations sur le thème PC

Tous les ordinateurs ne ressemblent pas à celui de la Figure 1.1, laquelle illustre en fait un vieux PC IBM. Les ordinateurs d'aujourd'hui sont plus ou moins basés sur le modèle AT, un peu moins ancien, qui a lui-même tendance à être supplanté par toute chose rectangulaire, sobre mais chic, et contenant des voyants clignotants. Voici quelques-uns des autres termes utilisés pour décrire les différents modèles de PC actuels :

**Ordinateur de bureau :** Configuration de PC type avec un boîtier bien propre, rectangulaire, avec de jolies petites lumières et un moniteur qui maintient tout en place comme le ferait un presse-papiers de 3000 F. Certains ordinateurs de bureau sont dits *d'encombrement restreint*. L'encombrement d'un PC est la place qu'il occupe sur le bureau.

**Portable ou portatif :** Ordinateur plus petit dont le moniteur est rattaché au clavier (version compacte du clavier classique) par une charnière permettant de refermer les deux parties l'une sur l'autre pour ne constituer qu'un petit rectangle de deux ou trois kilos. Sauf exceptions, précisées dans ce livre, les portables fonctionnent exactement comme leurs grands frères PC.

**Tour :** Il s'agit pour l'essentiel d'une unité centrale positionnée verticalement (d'où son nom) et généralement placée *sous* le bureau, laissant uniquement *sur* le bureau l'écran et le clavier. Ces PC proposent davantage d'espace intérieur permettant plus d'extensions.

**Mini-tour :** Ce terme fait référence à un ordinateur identique à la tour PC, mais avec quelques étages en moins. C'est tout.

## Votre environnement logiciel type

Pour qu'un ordinateur puisse travailler, il lui faut un logiciel. Les logiciels sont connus sous d'autres noms, comme programmes, applications, progiciels, etc.

Pour simplifier, on peut dire que tout ce qui n'est pas du matériel dans un ordinateur est du logiciel. Il s'agit donc d'un terme générique recouvrant un champ d'applications très vaste (pour les détails, consultez la rubrique "Matériel et logiciel" de ce chapitre).

## Le système d'exploitation (Ze big boss)

Le *système d'exploitation* est l'élément logiciel le plus important. C'est le programme top de l'ordinateur, le gros morceau, le responsable en chef, le Grand Manitou.

Le système d'exploitation régit tout sous le capot. Il contrôle chaque petit composant du PC et garantit une bonne entente entre eux. C'est le cerveau dont le matériel est dépourvu et qui lui est indispensable pour savoir ce qu'il doit faire. Le système d'exploitation gère également les différentes applications installées (voir la section suivante).

- L'élément logiciel le plus important d'un ordinateur est le système d'exploitation.

- Un ordinateur est généralement vendu avec un système d'exploitation déjà installé. Vous n'aurez jamais besoin d'en installer un vous-même. En revanche, dans la mesure où ces programmes sont améliorés de temps à autre, il est possible que vous soyez amené à installer des mises à jour. Reportez-vous au Chapitre 20 pour en savoir plus à ce sujet.

- Autrefois, disons vers 1986, vous achetiez vos applications en fonction de votre matériel. Dans les magasins informatiques se trouvaient différents rayons pour IBM, Apple et Commodore. Aujourd'hui, vous achetez vos logiciels en fonction de votre système d'exploitation : DOS, Windows, OS/2ou Macintosh.

- En ce qui concerne le PC, le système d'exploitation le plus populaire était autrefois le DOS. Aujourd'hui, Windows a supplanté DOS. Bien entendu, il existe d'autres systèmes d'exploitation populaires, mais Windows est, sans conteste, le chef de file.

- Le Chapitre 5 déverse des flots d'informations intéressantes sur Windows.

## Autres types de programmes

Le système d'exploitation est à la base de tout. Soit. Mais seul, il ne peut absolument rien faire pour vous. Pour travailler, vous avez besoin de *programmes d'applications*, aussi appelés *applications*. Ce sont les divers logiciels spécifiques de votre PC qui vous permettent de réaliser votre travail. Pour du texte, vous utiliserez un programme de traitement de texte ; pour effectuer des calculs, vous aurez besoin d'un tableur ; pour traiter des données, il vous faudra un programme de base de données, etc. Quelle que soit la tâche que vous voulez exécuter sur votre ordinateur, celle-ci est réalisée par une application spécifique.

Il peut également s'agir d'utilitaires, de jeux, de programmes éducatifs ou de logiciels de programmation. Il reste peut-être encore quelques autres catégories (mais je ne vois pas vraiment lesquelles).

- La cinquième partie de ce livre traite des logiciels, et plus particulièrement des logiciels de communication et de ce monde bizarre, appelé *cybermonde*, dans lequel vous pénétrez (pour le meilleur ou pour le pire) lorsque vous vous branchez sur Internet.

- Les utilitaires sont des programmes qui réalisent des tâches spéciales, en général ils améliorent les capacités du système d'exploitation.

- Les jeux. Eh bien, que peut-on dire de plus ?

- Les programmes éducatifs (aussi appelés *didacticiels*) ne sont pas simplement des applications qui apprennent à votre petit Lulu à parler anglais ou à compter. Vous pouvez également affiner votre oreille musicale, apprendre à taper (ce que je vous recommande vivement), etc.

- Inutile d'apprendre la programmation pour utiliser un ordinateur.

    Néanmoins, si vous tenez à instruire *personnellement* votre ordinateur, vous devez acheter un logiciel de programmation. Microsoft Visual Basic est un des plus simples en la matière. Le livre de Wallace Wang, *Visual Basic pour les Nuls*, vous aidera à bien démarrer dans ce domaine.

# Chapitre 2
# Déballage et installation

L'installation d'un ordinateur fait partie des "petits plaisirs" que confère son acquisition. C'est au moins aussi compliqué que d'installer un magnétoscope et d'essayer de regarder Canal + tout en enregistrant une émission sur une autre chaîne. En résumé, installer son PC n'est pas chose simple. Consolez-vous en songeant que, au pire, vous n'aurez à le faire qu'une seule fois.

## Déballage et inventaire

L'installation d'un ordinateur commence par son déballage. En général, deux ou trois cartons ont été nécessaires pour l'emballer. La première chose à faire consiste à vérifier, à partir du bon de livraison, que vous avez bien reçu tout ce que vous avez acheté.

- La facture peut également faire apparaître les différents éléments et servir de liste de contrôle.

- Si l'ordinateur a été acheté par correspondance, ou si vous vous l'êtes fait livrer, faites un contrôle serré des cartons que vous recevez.

- Gardez à portée de main les numéros de téléphone de votre distributeur et du fabricant, ainsi que tout numéro d'assistance téléphonique. Certaines marques offrent un service d'assistance gratuit. Collez ces numéros sur le côté du moniteur, ils pourront vous être utiles.

## Trouver un emplacement pour l'ordinateur

Avant de déballer quoi que ce soit, vous devez définir l'endroit exact où vous voulez installer l'ordinateur. Libérez suffisamment de place sur votre bureau ou votre table de travail pour pouvoir poser votre ordinateur et son clavier. N'oubliez pas les incontournables tentacules électriques et *périphériques* qui s'y rattachent. Prévoyez de la place pour tout cela.

- Les ordinateurs ont besoin d'espace pour respirer. N'installez pas votre PC dans un placard, une boîte, niche, alcôve, grotte ou tout autre espace fermé où la ventilation ne pourrait se faire correctement.

- Evitez d'installer votre PC près d'une fenêtre. Les rayons du soleil peuvent créer des surchauffes, et la lisibilité de l'écran est moins nette. Cela évitera aussi les envies malveillantes.

- Si vous pouvez vous asseoir sur une table, celle-ci supportera un ordinateur. N'installez pas votre PC sur une table bancale ou tout autre meuble où vous n'oseriez pas vous asseoir.

## Déballez tout !

N'ayez aucune honte à déballer le carton le plus volumineux en premier (rappelez-vous vos Noëls d'enfant), il contient logiquement le gros morceau : l'unité centrale. Continuez par le deuxième en taille - il devrait contenir le moniteur. Les divers manuels d'utilisation, le clavier, et autres gâteries sont logiquement dans les autres.

Si vous avez acheté une imprimante, celle-ci est également emballée dans son propre carton.

Et, bien entendu, tous les logiciels que vous avez pu acheter se trouvent également dans leurs propres boîtes. (L'industrie informatique est une mine d'or pour les cartonniers.)

- Si un carton comporte une indication du genre "A ouvrir en premier", commencez par là.

## L'unité centrale

Commencez par l'unité centrale (UC), qui se trouve probablement à l'intérieur du plus gros carton. L'UC est l'unité la moins mobile que vous allez déballer, aussi commencer par son installation est une excellente base de départ.

Retirez le polystyrène, l'enveloppe plastique ou toute autre protection pouvant se trouver à l'intérieur de la boîte. Soulevez l'UC et posez-la sur votre bureau.

## Quelques précautions à prendre

Ouvrez les boîtes avec précaution. La méthode "j'attrape, je déchire" peut être dangereuse dans la mesure où ces emballages sont généralement fermés très solidement avec d'énormes agrafes qui peuvent vous sauter à la figure à tout moment.

## *Le moniteur*

Le moniteur est livré dans son propre emballage. Avec la même précaution que pour l'UC, sortez le moniteur de son carton.

Laissez-le de côté pour l'instant ; vous devez d'abord vous occuper de l'UC avant de pouvoir installer fièrement le moniteur au-dessus.

## *Le clavier*

Parfois, une troisième (ou quatrième) boîte est livrée avec votre ordinateur - en plus des éventuels logiciels et manuels fournis avec votre configuration de base. Cette boîte peut contenir le clavier, la souris, d'autres éléments matériels, ou simplement d'autres ouvrages concernant l'utilisation de votre ordinateur.

## *L'imprimante*

Retirez soigneusement l'imprimante de son emballage. Elle contient ses propres manuels auxquels viennent s'ajouter les câbles et connecteurs nécessaires. Vous n'êtes pas obligé d'installer l'imprimante sur-le-champ ; inutile de vous accabler de travail.

La section "Installer l'imprimante" située un peu plus loin dans ce chapitre explique en détail comment installer une imprimante pour la première fois.

## *Et les autres...*

Le carton contenant l'UC peut également offrir d'autres petites surprises. Pensez bien à tout vérifier. L'emballage des ordinateurs ressemble un peu aux poupées russes : des boîtes dans des boîtes dans des boîtes... Parfois, le clavier, les manuels et autres accessoires (prises électriques, etc.) sont enfouis tout au fond du carton de l'UC.

- Vérifiez une dernière fois le contenu des cartons. J'ai, un jour, sauvé mon clavier de la poubelle ; il était caché dans une boîte tout au fond du carton contenant l'UC.

- Voyez le Chapitre 16 pour en savoir plus sur l'installation de votre imprimante.

## Que faire des emballages ?

Les ordinateurs sont généralement livrés sous plastique et mousses diverses pour les protéger, le tout dans des emballages volumineux. Vous pouvez, si vous le souhaitez, tout jeter, ou mieux, pour être écologique, tout recycler. Toutefois, si l'ordinateur devait présenter des faiblesses au bout de quelque temps, vous pourriez avoir besoin de renvoyer le tout dans son emballage d'origine pour ne pas perdre la garantie.

Nous vous conseillons de garder tous les emballages, au moins un mois. C'est le temps nécessaire pour tester votre ordinateur et voir si vous devez le retourner. Passé ce délai, vous pourrez vous en débarrasser.

Je conserve personnellement tous mes emballages, à l'exception des chips en plastique qui se répandent partout. La raison ? Lorsque je déménage (bien que je ne change pas souvent de domicile) je préfère déplacer mon matériel dans son emballage d'origine. En outre, je sais que certains déménageurs n'acceptent d'assurer votre matériel électronique que s'il est emballé dans ses cartons d'origine. Après tout, les greniers sont faits pour y entasser des tas de choses plus ou moins utiles, n'est-ce pas ?

# Installation

Il est préférable de confier ce travail à des personnes plus compétentes que vous. Rappelez aux gourous de votre entreprise que cette tâche leur incombe. Chez vous, invitez vos amis "fanas" d'informatique pour qu'ils "voient" votre nouvelle acquisition. Ne leur dites pas que votre ordinateur est toujours dans les cartons. Faites-leur la surprise, ils seront ravis de vous l'installer.

Si vous n'avez trouvé personne pour vous aider, voici ce dont vous avez besoin :

- Un tournevis cruciforme de taille moyenne ou un tournevis plat (procurez-vous les deux, on ne sait jamais).

- Un tournevis plat miniature.

- Une heure de votre temps.

- Beaucoup de patience.

- Vous n'aurez probablement pas besoin de deux tournevis, mais en avoir plusieurs sous la main fait plus sérieux.

- Il vous faudra peut-être également une lampe de poche pour inspecter l'arrière de votre UC.

## Où va quoi ?

Un croquis de votre PC installé devrait se trouver quelque part, dans un des manuels ou sur une des boîtes. Consultez-le pour monter les différents éléments. Si vous ne le trouvez pas, reportez-vous à la Figure 1.1 qui, malgré son ancienneté (elle représente l'installation type d'un PC IBM du début des années quatre-vingts), devrait vous aider.

La Figure ci-après montre les différents types de prises que vous allez rencontrer à l'arrière de votre PC. Bien entendu, votre installation pourra être légèrement différente.

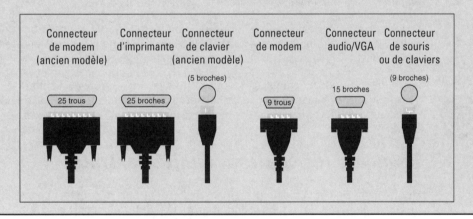

## *Installer l'unité centrale*

Commencez par installer l'UC, de préférence là où vous souhaitez la placer définitivement. La face avant, souvent la plus présentable, possède la marque du fabricant ; tournez-la vers vous. Enlevez l'enveloppe plastique, si ce n'est déjà fait.

- Ne bloquez pas l'accès de la face avant de l'UC avec votre clavier, des livres ou une boîte de Kleenex. Vous devez pouvoir y accéder pour l'allumer, charger les disquettes, et accessoirement regarder ses petites lumières clignotantes quand vous vous ennuyez.

- Puisque tout s'y raccorde, l'UC est le premier élément que vous installez.

- Laissez de l'espace derrière l'unité centrale, pour vous permettre d'y fixer tous les câbles. Après les branchements, vous pourrez donner à l'unité centrale sa position définitive.

- Si vous avez acheté une tour, vous l'avez probablement posée sur le sol sous le bureau. Avancez-la pour l'instant afin de procéder aux divers branchements décrits dans cette section.

## Retirer les languettes de protection des lecteurs

Les lecteurs de disquettes peuvent avoir des "protège-lecteurs". En règle générale, il s'agit d'un morceau de plastique ou de carton glissé dans les lecteurs de disquettes.

Les lecteurs de disquettes 3" 1/2 contiennent des carrés de plastique. Pour les enlever, appuyez sur le bouton situé en dessous de l'ouverture, le carré de plastique sera partiellement éjecté, saisissez-le et enlevez-le.

Si votre ordinateur est également équipé d'un lecteur 5" 1/4, un petit bout de carton carré est coincé dans la fente du lecteur. Faites délicatement pivoter le levier du lecteur, saisissez le carton en partie éjecté et retirez-le.

 De même que pour les emballages, vous pouvez jeter les "protège-lecteurs" si vous le souhaitez. Quant à moi, je les conserve précieusement. En cas de déménagement, si les lecteurs ne sont pas protégés, ils risquent de se détériorer.

## Brancher les câbles à l'unité centrale

L'unité centrale est la partie principale de l'ordinateur. A ce titre, elle a le privilège de posséder le plus grand nombre de câbles dans la région la plus inaccessible : l'arrière.

Vous devrez raccorder (presque) tous les câbles suivants à l'UC :

- Le câble (ou cordon) d'alimentation.

- Le câble du clavier.

- La prise souris.

- Le(s) câble(s) du moniteur.

- Les câbles des haut-parleurs externes et du micro.

- Le câble de l'imprimante.

- Le câble de réseau.

# Informations générales sur les câbles

 Les connecteurs plats, en forme de "D" couché, ont généralement un côté plus court que l'autre (à l'image du petit croquis dans la marge). Pour ne pas oublier quel côté va en haut et quel côté en bas, je me dis que *le câble sourit ou qu'il fait la tête*. Cela m'aide à me rappeler comment brancher le câble, et c'est également un signe que, pour un adulte, je regarde trop Canal J.

Avant d'essayer de brancher un câble de clavier ou tout autre connecteur rond, vérifiez que les petits trous du connecteur sont alignés avec les broches de la prise du clavier. Une encoche sur les connecteurs ronds vous permet d'aligner les prises correctement.

Ne raccordez jamais rien à l'UC tant que l'ordinateur est allumé. Vous ne serez pas électrocuté (bien que je n'en sois pas complètement sûr), mais vous risquez d'endommager soit l'ordinateur, soit l'élément que vous branchez. Eteignez l'ordinateur avant d'effectuer tout branchement (l'ordinateur reconnaît tout nouveau arrivant au moment du démarrage).

Certains connecteurs se ressemblent, avec quelques subtiles différences toutefois. Reportez-vous à l'encadré "Où va quoi ?" pour quelques petites astuces qui vous permettront de les identifier. Notez que certains connecteurs ont des trous, d'autres des broches (petites aiguilles), on parle alors de *prises femelles* et de *prises mâles*. Sur certaines prises figurent également des noms ou symboles indiquant à quel appareil elles doivent être reliées. Le Tableau 2.1 dresse une liste de ces petits noms et des appareils auxquels ils font référence.

**Tableau 2.1 : Connecteurs et périphériques correspondants**

| *Connecteur* | *Périphérique* |
| --- | --- |
| COM1 | Souris ou modem. |
| COM2 | Modem. |
| LPT1 | Imprimante. |
| LPT2 | Imprimante secondaire. |
| MOUSE | Souris. |
| MONITOR | Moniteur. |
| KYBD | Clavier. |
| MIC | Microphone. |
| LINE IN | Stéréo (pas le micro). |
| SPEAKERS | Haut-parleurs. |

## *Installer le moniteur*

Vous pouvez placer le moniteur sur l'unité centrale (pour obtenir la configuration classique et standard du PC) ou à côté. Cela dépend en fait de l'espace dont vous disposez sur votre bureau. Dans les deux cas, le clavier se trouvera à l'avant de l'UC.

Bien entendu, si votre UC est une tour, elle se trouvera logiquement *sous* le bureau, de sorte que vous pourrez utiliser tout l'espace disponible pour installer le moniteur exactement là où vous le souhaitez. Rien de sorcier là-dedans.

Le moniteur possède deux câbles. L'un le relie à l'unité centrale ; c'est par son intermédiaire que l'ordinateur envoie les informations à l'écran. Appelons-le *câble vidéo*. L'autre se branche à une prise murale ; c'est le câble d'alimentation. Effectuez les deux branchements maintenant (UC et prise murale).

- Si la longueur des câbles n'est pas suffisante pour placer le moniteur et le clavier à côté de l'unité centrale, vous pouvez toujours acheter des rallonges chez votre revendeur favori. Pour éviter toute mauvaise surprise, comptez et notez le nombre de trous ou broches des connecteurs, écrivez ce chiffre sur un bout de papier, puis dirigez-vous chez votre marchand et demandez de l'aide à un vendeur.

- Vous trouverez au Chapitre 13 les informations nécessaires à l'installation de votre moniteur.

- Certains moniteurs sont livrés avec un support mobile permettant d'orienter l'écran pour améliorer le confort de travail. Ce type de support peut être acheté séparément.

- Le moniteur, comme l'unité centrale, a besoin d'air. Ne posez rien sur le dessus et ne couvrez pas les grilles d'aération.

### Informations sans grande utilité

La plupart des ordinateurs sont aujourd'hui vendus avec une *interface graphique VGA*, terme savant désignant un mode d'affichage sophistiqué pour lequel l'ordinateur et le moniteur ont été entraînés à produire des images graphiques des plus impressionnantes (sans pour autant grever votre budget). Sur ce système, le câble vidéo possède 15 broches. Par conséquent, le connecteur vidéo de l'unité centrale possède 15 petits trous. Attention à ne pas confondre ce connecteur avec un autre de même taille que l'on trouve sur de nombreuses UC, mais qui ne possède que 9 broches ! Il s'agit du *port série* sur lequel vous pouvez brancher une souris, un modem ou d'autres gadgets tout aussi intéressants, *mais pas* le moniteur. Le moniteur se branche sur un connecteur à 15 trous.

Sur certains systèmes graphiques plus anciens peuvent figurer des connecteurs différents. Vous pouvez les repérer grâce à la prise ronde (dite *jack*) qu'ils possèdent et qui se trouve juste à côté de l'endroit où vous devez brancher le moniteur.

# Installer l'imprimante

L'imprimante est un monde à part. On peut la comparer, en quelque sorte, à un autre type d'ordinateur, dont le but ultime consisterait à étaler de l'encre sur des feuilles de papier.

Son installation est très simple. Le plus compliqué vient plus tard, lorsqu'il vous faut contraindre votre logiciel à reconnaître l'imprimante et à lui obéir. Mais nous en parlerons plus en détail dans le Chapitre 16, si vous pouvez patienter jusque-là...

Pour installer l'imprimante, vous allez procéder de la même manière que pour les autres unités. Enlevez-la de l'emballage et installez-la assez près de l'ordinateur.

- Garder l'imprimante à portée de main peut se révéler très pratique.

- Vérifiez le fond de l'emballage pour y retrouver la documentation, les cartouches de polices, et d'autres accessoires dont vous aurez besoin pour votre imprimante.

- En général, l'imprimante n'est pas livrée avec les câbles. La raison en est qu'en théorie une imprimante peut être branchée sur différents ordinateurs. Vous devez donc acheter le câble correspondant à votre ordinateur et à votre imprimante séparément.

- Les imprimantes laser ont besoin de *cartouches de toner* qui doivent être achetées séparément. Les autres imprimantes sont généralement livrées avec leurs consommables (rubans, encre, etc.).

## Assembler l'imprimante

L'imprimante arrive en plusieurs éléments. L'imprimante par elle-même, le ruban ou la cartouche, et les plateaux qui contiennent le papier. Quelque part, une notice doit contenir les explications nécessaires à l'assemblage de votre imprimante. Trouvez cette notice, puis suivez ses instructions.

L'installation classique d'une imprimante implique généralement les étapes suivantes : enlever quelques cales de blocage, installer la cartouche ou le ruban encreur, mettre en place le mécanisme d'alimentation papier ou le bac, introduire la ou les cartouches de polices, et brancher les câbles.

- Si les instructions ressemblent à du chinois, c'est probablement que vous lisez la version chinoise. La plupart des guides d'utilisation sont distribués en plusieurs langues. Cherchez la version française.

- Les imprimantes laser exigent une mise en place spéciale, avec également extraction de cales de blocage. Ces cales bloquent les pièces mobiles des imprimantes pendant le transport. Il n'est pas nécessaire de les conserver ; n'hésitez pas à les jeter (même si vous avez l'intention de déménager plus tard).

• Si votre imprimante est dotée d'une cartouche de polices de caractères, elle trouvera sa place dans un orifice caché quelque part sur l'imprimante. Consultez la documentation pour le localiser. Effectuez cette opération imprimante éteinte.

---

### Définition technique que vous n'êtes pas obligé de lire

Le connecteur réservé à l'imprimante, situé à l'arrière de l'unité centrale, est appelé *port d'imprimante* (oui, comme port de pêche ou port de plaisance). C'est le terme consacré par les spécialistes pour désigner les petits trous à l'arrière de l'unité centrale auxquels vous branchez quelques accessoires intéressants.

---

## Connecter les câbles

Vous avez besoin de deux câbles pour faire fonctionner votre imprimante : le câble d'alimentation qui se branche à une prise murale et le câble d'imprimante qui relie celle-ci à l'ordinateur. Le branchement de l'imprimante au secteur ne doit pas poser de problèmes.

Le câble d'imprimante doit être déjà relié à l'unité centrale. L'autre extrémité de ce câble se branche donc à l'imprimante. C'est la partie la plus intéressante. La prise est grosse et possède deux fixations. On ne peut pas se tromper ; il faut juste un peu d'adresse et d'astuce pour trouver le bon sens de la connexion.

• La majorité des imprimantes se branchent au port imprimante de l'ordinateur. Logique, n'est-ce pas ? Cependant, quelques-unes utilisent le port série du PC, ce qui complique légèrement la situation (nous en reparlerons au Chapitre 16, dans la section concernant les imprimantes série).

• Vous n'avez pas besoin d'utiliser l'imprimante immédiatement. Nous vous recommandons de vous familiariser d'abord avec le PC, et de vous occuper ensuite de l'imprimante.

## *Informations triviales sur les câbles d'imprimante*

L'imprimante ne peut être située à plus de 6 mètres de l'ordinateur. C'est la plus grande distance permise sans risque de perdre des informations. Des câbles plus longs ne peuvent transporter ce type de données (ou transportent des informations erronées).

## Quelques conseils à propos de l'imprimante

Voici quelques conseils qu'il n'est pas nécessaire de mémoriser (nous vous les rappelons au Chapitre 16) :

- Les imprimantes utilisent du papier. Les imprimantes laser peuvent ingurgiter n'importe quel papier semblable à celui utilisé par les photocopieurs. Elles acceptent également des papiers à en-tête et du papier pour machine à écrire.

- Evitez le papier pelucheux qui peut générer de la poussière et encrasser votre imprimante.

- Les imprimantes "non laser" peuvent utiliser du papier listing informatique. Ce papier est disponible par douzaines ou centaines de feuillets attachés les uns aux autres. Vous le faites avancer ou reculer dans l'imprimante grâce à des perforations détachables. Introduisez le papier en plaçant ces perforations sur les guides. Certaines imprimantes effectuent l'alignement automatiquement et sont prêtes à imprimer lorsque vous les allumez.

- Il n'est pas nécessaire d'avoir une imprimante de même marque que celle de votre ordinateur. Par exemple, tout modèle d'imprimante, non seulement IBM, fonctionne avec les ordinateurs IBM (même si certains vendeurs prétendent le contraire).

- Si vous n'êtes pas sur le point d'imprimer un document, ne laissez pas votre imprimante allumée. Une imprimante laser laissée allumée peut consommer jusqu'à 1 000 watts/heure, ce qui représente une grande consommation (et une grosse note d'électricité) pour une imprimante inactive.

- Certaines imprimantes laser récentes sont de très bonnes colocataires. Elles se mettent en route très discrètement, sans bruit, utilisant un minimum d'électricité jusqu'à ce qu'elles soient sollicitées. Puis, lorsque vous les réveillez, elles mâchouillent un peu plus d'énergie, impriment, et retournent à leur sommeil paisible jusqu'à leur prochaine utilisation.

- Une imprimante ne peut rien imprimer si elle n'est pas *en ligne* ou *sélectionnée*. Un bouton, situé quelque part sur l'imprimante, permet de la mettre *en ligne*. Non, allumer simplement l'imprimante ne suffit pas.

# Recommandations électriques

Les ordinateurs vous font toucher du doigt une dure réalité de la vie : il n'y a jamais assez de prises dans une maison ou dans un bureau !

Un ordinateur classique a besoin de deux prises d'alimentation à lui tout seul : une pour le moniteur et une autre pour l'unité centrale. De nombreux appareils ont également besoin de prises : télécopieurs, modems, scanners, imprimantes, etc. Tous requièrent leur propre prise. Naturellement, il y a de bonnes et de mauvaises habitudes à prendre ou à ne pas prendre.

Les mauvaises habitudes :

- N'utilisez pas de rallonges, on se prend les pieds dedans et on les débranche régulièrement.

- N'utilisez pas de prises multiples, elles font ressembler vos prises à des pieuvres et votre ordinateur a besoin de prises de terre.

Les bonnes habitudes :

- Achetez un boîtier d'alimentation avec des prises de terre et une protection antisurtension. Vous pourrez y brancher tous vos appareils, y compris votre imprimante, votre lampe de bureau et votre cafetière.

- Prenez un modèle avec interrupteur qui vous permettra de tout allumer et éteindre en une fois.

## Vous pouvez ne pas lire ce paragraphe sur la protection contre les surtensions, mais seulement si vous êtes inconscient

Il existe un type spécial de boîtiers d'alimentation possédant une protection contre les surtensions et autres impuretés qui se promènent sur nos lignes d'alimentation et qui peuvent faire de votre ordinateur un Etna miniature.

La forme la plus rudimentaire de la protection électronique est le filtre. Il élimine les "bruits" de ligne et vous donne une alimentation plus "propre". Les protecteurs antisurtension sont plus chers. Ils vous protègent contre les surtensions qui peuvent survenir sur certains réseaux EDF. La protection contre les "sautes de courant" est la plus onéreuse. Une "saute de courant" est une surcharge haute tension, généralement provoquée par l'orage. Des protecteurs spécialement étudiés peuvent sauver la vie de votre ordinateur en cas d'orage.

Tout cela est-il vraiment nécessaire ? Non, pas *vraiment*, à moins, bien sûr, que votre alimentation secteur ne soit très instable ou que la foudre ait une prédilection pour votre maison. Néanmoins, un boîtier multiprise avec filtre de protection est toujours un bon investissement.

# Et maintenant ?

Juste après l'installation physique de votre ordinateur, vous êtes probablement tenté de l'allumer. N'en faites rien, il y a encore quelques détails à régler.

- Cherchez la documentation de votre ordinateur (plus spécialement le mode d'emploi et le guide de dépannage), et gardez-la à portée de main.

- Conservez les manuels fournis avec votre ordinateur et ceux des autres logiciels que vous avez pu acheter. Rangez les disquettes et leur manuel ensemble.

- Vous pouvez jeter toutes les petites feuilles de papier qui vous encombrent, mais gardez celles qui portent les numéros de téléphone.

- N'oubliez pas d'envoyer votre carte de garantie. Notez le numéro de série de tous les appareils.

- Assurez-vous d'être en possession d'une copie légale de chacun de vos logiciels. Par exemple, Windows doit être installé sur votre disque dur et vous devez posséder une notice d'utilisation. Si vous n'avez qu'une version photocopiée du manuel et non l'original, votre fournisseur vous a vendu une copie pirate. Ayez le bon réflexe, rendez-vous chez un revendeur informatique et achetez le logiciel Windows original.

# Que faire avec les logiciels ?

Vous avez peut-être acheté des logiciels avec votre ordinateur. Parfait, mais n'y touchez pas encore. Une des erreurs que font beaucoup de débutants est de se lancer à corps perdu dans la découverte de tous les logiciels à la fois. Acheter de nombreux logiciels (si vous n'en avez pas encore beaucoup, le moment viendra) est une bonne idée, mais vouloir les utiliser tous sur-le-champ entraverait votre productivité.

- Le *système d'exploitation* de votre ordinateur (Windows) est le logiciel le plus important. Cherchez ses disquettes et placez-les en haut de la pile.

- Reportez-vous au Chapitre 5 pour en savoir plus sur les systèmes d'exploitation.

- Si vous avez une priorité majeure, par exemple tout apprendre sur l'utilisation de Word pour Windows, n'hésitez pas, étudiez à fond ce logiciel, le reste peut attendre.

- N'oubliez pas qu'aucun travail ne peut être fait sans préparation, il faut apprendre avant d'être opérationnel. Donnez-vous au moins deux semaines avant de pouvoir tirer quelque chose d'un ordinateur.

- La cinquième partie de ce livre traite des logiciels en général.

## Que faire avec les autres accessoires ?

Il se peut que vous ayez acheté d'autres accessoires (matériels), tous demandant à être installés. Mettez-les de côté pour l'instant. Les chapitres de la quatrième partie vous en diront plus sur l'utilisation des périphériques, souris, modem, fax ou scanner. Le principe de base que nous essayons de respecter ici consiste à ne pas vous perturber avec trop d'informations techniques à la fois. L'apprentissage de ce que vous venez d'installer prendra déjà assez de temps.

- Les accessoires peuvent être installés à l'intérieur ou à l'extérieur de l'ordinateur.

- L'installation d'accessoires à l'intérieur d'un ordinateur est possible mais nécessite quelques connaissances. Vous pourrez le faire vous-même si vous y tenez, beaucoup de magazines et de livres vous expliquent comment procéder. Mais je vous conseille de demander à quelqu'un de plus expérimenté de vous aider à effectuer cette opération délicate.

- OK, si vous n'aimez rien demander à personne, vous pouvez vous débrouiller seul. Procurez-vous pour cela le livre *Doper et entretenir le PC pour les Nuls*, qui est une sorte de complément à cet ouvrage.

- Les accessoires externes nécessitent un cordon d'alimentation et un câble de liaison avec l'ordinateur. Vous aurez besoin de logiciels spécifiques pour les faire fonctionner. Un scanner nécessite un logiciel spécial et un modem demande un logiciel de communication. Ces concepts déconcertants sont traités dans la quatrième partie de cet ouvrage.

# Chapitre 3
# La ballade
# des termes affreux

## Dans ce chapitre...

*V*ous accédez véritablement au rang d'utilisateurs de PC lorsque... vous faites référence à votre compagne ou compagnon en utilisant le terme *périphérique*, lorsque vous dites que votre patron n'a pas de *CPU*, ou encore quand vous prétendez que votre collègue n'est pas *multitâche*.

Des centaines de termes informatiques fleurissent les index de livres ennuyeux et les conversations des surdoués. Maintenant que vous possédez un ordinateur, vous aussi pouvez jargonner - exactement comme les gens malades qui s'expriment avec des termes médicaux qu'ils ne connaissaient pas quelques semaines plus tôt : phalange basale déchirée pour un orteil tordu, thrombophlébite pour un caillot de sang dans la jambe, inflammation des muqueuses de l'isthme du pharynx pour une angine, etc. Seulement maintenant, vous aussi pouvez en faire autant, et vous n'êtes même pas malade, ou juste un peu... mais c'est une autre histoire.

# ASCII (et comment le prononcer)

ASCII est une abréviation, mais là n'est pas le plus important. Ce qui importe, en fait, c'est de bien savoir comment vous devez le prononcer (pour ne pas vous ridiculiser). ASCII se prononce "à ski" et non pas "ASK 2".

Vous trouverez le plus souvent le terme ASCII pour décrire quelque chose constitué uniquement de texte. Par exemple, un fichier ASCII contient du texte pur, des nombres et des symboles de ponctuations courantes. Il ne peut contenir des caractères en italique, des titres imposants ou des images de clowns.

- La plupart des programmes de traitement de texte vous permettent de sauvegarder votre travail sous forme ASCII. Dans la mesure où ASCII signifie que le fichier est réduit à sa plus simple expression, un fichier ASCII peut être lu par la majorité des programmes et des ordinateurs.

- Windows fait généralement référence au format ASCII par les termes "document texte" ou "texte uniquement".

- Pourquoi ne pas sauvegarder *tous* les fichiers au format ASCII ? Tout simplement parce qu'il est trop limité. Les traitements de texte ajoutent leurs propres codes spéciaux aux fichiers ASCII pour en simplifier la mise en forme. De plus, le code ASCII ne s'applique qu'au texte et aux chiffres. Il ne peut interpréter les images graphiques et autres données de même complexité.

- ASCII est une abréviation élevée au rang de nom commun qui signifie *American Standard Code for Information Interchange* (code standard américain pour l'échange d'informations). Ce code définit des correspondances entre un ensemble de nombres (de 1 à 128) et les lettres de l'alphabet (minuscules et majuscules), les chiffres de 1 à 9, les symboles de ponctuation et autres caractères bizarres, ainsi que 32 codes spéciaux représentant les touches du clavier : Entrée, Retour arrière, Tabulation, Echap, et... Stop ! Sous peine d'endormissement immédiat.

## Un peu d'histoire

Dans le milieu des années 60, des programmeurs, avec un budget marketing confortable, inventèrent le code ASCII, le nouvel espéranto de l'informatique. Ces programmeurs décidèrent de limiter le nombre de caractères ASCII à 128. En ce temps-là, cela paraissait un nombre raisonnable que la plupart des ordinateurs pouvaient aisément manipuler (les PC d'aujourd'hui, aux capacités accrues, peuvent manipuler de 256 à 32 000 codes pour différents caractères).

L'idée de base était que tout ordinateur compatible ASCII pouvait échanger des données avec d'autres, même si ceux-ci venaient d'horizons différents. C'est toujours le cas aujourd'hui. Vous pouvez prendre un fichier ASCII d'un ordinateur type IBM et le faire lire par un Macintosh ; le fichier restera à peu près identique. (Rien n'est parfait, les résultats finaux demanderont quelques modifications ; ne soyez pas trop exigeant !)

# Combinaison de touches

Le Chapitre 15, consacré à l'utilisation d'un clavier, comporte de plus amples informations sur ce sujet. Pour l'heure, sachez qu'une combinaison de touches désigne plusieurs touches que vous pressez en même temps. C'est ce que vous faites, par exemple, lorsque vous appuyez sur les touches Maj et S en même temps pour obtenir la lettre S majuscule. Sur un clavier d'ordinateur, trois touches spécifiques vous permettent de modifier la fonction première d'une touche : Maj, Alt et Ctrl. Si vous associez une de ces touches avec une autre, vous obtenez une combinaison de touches.

Une pression de votre front sur votre clavier n'est pas une combinaison de touches, mais une *fatigue extrême*.

# Compatible IBM

*IBM* est l'abréviation de *International Business Machines*, cette gigantesque entreprise spécialisée dans les ordinateurs gigantesques pour d'autres entreprises non moins gigantesques. Lorsque les cerveaux d'IBM s'aperçurent, dans les années 70, de tout l'argent que d'autres pouvaient faire avec un simple petit Apple, ils décidèrent qu'eux aussi avaient droit à une part du gâteau.

Des ingénieurs s'attelèrent donc à la tâche et mirent au point un petit ordinateur personnel destiné à la bureautique. Ce spécimen fut très vite un succès, copié avec autant d'empressement par d'autres compagnies qui qualifièrent leurs ordinateurs, composants informatiques et logiciels de *compatibles IBM* (*compatible* pouvant être utilisé comme adjectif ou nom). En d'autres termes, les ordinateurs pouvaient fonctionner comme de véritables ordinateurs IBM, les composants être installés dans des ordinateurs IBM et les logiciels tourner comme des logiciels IBM.

Aujourd'hui, ce terme n'est plus très populaire, l'accent étant porté sur le système d'exploitation plutôt que sur la marque. De fait, l'on parle de *compatibles DOS* ou de *compatibles Windows*, bien que ces nouvelles formules désignent pour l'essentiel la même chose que ce que tout le monde appelait autrefois compatibles IBM.

- *Clone* est un terme voisin de compatible, mais moins prestigieux (un compatible est censé posséder plus de classe qu'un vulgaire clone). Il désigne généralement un compatible de marque inconnue - fabriqué dans l'arrière-boutique du magasin du coin - et meilleur marché. Cette appellation est souvent considérée comme une insulte.

- IBM a dominé le marché de l'informatique jusqu'au milieu des années 80. Depuis cette époque, sa part du gâteau a considérablement diminué. (Reste que 80 % de tous les ordinateurs vendus sont compatibles IBM.)

# Documents

Les documents sont des fichiers spéciaux créés par des traitements de texte. Ce sont des mémos, des lettres, des chapitres de livre, des rapports que vous pouvez imprimer, du courrier que vous allez regretter plus tard d'avoir envoyé, etc. Tout ce que produit un traitement de texte est un type de document.

- D'autres logiciels (pas exclusivement des traitements de texte) peuvent également utiliser le terme *document* pour désigner les fichiers créés, lequel est tout simplement plus prestigieux que "fichier de données" ou "... ce truc que j'ai fait sous CorelDRAW!".

- Les tableurs créent des feuilles de calcul (grandes grilles qui contiennent des nombres, des formules mathématiques et d'autres éléments qui font le bonheur des comptables) que d'aucuns appellent également des documents.

# Fichier

Un *fichier* est un ensemble d'informations stockées par l'ordinateur. Il existe différents types de fichiers, stockant chacun plusieurs types d'informations :

Un *fichier programme* contient des instructions qui permettent à votre PC de travailler (par exemple, faire vos comptes).

Un *fichier de données* contient les données que vous avez créées - la lettre à votre inspecteur des impôts, par exemple.

Un *fichier texte* (*ASCII*) contient du texte, tout ce qu'il y a de plus ordinaire.

- Pourquoi ce nom : *fichier* ? Les gourous de l'informatique auraient pu les appeler *paquets* ou *réceptacles* ou encore *contenants*. Mais ils les ont appelés fichiers ; probablement parce que les ordinateurs effectuent principalement des travaux de bureau (il leur a donc paru naturel d'emprunter des termes employés dans les bureaux).

- Les fichiers sont immatériels. Ils ne tiennent pas dans la main. En revanche, vous pouvez manipuler la disquette qui contient ces fichiers, les imprimer et brandir ensuite la pile de feuilles obtenues.

- Les logiciels sont des fichiers programmes. Les autres fichiers (les fichiers de données) ne sont pas réellement des logiciels puisqu'ils ne donnent pas d'ordres à l'ordinateur.

- On appelle *nom de fichier* le nom attribué à un fichier.

- Vous devez baptiser vous-même les fichiers de données que vous créez. Si le programme utilisé refuse vos petites créations, vous avez probablement franchi la zone dangereuse des "noms de fichiers interdits". Ouvrez vite le Chapitre 9 avant que le fatidique message d'erreur n'apparaisse.

# Icône

Une icône est une petite image représentant un programme ou un fichier dans une interface graphique (voir "Interface graphique" un peu plus loin dans ce chapitre). Vous cliquez sur une icône pour déclencher une tâche particulière.

- Ces icônes n'ont rien en commun avec celles que vous pouvez voir sur les murs des églises de rite chrétien oriental.

- Au cas où vous ne le sauriez pas, ces icônes (celles des églises) sont des images de saints, de la Vierge, ou du Christ.

- Pour satisfaire la soif terminologique des grands gourous de l'informatique, les icônes d'un programme (ces petites représentations graphiques) sont *aussi* désignées par le terme *pictogramme*.

## Imprimer

*Imprimer* commande à l'ordinateur d'envoyer votre travail en cours, à travers un câble, vers l'imprimante (cet appareil qui demande tout le temps à être alimenté en papier).

- Lorsque vous faites une demande d'impression, vous donnez l'ordre à votre ordinateur d'envoyer des informations provenant de l'écran vers l'imprimante qui lui est reliée (et qui ne doit jamais se trouver à plus de 6 mètres).

- L'imprimante ne gâche jamais de papier tant que vous ne l'avez pas allumée.

- Pour des raisons obscures, le port de l'imprimante est appelé *port parallèle*.

- Si vous envoyez un fichier à l'imprimante et qu'il ne se passe rien, attendez un petit moment et essayez de nouveau, cette fois en allumant l'imprimante.

- Consultez le Chapitre 16 pour tout savoir sur les imprimantes.

## Interface graphique

Une interface graphique (*GUI* pour *Graphical User Interface*) vous permet de contrôler l'ordinateur via des icônes et autres symboles affichés à l'écran. Ce procédé s'oppose à celui qui consiste à taper des commandes en mode texte à une invite du DOS. Il est censé faciliter la tâche de l'utilisateur, mais le jury délibère encore.

Avec un tel affichage, vous utilisez les flèches de déplacement du clavier, ou ce petit robot mécanique appelé *souris* pour déplacer une flèche minuscule sur l'écran. Lorsque la flèche pointe le symbole voulu (un W sur une feuille de papier, par exemple) et que celui-ci apparaît en surbrillance, vous appuyez soit sur Entrée, soit sur un des boutons de la souris. Parce que ce W posé sur une feuille de papier représente votre traitement de texte, ce programme s'affiche à l'écran, prêt à être utilisé.

- Windows, OS/2, Macintosh Finder et NeXTStep sont quelques exemples d'interfaces graphiques connues.

- Si vous souhaitez plus d'informations sur les interfaces graphiques, consultez le Chapitre 5.

# Invite du DOS

Le DOS est le nom du programme qui était, avant Windows 95, le système d'exploitation de votre PC. Aujourd'hui, ce n'est plus qu'une simple fenêtre supplémentaire sur votre écran, un moyen à base de texte pour contrôler votre ordinateur et les vieux programmes DOS décrépits qui l'encombrent.

L'*invite* du DOS se compose de caractères bizarres que vous pouvez voir au début de chaque ligne lorsque vous travaillez avec le DOS. C'est ainsi que l'ordinateur vous *invite* à lui dire ce qu'il doit faire.

Cette invite est généralement représentée de la façon suivante :

```
C:\>
```

- Vous entrez une commande à la suite de l'invite du DOS pour indiquer à celui-ci ce qu'il doit faire.

- La lettre de l'invite indique généralement le lecteur de disques sur lequel vous travaillez.

- Ce livre ne fait qu'effleurer le programme DOS. Pour de plus amples informations sur ce système d'exploitation, consultez l'ouvrage *DOS pour les Nuls* ou, si vous avez installé Windows 95, *DOS pour les Nuls,* édition Windows 95.

# Kilo-octets et méga-octets

"Conceptuellement" parlant, un *octet* est égal à une seule lettre ou caractère d'un fichier d'ordinateur. Le terme *kilo* signifie 1 000 ; aussi, un *kilo-octet* est à peu près l'équivalent de 1 000 octets, soit 1 000 caractères ou un peu moins d'une demi-page de texte.

Le terme *méga* signifie 1 000 000. Un *méga-octet* correspond à 1 000 kilo-octets, soit à peu près 1 000 000 de caractères ou 500 pages de texte.

- Pour plus de commodités, on écrit Ko pour les kilo-octets et Mo pour les méga-octets.

## A ne lire que si vous êtes vraiment curieux

Il faut le confesser, un kilo-octet ne contient pas 1 000 octets ou caractères, mais 1 024. Les 24 octets supplémentaires ne correspondent pas à une TVA spéciale pour informaticiens ! Il s'agit simplement du résultat du chiffre 2 élevé à la puissance 10, soit $2^{10}$.

Les ordinateurs *adorent* le chiffre 2, et 1 024 est la puissance de 2 la plus proche de 1 000. L'approximation n'est pas trop forte pour 1Ko = 1 000 octets, elle l'est davantage pour 1Mo = 1 048 576 octets, soit 1 024Ko multiplié par 1 024Ko.

# Lancer, exécuter, faire tourner un programme

"Lancer un programme" signifie travailler avec lui. Vous pouvez "lancer 1-2-3", "exécuter 1-2-3" ou "faire tourner 1-2-3" : trois manières différentes de dire la même chose.

- Sous Windows, vous lancez un programme en l'*ouvrant*. Pour cela, vous pouvez double-cliquer sur son icône à l'aide de la souris ou sélectionner son nom à partir du menu déroulant Démarrer.

- *Lancer* est le terme le plus courant. Toutefois, certains auteurs de manuels informatiques préfèrent le terme *exécuter*, peut-être parce que l'idée de placer 1-2-3 devant un peloton un peu spécial éveille en eux un plaisir sadique.

# Logiciel (Software)

Un *logiciel* est un ensemble d'instructions ordonnant à l'ordinateur ce qu'il doit faire. Il s'agit d'éléments immatériels, invisibles, par opposition au matériel (hardware) que vous pouvez voir et toucher.

- Un logiciel est généralement fourni sur disque (ou disquette), mais le disque en lui-même n'est pas le logiciel.

- Les éléments logiciels d'un ordinateur contrôlent les éléments matériels (l'imprimante, par exemple) que vous pouvez sentir, toucher, et même goûter si vous avez de grandes dents pointues.

**Infos techniques que je ne lirais pas si j'étais vous**

En fait, le *logiciel* est l'ensemble d'instructions stockées sur disque, le *support* est la disquette et le *matériel* le lecteur de disquette. Dans le cas d'un CD audio, le *logiciel* est la musique elle-même, le *support* est le disque compact et le *matériel* le lecteur de CD. Dans le cas d'une radio, le *logiciel* est le son, le *support* les ondes radio, et le *matériel* la radio elle-même. Dans le cas d'un magnétoscope, le *logiciel* est le film, le *matériel* est le - oui, enfin bref, vous avez compris !...

# *Macintosh*

Le tout premier ordinateur à avoir fait preuve de personnalité a été le Macintosh. Votre PC n'a aucune personnalité, ce n'est rien de plus qu'un outil de travail efficace et sérieux. Apple, la compagnie qui fabrique le Macintosh, dépense des millions chaque année à essayer de convaincre le grand public que ses ordinateurs sont destinés au monde des affaires. C'est cela oui...

Sérieusement, le Macintosh est simplement un ordinateur différent. Il utilise une interface graphique, telle que Windows, avec tout un tas de logiciels amusants et intéressants. Mais il n'est pas aussi populaire, et donc pas aussi largement reconnu, que votre PC.

- Alors que vous appelez votre ordinateur un PC, cette autre espèce d'utilisateurs appelle le sien un Mac.

- Contrairement à IBM, Apple garde jalousement ses secrets de fabrication. Personne n'a pu pirater les plans du Mac pour créer des clones. Dans la mesure où il n'y a aucune compétition directe possible, les ordinateurs Macintosh coûtent beaucoup plus cher que la plupart des compatibles IBM.

- La *souris* (non pas l'animal, mais ce petit parallélépipède en plastique qui tient dans la main et se déplace sur une sphère) a été rendue populaire par les ordinateurs Macintosh. En bougeant cette souris sur votre bureau, vous déplacez une flèche sur l'écran. Vous appuyez sur un de ses boutons pour activer l'objet sur lequel pointe la flèche. Pour en savoir plus, consultez le Chapitre 14.

# Matériel (Hardware)

Le matériel est la partie de l'ordinateur que vous pouvez toucher : l'unité centrale, le clavier, l'imprimante, le ou les lecteurs de disquettes et le moniteur.

Les Anglo-Saxons opposent le matériel (*hardware* ou objet dur) au logiciel (*software* ou objet mou) ; les Français la matière (mater-iel) à la logique (logic-iel).

Le terme *hardware* a été inventé dans les années 1500 par les grands gaillards de la maréchalerie anglo-saxonne pour désigner tout outil physique. Les petits génies de la programmation informatique ont alors inventé dans les années 60 le terme *software* (par opposition à *hardware*).

- Le matériel est constitué de l'ordinateur lui-même et des accessoires auxquels il est relié par un câble.

- Seul, le matériel ne peut rien faire, si ce n'est augmenter votre note d'électricité. Tout élément matériel a besoin d'être commandé par un logiciel pour travailler.

# Multimédia

Le *multimédia* n'est rien de plus qu'un terme à la mode. Un PC multimédia est en fait un PC doté d'une carte son, d'un lecteur de CD-ROM et de suffisamment d'outils graphiques pour afficher des vidéos sympas à l'écran.

De fait, nombre de PC actuels peuvent prétendre au rang de PC multimédia, bien que le son et un lecteur de CD-ROM soient encore des options pour la plupart.

# Multitâche

Les ordinateurs des années 90 sont "multitâches". Cela signifie qu'ils sont capables d'accomplir plusieurs tâches à la fois. Lorsque vous êtes au téléphone tout en préparant à dîner, en regardant la télé et en donnant le biberon à votre petit dernier, vous faites du multitâche : vous faites quatre choses - ou plus - à la fois. Les ordinateurs peuvent en faire autant, et sans perdre le fil de la conversation, brûler le dîner ou enfoncer la tétine dans l'oreille du petit.

Le multitâche est une affaire qui concerne le *système d'exploitation* (voir plus loin). Tout matériel informatique peut faire du multitâche, mais seulement si le logiciel aux commandes en est capable.

Le multitâche ne semble pas évident ou nécessaire à l'utilisateur débutant. la raison en est simple : Vous êtes seul, vous n'avez qu'une paire d'yeux et de mains. Votre ordinateur n'est équipé que d'un seul clavier et moniteur. Pourquoi diable essayer d'exécuter plusieurs tâches en même temps ?

Ah ! Le secret : Lorsque vous utilisez un ordinateur, la plus grande partie de votre temps est employée à attendre. Vous attendez que l'ordinateur ait fini de trier votre base de données, d'afficher votre nouvelle image graphique ou de copier un fichier. Avec le multitâche, toutes ces opérations peuvent être réalisées *pendant que vous vous occupez d'autre chose*. C'est là tout l'intérêt.

- Avec un ordinateur multitâche, vous pouvez faire autre chose pendant que le système termine d'accomplir seul la tâche en cours.

- Lorsqu'un programme est chargé, mais que vous ne travaillez pas avec lui, on dit qu'il fonctionne *en tâche de fond*. Comme si vous mettiez un plat au four ; le plat continue à cuire sans que vous ayez besoin de vous en occuper.

- Windows est un système d'exploitation multitâche. Le Chapitre 5 vous en dira plus long sur ses prouesses.

# Ouvrir un programme ou un fichier

"Hé, Gérard ! Passe-moi l'ouvre-boîtes et une tenaille, je vais sortir ce fichier Word de ton PC !"

Heu... Pas vraiment non ! *Ouvrir*, dans le jargon informatique, signifie transférer des informations du disque dur ou d'une disquette sur la mémoire de votre PC ; *exécuter* un programme signifie ouvrir un fichier d'un disque pour l'utiliser.

- Vous ouvrez un fichier de données via les commandes Ouvrir spécifiques à votre programme. Par exemple, sous Windows, vous pouvez cliquer sur une icône spéciale ou sélectionner la commande Ouvrir du menu Fichier pour choisir dans une boîte de dialogue le fichier désiré et le charger en mémoire.

- Vous ouvrez également des fichiers de programmes pour les exécuter (voir "Lancer, exécuter, faire tourner un programme" plus avant dans ce chapitre).

- L'ancien terme consacré était *charger*.

Les expressions suivantes signifient toutes "ouvrir un programme" :

- Exécuter un programme.

- Lancer un programme.

- Initialiser un programme.

- Charger un programme.

- Faire tourner un programme.

# Par défaut...

Enfin un terme que vous pouvez ignorer ! Vous allez rencontrer des programmes qui vous offriront une liste de choix possibles et vous suggéreront, sans en avoir l'air, de choisir les valeurs *par défaut*.

Ne vous posez pas de questions, et appuyez sur la touche Entrée.

- En règle générale, l'option ou le choix par défaut est la solution qui fonctionne le mieux dans 99 % des cas. Par conséquent, si vous vous contentez d'appuyer sur la touche Entrée sans chercher à comprendre, le programme fera automatiquement le bon choix. Normalement.

- L'option *par défaut* signifie également *option standard* ou *ce que vous devez sélectionner lorsque vous n'avez aucune idée de ce qu'il faut faire*. Par exemple, les enfants se pincent mutuellement par défaut.

# Quitter, sortir et fermer

Pour quitter un programme, il ne vous suffit pas de tourner un bouton, même si parfois la tentation est grande. Il vous faut chercher comment quitter un programme correctement.

Le manuel d'utilisation peut vous aider ; cherchez les mots "quitter" ou "sortir" dans l'index, ou renseignez-vous auprès d'un expert.

- Vous pouvez quitter presque tous les programmes Windows en utilisant la dernière commande du premier menu. Il s'agit généralement de la commande Fichier/Quitter.

- Lorsque le programme quitte l'écran, vous vous retrouvez sous Windows.

- N'oubliez pas de sauvegarder votre travail avant de fermer un programme.

- Une des joies que procure l'utilisation de Windows est qu'il n'est pas nécessaire de fermer un programme lorsque vous en avez terminé avec lui. Vous pouvez simplement le *réduire* ou le faire basculer en arrière-plan. Ainsi, il disparaît temporairement de votre route, vous permettant de passer à autre chose. (Tout cela est traité au Chapitre 6.)

Toutes les expressions suivantes sont synonymes :

- Sortir d'un programme.

- Quitter un programme.

- Retourner à Windows.

- Fermer la fenêtre d'un programme.

- Sauve qui peut.

# RAM ou mémoire vive

Mémoire vive et RAM sont deux termes interchangeables. Ils font référence au stockage de données dans l'ordinateur. Peu importe leur forme technique, l'important est la quantité de mémoire que vous possédez ; plus vous en avez, plus votre ordinateur est performant.

- La mémoire vive stocke les informations temporairement (tant que l'ordinateur est allumé). Le stockage à long terme se fait sur le disque dur.

- Les machines utilisent leur mémoire vive comme la surface d'un bureau. Plus cette surface est importante, plus l'ordinateur possède de place pour étaler ses outils. Lorsque vous éteignez l'ordinateur, tout est rangé dans les tiroirs (le disque dur).

- *RAM* signifie *Random Access Memory* (mémoire vive). Ce sont, en fait, des puces situées à l'intérieur de l'ordinateur où sont stockées les informations.

# Réseau

Un réseau permet aux experts en micro de relier plusieurs ordinateurs entre eux par des câbles et des logiciels supplémentaires, de sorte que toutes les machines tombent en panne en même temps lorsqu'une seule d'entre elles a un problème.

Plus sérieusement, les ordinateurs en réseau peuvent partager des informations. Des employés peuvent ainsi utiliser la même imprimante ou communiquer entre eux pour partager les derniers potins en toute impunité.

Voici trois moyens pour déterminer si vous êtes connecté en réseau ou non :

1. **Vos collègues et vous pouvez partager la même imprimante, les mêmes fichiers ou les mêmes messages sans quitter vos fauteuils.**

2.  **Vous devez respecter une procédure d'ouverture de session (*log in*) et de fermeture (*log out*) chaque fois que vous utilisez l'ordinateur.**

3.  **Lorsque votre ordinateur tombe en panne, *tout le monde* panique au bureau.**

- Si vous n'êtes pas sur un réseau, ignorez tout ça !

- Si vous êtes branché, ne vous en souciez pas non plus, les réseaux sont livrés avec un expert. Toutefois, vous pouvez toujours consulter le Chapitre 10, si vous l'osez.

# Sauvegarder

Le processus de sauvegarde donne l'ordre à un ordinateur de transférer sur un disque les informations que vous venez de créer pour les stocker et les conserver.

*Sauvegarder* est synonyme d'*enregistrer*.

Aucun ordinateur ne peut faire la différence entre un travail sérieux et un jeu. Après avoir effectué un travail (un rapport qui vous a pris cinq heures, par exemple), vous devez explicitement donner l'ordre à l'ordinateur de le sauvegarder.

Vous pouvez sauvegarder vos données en les imprimant (voir la rubrique "Sortie papier" dans ce chapitre). En principe, sauvegarder signifie transférer les données sur disque, qu'il s'agisse d'une disquette ou d'un disque dur.

- Si vous ne donnez pas l'ordre à votre ordinateur de sauvegarder votre travail, il ne le fera pas automatiquement. Seuls quelques programmes s'en soucieront et vous avertiront, ne comptez pas sur les autres.

- Dès que vous savez comment sauvegarder votre travail, n'hésitez plus à enregistrer vos données toutes les cinq minutes ou chaque fois que vous y pensez. Quelques programmes offrent même la possibilité d'effectuer automatiquement la sauvegarde toutes les "x" minutes.

# Sortie papier

Une *sortie papier* est le nom donné aux informations imprimées sur une feuille de papier. "Fournir une sortie papier" signifie tout simplement "imprimer un document" (voir "Imprimer" plus avant dans ce chapitre). Lorsque quelqu'un vous demande de lui "fournir une sortie papier", cette personne suppose que vous apporterez l'information imprimée (logique), elle ne s'attend pas à vous voir arriver avec votre écran sous le bras.

- Certaines personnes font une sortie papier de toutes leurs créations ; ainsi, si l'ordinateur tombe en panne, ils peuvent toujours prouver qu'ils ont travaillé.

- Une sortie papier peut être une simple feuille, un livre entier ou n'importe quel document issu d'une imprimante.

- Pour plus d'informations, consultez le Chapitre 16.

# Système d'exploitation

Un *système d'exploitation* (*operating system* en anglais) est un programme logiciel contrôlant l'ordinateur. C'est le logiciel le plus important. Le gros morceau. Le grand Manitou. Le logiciel qui sait se faire respecter et obéir par tous les autres.

Tout ce qui est installé sur votre PC (matériel et logiciel) est obligatoirement commandé par un système d'exploitation. Ces systèmes sont le plus souvent disponibles en trois parfums : DOS, Windows et OS/2.

Le *DOS* (*Disk Operating System*) est le patriarche de la famille. C'est un vieux système lent et limité, à base de texte énigmatique, avec ce petit plus qu'il n'est plus désormais fabriqué. (Enfin, c'est le cas pour Microsoft, IBM le fabrique encore, plus ou moins.)

Windows était autrefois un programme DOS. Cela a changé, Microsoft ayant décidé que Windows devait voler de ses propres ailes en tant que système d'exploitation. Il est beaucoup moins énigmatique que DOS et s'*efforce* d'être simple et amusant à utiliser.

Windows 95 ? Voyez la rubrique "Windows".

OS/2 (*OS* pour *Operating System*) a été conçu par Microsoft et IBM en vue de remplacer DOS. Microsoft douta ensuite de la capacité d'OS/2 à remplacer DOS et décida que Windows avait de meilleures prédispositions. Cela n'empêcha pas IBM de continuer à croire en son système et de le maintenir sur le marché, mais à ce jour et malgré ses vertus, il ne compte que très peu d'adeptes.

- Le système d'exploitation traité dans ce livre est Windows, et plus particulièrement Windows 95. Si vous n'avez pas encore acheté la nouvelle version, aucun doute, vous y viendrez ! Non pas que je sois fou de Windows 95, mais lorsqu'un gorille de 400 kilos vous force à manger une motte de terre, vous la mangez (si vous voyez ce que je veux dire).

# Touche de fonction

Les touches de votre clavier sont regroupées par famille : les touches alpha-numériques, les touches numériques, les touches de déplacement du curseur et les touches de fonction.

Ces dernières se situent vers le haut de votre clavier et sont estampillées de la lettre F (pour Fonction) suivie d'un nombre de 1 à 12. Ces touches se nomment ainsi, car elles n'ont pas de but précis, à l'inverse de la lettre P, par exemple, dont le seul objet consiste à produire un P lorsque vous appuyez dessus.

Les petits génies d'IBM ont créé des touches dont les fonctions peuvent varier suivant les programmes. Sous Windows, toutefois, la touche F1 affichera toujours de l'aide. C'est la seule dont la fonction est identique quelle que soit l'application utilisée.

# Version

Les logiciels changent. Les bugs sont matés, les techniques évoluent et de nouvelles fonctionnalités sont ajoutées. Pour permettre au public de suivre le fil de ces évolutions, les développeurs de logiciels marquent leurs logiciels d'un numéro de version.

La première version d'un programme est connue sous le nom de version 1.0 (un point zéro). La version 1.1 (un point un) de ce même programme est par conséquent une version revue et améliorée, et la version 2.0 (deux point zéro) indique des changements plus complets.

Un numéro de version vous permet donc de connaître l'âge de votre pro-gramme. Qui s'en soucie ? En fait, c'est très important, surtout en ce qui concerne les systèmes d'exploitation. Dans la mesure où chaque nouvelle version ajoute de nouvelles fonctions et se débarrasse de celles qui ne fonctionnaient pas correctement, certains logiciels tatillons exigeront, par exemple, la version 3.1 (trois point un) de Windows plutôt que 3.0 (trois point zéro) pour fonctionner. La plupart de ces programmes pointilleux exigent en fait la version courante : Windows 95 (autrement dit, la version 4.0).

- Le numéro de version d'un logiciel est généralement indiqué sur sa boîte. Toutefois, avec certains programmes (tels que Windows 95), vous devez demander au programme d'afficher cette information.

- Les utilisateurs astucieux évitent les versions point zéro : 1.0, 2.0, 3.0, etc. Ces refontes totales peuvent comporter encore quelques bugs et autres problèmes mineurs que les versions bêta sont censées tester et corriger, mais qui ne sont généralement réglés qu'avec la version 1.1, 2.1 ou 3.1.

# *Windows*

Actuellement, le système d'exploitation pour PC le plus populaire est Windows , édité et choyé par Microsoft. Windows a été créé pour remplacer l'alambiquée ligne de commande du DOS par de jolies petites images graphiques (voir "Interface graphique").

Son nom, Windows (fenêtres), vient du fait qu'il recouvre l'écran d'un certain nombre de fenêtres pouvant contenir chacune un programme différent ou d'autres informations. Ses capacités graphiques représentent également ce que vous créez plus précisément qu'avec l'ennuyeux DOS et son écran à base de texte. Vous pouvez, par exemple, taper un document sur votre traitement de texte et le visualiser à l'écran exactement tel qu'il sera imprimé.

- Windows 95 est en fait la version 4.0 de Windows. Il s'agit de la version courante autour de laquelle s'articule ce livre.

- Une super version de Windows existe : Windows NT, conçue pour les grandes entreprises possédant de gros ordinateurs et de grands réseaux.

- Windows n'a pas été inspiré par le Macintosh. Non. Sûrement pas. Et Microsoft a de nombreux avocats en réserve qui sauront vous en convaincre.

# Deuxième partie
# Utiliser un PC

*"Compatibilité ? Aucun problème.
Ce petit bijou existe en douze teintes différentes."*

## Dans cette partie...

L'utilisation d'une télé n'effraie personne. Il y a deux boutons (enfin il y en avait deux dans le temps) : le bouton marche/arrêt et le commutateur de chaînes. Les touches de téléphone ? Pas de problème. Vous composez le numéro, et ça sonne à l'autre bout de la ligne. Pas de touche Entrée. Pas d'installation.

Pas étonnant alors que les ordinateurs soient de tels épouvantails. Trop de boutons ! Pas de cadran ! Rien qui ne soit en mesure de vous dire "Concentrez-vous sur moi et ignorez le reste."

Les chapitres de cette partie du livre sont destinés à vous familiariser avec votre ordinateur - comment l'allumer et l'amener à faire quelque chose. Sincèrement, c'est tout ce que vous devez savoir. Tout le reste, c'est du chiqué.

# Chapitre 4
# Ce gros bouton rouge

*E*st-ce que la mise en route ou l'arrêt d'un appareil doit être compliqué ?
Certes, non. Mais, lorsqu'il s'agit d'informatique, les choses les plus
simples deviennent souvent extrêmement complexes. On imaginerait aisément
plusieurs interrupteurs différents camouflés à l'arrière d'un ordinateur juste
pour vous rendre la vie plus difficile. Eh bien non !

En vérité, il n'y a qu'un seul gros bouton rouge qui met en marche et éteint
l'ordinateur. Bien sûr, cet interrupteur n'est pas toujours gros, ni rouge, mais
laissons là ces petits détails. L'important est de savoir ce que vous devez faire
entre ces deux opérations, période durant laquelle vous avez toutes les
chances de vous arracher les cheveux par paquets ou de chanter des mantras
pendant que vous saisirez fiévreusement votre boule de cristal "New Age"
d'une main et basculerez l'interrupteur de l'autre.

Mais ne vous inquiétez pas, ce chapitre va vous aider à passer cette étape
difficile que constitue l'allumage d'un ordinateur, et tout se qui ce passe juste
après cela, sans négliger toutes ces petites formalités concernant la mise hors
tension de la "bête". Vous apprendrez également qu'il existe une catégorie
d'utilisateurs qui laissent leur machine allumée tout le temps. Scandaleux !

# Allumer l'ordinateur

Pour allumer un ordinateur , il suffit d'accéder à ce gros bouton rouge et de le faire basculer sur la position "On". Certains ordinateurs ont placé ce gros bouton rouge à l'avant, d'autres sur le côté ou à l'arrière, d'autres encore l'ont peint en gris ou en blanc pour mieux le camoufler. Parfois, encore, il ne s'agit pas d'un bouton à bascule, mais d'un de ces boutons poussoirs encore plus discrets.

- En vue de mettre un terme à cette traditionnelle domination culturelle occidentale, les entreprises informatiques ont finalement remplacé les mots "On/Off" par les symboles "|" (ligne verticale) ou "O" (cercle). La ligne signifie "en marche" et le cercle "arrêt". Ces symboles, dits *symboles internationaux*, ont été conçus pour perturber équitablement toutes les civilisations... Vous n'avez pas besoin de les mémoriser. Collez simplement votre oreille sur l'unité centrale, si elle ronronne, c'est qu'elle est allumée, sinon changez la position de l'interrupteur. (Si ce type de signes cabalistiques vous amuse, consultez la Figure 1.3, il en existe d'autres encore plus distrayants.)

- Si rien ne s'affiche à l'écran, attendez encore un instant. S'il ne se passe toujours rien, allumez le moniteur.

- Si l'ordinateur ne démarre pas, vérifiez qu'il est bien branché. S'il ne marche toujours pas, reportez-vous au Chapitre 23, "Quand appeler de l'aide ?".

- S'il se passe quoi que ce soit d'inattendu, ou si vous remarquez que votre ordinateur est particulièrement désobligeant, commencez par paniquer. Ensuite, consultez la sixième partie de ce livre pour trouver ce qui ne va pas.

- Assurez-vous qu'il n'y a pas de disquette dans le lecteur A lorsque vous allumez votre ordinateur. Si une disquette s'y trouve, l'ordinateur ne pourra démarrer à partir du disque dur, comme il est censé le faire. (Certaines personnes gardent une disquette dans le lecteur A pour ne pas faire comme les autres, ce n'est pas la peine de les imiter.)

- Voyez le Chapitre 7 pour en savoir plus sur le lecteur A.

## Infos techniques que vous pouvez ignorer

Votre ordinateur est constitué de plusieurs éléments (unité centrale, moniteur, imprimante, etc.), possédant chacun son propre interrupteur marche/arrêt. L'ordre d'allumage de ces différents appareils n'a pas réellement d'importance, bien qu'un vieil adage préconise d'allumer l'unité centrale en dernier. A moins que ce ne soit l'inverse ? J'ai oublié. Le meilleur moyen d'éviter toute tracasserie inutile consiste à acheter un boîtier multiprise, une boîte avec une rangée de prises complétée d'un interrupteur à son extrémité.

L'UC, le moniteur, l'imprimante et tous les autres gadgets reliés à votre ordinateur se branchent sur ce boîtier multiprise, qui se connecte à son tour à la prise murale ou à une protection antisurtension. En basculant un seul bouton du boîtier, vous allumez d'un seul coup tous les éléments reliés à l'ordinateur.

## Mon manuel me demande de démarrer ou de "booter" mon ordinateur : Que dois-je faire ?

Le démarrage (*booting* en anglais) de l'ordinateur s'effectue automatiquement à l'allumage de celui-ci. On dit alors "booter un ordinateur" pour l'allumer (bien que ce ne soit pas très joli). Vous trouverez également *rebooter* (l'excellence du barbarisme) pour redémarrer ou relancer l'ordinateur en appuyant sur le bouton de remise à zéro : *Reset*.

## Quoi de neuf à l'horizon ?

Haut les coeurs ! Windows 95 est arrivé !

Enfin, presque. Un peu de texte, résidu d'un DOS décrépit, apparaît pour commencer, suivi d'une notice de droit d'auteur. Ensuite, vous apercevrez peut-être l'unique message texte de Windows 95, faisant ses adieux à un système qui lui a désormais passé la main :

```
Démarrage de Windows 95...
```

Après cela, votre interface est définitivement graphique. Vous verrez probablement encore un peu de texte défiler, tel le générique de fin d'un film noir et blanc, puis Windows 95 dans toute sa splendeur, étendu sur son lit de nuages.

- Démarrer l'ordinateur à l'aide de l'interrupteur principal est la phase mécanique. Vous mettez ainsi sous tension le matériel (hardware) de l'ordinateur, qui n'est rien de plus qu'un assemblage de pièces électroniques à l'intérieur d'un boîtier sur lequel aime s'allonger le chat lorsqu'il n'est pas assis sur vos livres ou sur votre clavier. Au bout de quelques instants apparaît un Windows 95 aérien, le logiciel qui va véritablement donner vie à votre tas de ferraille. La scène "dans les nuages" ne sert, en fait, qu'à vous distraire pendant que Windows sort langoureusement de son sommeil.

## Mon ordinateur me dit qu'il y a une "erreur disque" : Que dois-je faire ?

Ceci arrive assez souvent, même à Bill Gates !

```
Disque non-Système / erreur disque
Remplacez et pressez touche
```

Retirez la disquette du lecteur A et appuyez sur la touche Entrée. L'ordinateur ne devrait plus vous ennuyer.

Ce message s'affiche parce que vous avez laissé une disquette dans le lecteur A de l'ordinateur. Ce dernier a essayé de démarrer à l'aide du logiciel de cette disquette et - devinez quoi - aucun logiciel n'y figure ! Le système d'exploitation recherché par votre PC se trouve sur le disque dur, et celui-ci ne peut être chargé tant que vous n'avez pas retiré cette satané disquette et appuyé sur la touche Entrée.

## Et qui êtes-vous s'il vous plaît ?

Windows semble très simple d'accès : c'est lui qui fait tout le travail ! En revanche, si votre PC est rattaché à un réseau, il vous faudra fournir un petit effort pour pouvoir accéder au système.

C'est via la boîte de dialogue Mot de passe que Windows 95 vous demandera poliment de décliner votre identité. Vous devrez taper votre nom d'utilisateur, presser la touche de tabulation, puis taper votre mot de passe. Il suffira ensuite de cliquer sur la touche Entrée pour accéder au monde magique de Windows.

Si vous ne tapez pas le bon mot de passe, une alarme retentit aussitôt, une grille métallique se referme sur vous et votre PC, les chiens sont lâchés, et Windows efface scrupuleusement toutes les données de votre disque dur pour ne pas compromettre la sécurité du réseau.

Non, je plaisante. Si vous vous trompez, vous avez droit à une seconde chance. Si vous vous trompez encore, eh bien Windows vous ouvre les portes sans plus vous ennuyer ! Très utile ce mot de passe...

- Windows connaissant déjà votre nom d'utilisateur, celui-ci sera probablement déjà affiché. Votre tâche consistera donc à entrer uniquement le bon mot de passe. Et encore...

- Pressez la touche de tabulation pour passer d'une option à l'autre.

- Pour une petite visite guidée dans le monde des réseaux, consultez le Chapitre 10.

- Si toute cette histoire de mot de passe vous ennuie, appuyez sur la touche Echap pour sauter cette redoutable barrière de sécurité.

- Si les joyaux de la couronne (d'Angleterre) étaient gardés avec autant d'efficacité que Windows garde son réseau, nous porterions tous de drôles de chapeaux brillants.

## *Voici votre astuce du jour : Cliquez sur le bouton Fermer et mettez-vous au travail*

Chaque fois que vous lancez Windows, la boîte de dialogue Bienvenue à Windows 95 apparaît. Faites place à la superastuce du jour !

Après avoir pris connaissance de l'information, cliquez sur le bouton Fermer pour vous débarrasser de la boîte de dialogue.

- Si vous ne savez pas comment fonctionne une souris d'ordinateur, ou si vous pensez que *pointer et cliquer* implique forcément l'utilisation d'une arme à feu, jetez un œil sur le Chapitre 14 (sa dernière partie).

- Pour ne plus vous laisser importuner par cette boîte de dialogue, cliquez sur la case à cocher Afficher cet écran d'accueil au démarrage de Windows 95 (voir Figure 4.1). Cette action supprime la marque qui y figure, et cette boîte n'apparaîtra plus au démarrage.

- Inutile de cliquer sur les autres boutons de la boîte de dialogue Bienvenue à Windows 95. Si votre curiosité vous y pousse, vous serez entièrement seul. (Et vous aurez été prévenu !)

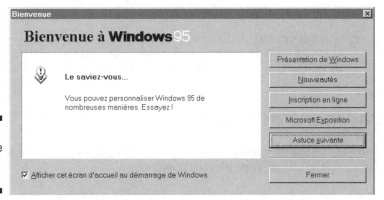

Figure 4.1 :
L'astucieuse
astuce du
jour.

## Et Windows fit son apparition !

Après un temps, voire un temps et demi, Windows 95 se présente à l'écran dans toute sa gloire et sa bonté graphique (Figure 4.2). Votre système d'exploitation est enfin prêt. Vous allez pouvoir vous mettre au travail.

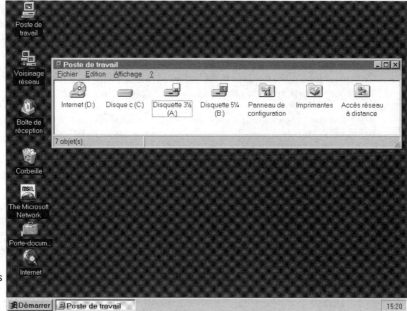

Figure 4.2 :
Windows 95,
sa barre des
tâches et ses
icônes.

- Les Chapitres 5 et 6 offrent de plus amples informations sur Windows et son utilisation.

- Windows prend vraiment son temps avant d'apparaître à l'écran ; aussi, ne vous découragez pas trop vite. Il paraît que Samuel Beckett travaillait sur *En attendant Windot* avant de mourir...

## Commencer à travailler

Entre l'allumage de votre ordinateur et l'extinction des feux, vous êtes censé faire quelque chose. Travailler par exemple.

Hélas, cette étape n'est pas décrite avant les deux prochains chapitres. Ce chapitre-ci ne décrit que la mise en route et l'arrêt de votre PC.

# *Eteindre l'ordinateur*

Eteindre l'ordinateur est un jeu d'enfant : il suffit d'appuyer sur le gros bouton rouge. Toute vie sort aussitôt de votre PC. Le courant cesse d'alimenter les circuits, le disque dur freine sa course, puis s'immobilise, et le ventilateur s'arrête en un dernier soupir. Malheureusement, si cette méthode radicale peut vous soulager, elle ne conviendra certainement pas à votre ordinateur.

Avant d'en arriver à cette satisfaction extrême, vous devez suivre des étapes précises :

 1.  **Cliquez sur le menu Démarrer.**

Si la barre des tâches est visible, cliquez sur le bouton Démarrer situé en bas à gauche de cette barre (voyez la Figure 4.2).

La méthode la plus sûre et la plus efficace de faire apparaître le menu Démarrer consiste à appuyer sur la combinaison de touches Ctrl+Echap. Cette opération marche à tous les coups, que le bouton Démarrer soit visible ou non sur votre écran.

2.  **Choisissez l'option Arrêter.**

Cliquez sur ce bouton avec la souris ou pressez la touche T.

La boîte de dialogue Arrêt de Windows apparaît (Figure 4.3), comportant quatre options et trois boutons.

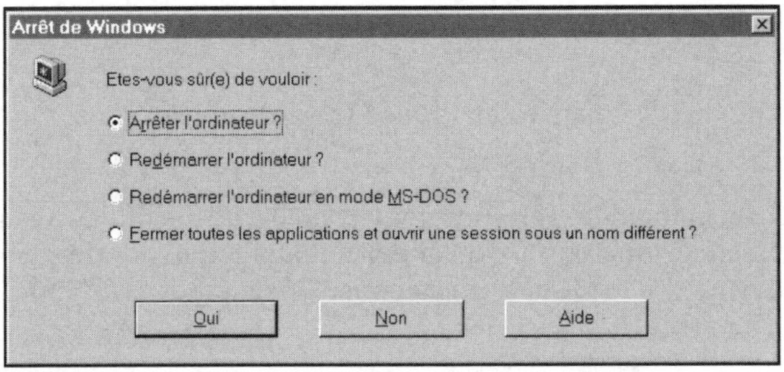

Figure 4.3 :
Cette boîte
de dialogue
est la porte
de sortie de
Windows.

3.  **Cliquez sur le bouton Oui.**

Ignorez les autres options. Celle qui vous intéresse, Arrêter l'ordinateur, est déjà sélectionnée pour vous.

4.  **Windows tire sa révérence.**

So long !

- Si vous n'avez pas encore sauvegardé votre travail, le ou les programmes en cours vous demanderont de le faire. Utiliser les commandes appropriées pour enregistrer votre travail.

  Un écran apparaît alors indiquant, je cite, "Vous pouvez maintenant éteindre votre ordinateur en toute sécurité". Pas d'explosion, pas d'étincelles, tout va bien.

5. **Retrouvez l'interrupteur que vous avez utilisé pour allumer l'ordinateur et faites-le basculer dans l'autre sens.**

   Clic. Et voilà !

- Oui, vous commencez par cliquer sur le bouton Démarrer pour éteindre votre ordinateur. Quelle logique !

- Le raccourci clavier Ctrl+Echap, T, Entrée permet de mater la bête. Mais attention, Windows ne fait que sommeiller dans la boîte. Il reprend vie dès que vous relancez l'ordinateur.

- N'éteignez pas votre ordinateur tant qu'un programme apparaît à l'écran. Fermez toutes vos applications après avoir enregistré vos travaux, puis dites au revoir à Windows suivant l'usage. Ce n'est que lorsque l'écran vous dit que vous pouvez éteindre votre ordinateur *en toute sécurité* que vous pouvez enfin actionner l'interrupteur.

- Les habitués du DOS devront cesser de considérer que l'amical C:\> de l'écran signifie qu'ils peuvent éteindre l'ordinateur. Avec Windows 95, vous devez commencer par *fermer* DOS en tapant la commande EXIT :

```
C:\> EXIT
```

  L'invite du DOS disparaît et vous êtes de nouveau sous Windows, comme par magie.

- Il est recommandé d'attendre environ 30 à 40 secondes avant de rallumer l'ordinateur. Ce délai permet au disque dur de s'immobiliser totalement. (Il est tout à fait déconseillé de jouer avec l'interrupteur marche/arrêt !)

- Dans la mesure du possible, essayez de ne pas éteindre votre PC plus de trois fois par jour. Je vous conseille de laisser votre ordinateur allumé toute la journée et, si cela est vraiment nécessaire, de ne l'éteindre que pour la nuit. Toutefois, certaines personnes recommandent de laisser l'ordinateur allumé en permanence. Pour en savoir plus, lisez la section suivante.

# Faut-il laisser l'ordinateur allumé en permanence ?

Savoir si l'on doit ou non éteindre un ordinateur provoque des débats passionnés. D'aucuns, les plus au courant, vous diront qu'il est nécessaire de le laisser allumé en permanence, 24 heures sur 24, 7 jours sur 7, 14 jours par semaine sur la planète Mars. En fait, vous ne devez l'éteindre que si vous vous absentez plus d'un week-end.

Les ordinateurs adorent rester allumés tout le temps. Vous laissez bien votre réfrigérateur allumé toute la nuit ou lorsque vous partez en voyage, alors pourquoi pas votre PC ? Cela n'augmentera pas vraiment votre note d'électricité.

En revanche, il est important d'éteindre votre moniteur lorsque vous n'utilisez pas votre PC. En effet, si vous le laissez allumé trop longtemps, vous risquez de détériorer les phosphores, cette pellicule intérieure qui recouvre l'écran. Ordinateur éteint, si vous voyez apparaître l'image de Word, ou du programme que vous utilisez en permanence, votre ordinateur est atteint de "phosphorite aiguë".

- Certains programmes spéciaux, appelés *économiseurs d'écran*, effacent l'écran après un délai prédéterminé, en général quand vous n'avez pas touché le clavier pendant plusieurs minutes. Windows contient son propre économiseur d'écran. A partir du menu Démarrer, choisissez Paramètres/Panneau de configuration, puis double-cliquez sur l'icône Affichage pour ouvrir la boîte de dialogue correspondante. Cliquez sur l'onglet Ecran de veille et effectuez les opérations nécessaires, tâches que je n'ai pas le temps de vous expliquer ici.

- Si vous choisissez de laisser votre ordinateur allumé en permanence, ne le recouvrez pas d'un protège-poussière. Une telle enveloppe agirait comme une véritable serre et pourrait élever la température de votre système de manière très critique.

## Quelques petites précisions sur le problème

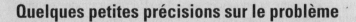

Les raisons pour lesquelles il est préférable de laisser votre PC allumé sont nombreuses. L'allumage, par exemple, constitue une terrible épreuve pour le système. On dit souvent que, chaque fois que vous allumez et éteignez votre ordinateur, vous réduisez son espérance de vie d'un jour. Allez savoir...

En vérité, lorsque vous laissez votre ordinateur allumé en permanence, vous maintenez une température égale à l'intérieur du boîtier. Lorsque vous éteignez le système, ses composants électriques se refroidissent. Lorsque vous le rallumez, ils se réchauffent (le ventilateur du système les maintenant toutefois à un degré raisonnable). Cette fluctuation de température dilate et contracte les cartes électroniques, ce qui "fatigue" les soudures. En laissant l'ordinateur allumé en permanence - ou en réduisant au minimum le nombre de fois que vous allumez et éteignez votre PC - vous pouvez prolonger sa vie.

Une école de pensée opposée prétend que, même si ce qui précède est vrai, lorsqu'un ordinateur est allumé 24 heures sur 24, les moteurs du disque dur et des ventilateurs fonctionnent constamment et provoquent une usure prématurée des roulements. En outre, plus un ordinateur reste allumé longtemps, plus il est sujet aux facéties de l'alimentation secteur.

Alors ? Choisissez votre école. (Je laisse mes ordinateurs allumés en permanence, si vous voulez le savoir.)

## Relancer l'ordinateur

Un jour ou l'autre, vous verrez l'écran de votre ordinateur "se figer" sans que l'affichage en soit altéré ; simplement, les ordres que vous frappez au clavier ne passent plus. Vous vous obstinez et l'unité centrale ne répond à votre impatience que par quelques "bips" agaçants.

Ces incidents surviennent généralement lorsque vous avez commis une erreur grave, mais ce n'est pas toujours le cas. Vous êtes parfois totalement innocent. Quelle qu'en soit la cause, en appuyant sur le bouton de remise à zéro (*Reset*) vous ordonnez à votre ordinateur d'abandonner toute affaire en cours et de redémarrer.

Vous pouvez également redémarrer (réinitialiser) l'ordinateur en pressant la combinaison magique Ctrl+Alt+Suppr en même temps. Vous devez utiliser cette combinaison de touches deux fois de suite sous Windows, car celui-ci ne l'apprécie pas trop pour les raisons que je vais vous exposer dans la prochaine section.

- La combinaison de touches Ctrl+Alt+Suppr est aussi connue sous le nom de "combinaison du salut" ou Contrôle-alt-suppr.

- N'utilisez pas le bouton Reset ou les touches Ctrl+Alt+Suppr pour quitter un programme et en lancer un autre. Un programme se quitte avec civilité ; n'éteignez pas votre PC tant que Windows ne vous a pas informé que vous pouvez procéder en toute sécurité.

- N'oubliez pas de retirer toute disquette pouvant se trouver dans le lecteur A avant de relancer votre ordinateur. Si vous y laissez une disquette, l'ordinateur tentera de redémarrer à partir des données de cette disquette.

# *Relancer Windows 95 correctement*

Windows 95 ne vous laisse pas presser simplement les touches Ctrl+Alt+Suppr pour relancer le système. Probablement parce que ce n'est pas une très bonne idée de relancer le système en plein milieu d'une action, et Windows est *toujours* en pleine action. Sous Windows 95, la combinaison de touches Ctrl+Alt+Suppr n'est plus une combinaison de remise à zéro, mais une combinaison permettant de fermer les programmes qui ne répondent plus.

Si vous pressez les touches Ctrl+Alt+Suppr sous Windows 95, vous verrez apparaître la boîte de dialogue Fermer le programme avec laquelle il est préférable de ne pas trop s'amuser ; aussi, cliquez sur le bouton Annuler ou pressez la touche Echap.

- N'utilisez la combinaison du salut que si vous voulez fermer un programme qui ne répond plus. Et, dans ce cas, commencez par consulter le Chapitre 24 pour quelques explications plus précises.

- Si vous voulez vraiment relancer Windows 95, vous devez utiliser la commande Arrêter, décrite dans la section "Eteindre l'ordinateur" plus avant dans ce chapitre. Dans la boîte de dialogue Arrêt de Windows, à l'étape 2, choisissez la deuxième option, et redémarrez l'ordinateur.

# *Quand doit-on relancer le système ?*

Voici enfin la question cruciale : Quand doit-on relancer le système ? Personnellement, je ne relance mon système que si le clavier est complètement bloqué et que le programme semble être allé prendre l'air. (Parfois, Ctrl+Alt+Suppr ne fonctionne pas dans ces situations. Le cas échéant, si votre ordinateur n'est pas doté d'un gros bouton marqué *Reset*, vous devrez l'éteindre, attendre quelques secondes et le rallumer.)

# Chapitre 5

# Apprendre à utiliser Windows 95

Autrefois, le système d'exploitation des PC compatibles IBM était le DOS. Mais ce programme rétro n'avait rien d'excitant et tout le monde s'en plaignait. Microsoft inventa alors Windows, une interface graphique offrant un environnement plus chaleureux, et tout le monde s'en plaint. Mais votre PC a besoin d'un système d'exploitation, et Windows est probablement là pour longtemps. Je le sais parce que j'ai vu l'agenda de Bill Gates où il est stipulé à la section "Diriger la planète", étape 9 : "Amener le monde entier à utiliser Windows 95".

- Ce livre explique principalement comment utiliser un PC et non pas Windows 95. Si vous voulez des informations complètes ou spécifiques à ce sujet, achetez *Windows 95 pour les Nuls*.

## Qu'est-ce qu'un système d'exploitation ?

Le système d'exploitation d'un PC est le logiciel qui fait tourner la machine, celui qui commande tout le matériel, le Grand Manitou. C'est également celui qui vous sert vos programmes d'application, tel un serveur de restaurant.

Vous choisissez un traitement de texte à partir d'un menu, et le système d'exploitation exécute ce programme. Très facile, voire amusant.

- Votre premier devoir sous Windows consiste à lui dire quel logiciel lancer. Cette palpitante opération est traitée dans le prochain chapitre.

- Windows gère tous les fichiers et documents que vous créez. C'est là un autre aspect du système d'exploitation : organiser toutes les informations de votre PC et les stocker sur le disque dur. Ce sujet est traité au Chapitre 9.

# Windows, le véritable cerveau de votre PC

Le programme principal de votre PC est Windows. En théorie (ce qui signifie que cela n'arrive jamais dans la réalité), un système d'exploitation devrait être discret et efficace, et véhiculer vos instructions tel un serviteur dévoué et reconnaissant.

En fait, Windows est un vilain gosse. Il se comporte comme un adolescent arrogant très mignon et amusant qui ne veut pas vous dire où il a caché vos clefs de voiture ou votre portefeuille à moins que vous acceptiez de jouer à la belote avec lui. En d'autres termes, avec Windows à la tête de votre PC, vous êtes obligé d'accepter ses règles du jeu.

## Le bureau

Windows est un programme graphique. Il affiche des images, symbolisées à l'écran par des *icônes*, représentant tout ce que contient votre ordinateur. Ces images graphiques apparaissent sur un fond appelé *bureau*. La Figure 5.1 montre le fameux bureau Windows sous les nuages.

Vous pouvez tout contrôler à l'aide de la souris de votre ordinateur. Son déplacement correspond au mouvement du curseur sur votre bureau. Vous utilisez cette souris et son curseur pour pointer vers des objets (textuels ou graphiques), les sélectionner, les saisir, les faire glisser, déraper, danser, etc.

Oh, bien entendu, vous pouvez également utiliser le clavier, mais les systèmes d'exploitation tels que Windows préfèrent largement les souris aux claviers.

- Le bureau n'est rien de plus que le fond sur lequel Windows étale ses jolies petites affaires, comme un vieux drap que vous accrochez au mur pour raser vos voisins avec les diapos de vos vacances aux Antilles.

- Les petits dessins que vous voyez à l'écran s'appellent des *icônes*.

- Reportez-vous à la fin du Chapitre 14 pour plus d'informations sur l'utilisation de la souris.

- Quant au clavier, il est traité au Chapitre 15

Figure 5.1 :
Le bureau
Windows et
différentes
icônes sur
lesquelles
vous pouvez
cliquer pour
lancer des
programmes.

## La barre des tâches

La barre horizontale grise au bas de votre bureau se nomme *barre des tâches*. Il s'agit du centre de contrôle principal de Windows.

A gauche de cette barre se trouve le bouton Démarrer. Oui, c'est à partir de ce bouton que vous démarrez les applications sous Windows. C'est également là que se cache la commande Arrêter qui permet de fermer Windows !

A l'extrémité droite de la barre des tâches se trouve une horloge accompagnée d'un haut-parleur (si votre PC est doté d'une carte son).

D'autres petites icônes sont susceptibles d'apparaître à côté de l'horloge : une petite imprimante lorsque vous imprimez, un téléphone sur un modem si vous êtes en cours de communication, un indicateur de batterie (pour les portables), etc.

Entre ces deux extrémités peuvent se trouver d'autres boutons représentant une fenêtre ou un programme ouvert sur le bureau, ou encore un programme *réduit* (voyez le chapitre suivant pour une explication).

- Si vous double-cliquez sur une des petites icônes situées à l'extrémité droite de la barre des tâches, vous ouvrez le programme correspondant. Par exemple, si vous double-cliquez sur l'horloge, la boîte de dialogue Propriétés pour Date/Heure s'affiche depuis laquelle vous pouvez régler la date et l'heure de l'ordinateur (opération traitée dans le Chapitre 11).

- La barre des tâches peut être ancrée à toutes les bordures du bureau. (Cliquez sur un endroit vierge de la barre des tâches, puis faites glisser la souris vers un nouvel emplacement en maintenant son bouton gauche appuyé.) Ce livre part du principe que, comme le font la plupart des utilisateurs, vous la laissez à sa place d'origine.

## Le bouton Démarrer

Sous Windows, tout commence par le bouton Démarrer, situé à gauche de la barre des tâches. Ce bouton contrôle un menu déroulant (et une pléthore de sous-menus !), contenant diverses commandes et programmes.

Pour dérouler le menu Démarrer, il suffit de cliquer sur son bouton. Clic. Si vous préférez passer par le clavier, appuyez sur la combinaison de touches Ctrl+Echap. Cette opération affiche aussitôt le menu Démarrer même si, pour une raison ou une autre, la barre des tâches n'apparaît pas à l'écran. (Si vous avez la chance de posséder un de ces claviers ergonomiques signés Microsoft, vous pouvez simplement appuyer sur l'un des deux boutons marqués du sigle Microsoft Windows pour afficher le menu Démarrer.)

C'est tout ce que ce chapitre vous apprendra sur le bouton Démarrer. Si vous n'êtes pas satisfait, allez voir la section "Démarrer un programme sous Windows 95", dans le chapitre suivant.

---

### La barre des tâches a plus d'un tour dans son sac !

Non seulement la barre des tâches peut être déplacée, mais elle peut également être agrandie, ou réduite au point de ne plus apparaître à l'écran que sous la forme d'une minuscule ligne grise au bas du bureau.

Cette petite ligne représente toujours la barre des tâches, seulement quelqu'un réduite à une taille lilliputienne. Pour l'agrandir, placez le pointeur de la souris sur un de ses bords. Celui-ci prend alors la forme d'une double flèche. Faites ensuite glisser cette flèche vers l'extérieur et relâchez le bouton de la souris lorsque sa taille vous paraît convenable.

La barre des tâches peut également disparaître sous de la commande Masquer automatiquement. Cliquez à l'aide du bouton droit de la souris sur la barre des tâches. Dans le menu contextuel, choisissez l'option Paramètres pour faire apparaître la boîte de dialogue Paramètres pour barre des tâches. Enfin, assurez-vous que l'option Masquer automatiquement n'est pas cochée (cliquez sur la case en regard de cette option pour supprimer la marque qui y figure). Cliquez ensuite sur le bouton OK pour valider votre sortie.

N'oubliez pas : vous pouvez toujours accéder au menu Démarrer via la combinaison Ctrl+Echap, que la barre des tâches soit visible ou non.

## Les gestionnaires de fichiers : Poste de travail et Explorateur

Une des tâches essentielles d'un système d'exploitation consiste à gérer des fichiers, documents, et autres babioles stockées sur votre ordinateur. Deux programmes se répartissent le travail : le Poste de travail et l'Explorateur.

Vous lancez le programme Poste de travail en double-cliquant sur sa petite icône située à l'angle supérieur gauche du bureau. Cet effort est alors couronné d'une liste de toutes les bonnes choses que contient votre ordinateur (Figure 5.2).

Figure 5.2 : Les principaux dossiers du Poste de travail.

Si vous double-cliquez sur l'un des lecteurs de votre système, tel que le lecteur C:, celui-ci s'ouvre pour révéler une fenêtre garnie de nombreux dossiers et icônes (Figure 5.3). Ces icônes représentent les fichiers de votre système. Si vous double-cliquez sur un dossier, une nouvelle fenêtre apparaît contenant d'autres fichiers et dossiers, et ainsi de suite ; c'est à vous rendre fou !

• Vous double-cliquez sur une icône pour l'activer. Certaines icônes lancent des programmes. Double-cliquer sur un dossier, ouvre une nouvelle fenêtre révélant son contenu.

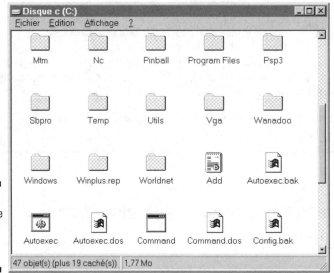

Figure 5.3 :
Cette fenêtre
contient des
dossiers et
fichiers.

- Les icônes représentent les fichiers de votre ordinateur. Il peut s'agir de fichiers que vous créez, de fichiers d'application, ou encore de fichiers dont personne n'a jamais entendu parler.

- Les dossiers ne sont rien de plus que des emplacements destinés à stocker d'autres icônes et fichiers.

- Consultez la section "Fermer une fenêtre" plus loin dans ce chapitre pour savoir comment fermer les fenêtres du Poste de travail.

L'Explorateur est semblable au Poste de travail, si ce n'est qu'il présente vos informations différemment. (Apparemment, Microsoft n'a pu se décider sur la façon dont les utilisateurs devaient considérer leurs fichiers.)

Pour lancer l'Explorateur, vous devez cliquer sur le bouton Démarrer et choisir, dans le menu déroulant, la commande Programmes/Explorateur Windows.

Contrairement au Poste de travail, l'Explorateur n'est composé que d'une seule fenêtre (Figure 5.4). Les lecteurs de disque et les dossiers de votre ordinateur apparaissent à gauche de la fenêtre, les fichiers et sous-dossiers à droite.

OK. Assez parlé de l'Explorateur. Choisissez Fichier/Fermer pour vous débarrasser de cette fenêtre encombrante.

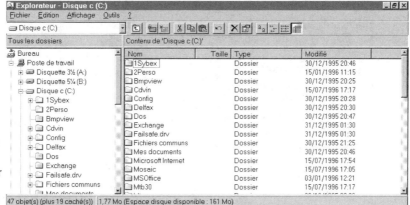

Figure 5.4 :
L'Explorateur
en action.

- Les *micromaniaques* (entendez : "ceux qui restent rivés à leur écran d'ordinateur du matin au soir, week-end compris") préfèrent utiliser l'Explorateur. Je vous recommande de commencer par le Poste de travail pour vous familiariser avec la gestion de fichiers, puis de passer à l'Explorateur, qui semble plus efficace.

- Les programmes Poste de travail et Explorateur sont tous deux traités plus en détail dans la troisième partie de ce livre.

## *Le Panneau de configuration*

Le Panneau de configuration contient tous les programmes gérant les différents composants de votre ordinateur. Vous pouvez y accéder de différentes façons. Vous pouvez cliquer sur le bouton Démarrer, puis choisir Paramètres/ Panneau de configuration, ou encore double-cliquer sur son icône dans la fenêtre Poste de travail (voir la section précédente). Quelle que soit l'option choisie, une fenêtre comprenant de jolies petites icônes apparaît (Figure 5.5).

Chacune de ces icônes représente un aspect de votre ordinateur. Si vous double-cliquez sur l'une d'elles, vous affichez une fenêtre contenant encore plus d'informations, encore plus de commandes, encore plus de problèmes...

Mon conseil : laissez ces commandes aux experts en micro.

Fermez le Panneau de configuration en choisissant Fichier/Fermer dans le menu.

- La quatrième partie de ce livre traite de quelques éléments du Panneau de configuration.

- Les icônes présentes dans le Panneau de configuration diffèrent selon les utilisateurs et les joujoux qu'ils ont installés.

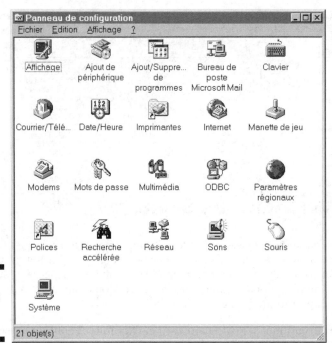

# Fenêtres sur écran

Les fenêtres de Windows offrent toutes des fonctions similaires, conçues pour être activées à l'aide de la souris. Il s'agit de petits boutons que vous poussez, d'images graphiques que vous sélectionnez, faites glisser, étirez, etc. La plupart de ces outils contrôlent l'apparence des fenêtres et le fonctionnement des programmes.

## Changer la taille d'une fenêtre

Vos fenêtres peuvent avoir absolument toutes les tailles. La gamme varie entre la totalité de l'écran et une dimension trop petite pour être exploitable.

Pour qu'une fenêtre occupe la totalité de votre écran - là où elle est le plus utile - cliquez sur le bouton *Agrandissement* dans l'angle supérieur droit de cette fenêtre. (Cette opération transforme la représentation plein écran du bouton en deux fenêtres qui se recouvrent.) Cliquez de nouveau sur ce bouton pour ramener la fenêtre à sa dimension d'origine.

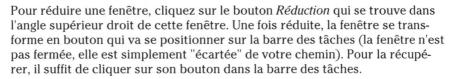

Pour réduire une fenêtre, cliquez sur le bouton *Réduction* qui se trouve dans l'angle supérieur droit de cette fenêtre. Une fois réduite, la fenêtre se transforme en bouton qui va se positionner sur la barre des tâches (la fenêtre n'est pas fermée, elle est simplement "écartée" de votre chemin). Pour la récupérer, il suffit de cliquer sur son bouton dans la barre des tâches.

Entre la taille plein écran et l'icône se situent de nombreuses tailles intermédiaires. Pour personnaliser les dimensions d'une fenêtre, placez le pointeur de la souris sur une de ses bordures ou sur un angle, cliquez en maintenant le bouton de la souris appuyé, puis faites glisser la fenêtre vers l'intérieur ou l'extérieur. Relâchez le bouton lorsque la fenêtre a adopté la dimension recherchée.

## Déplacer une fenêtre

Windows place ses fenêtres où bon lui semble. Pour positionner une fenêtre là où bon *vous* semble, faites-la glisser par sa barre de titre (la bande horizontale située tout en haut d'une fenêtre, généralement au-dessus de la barre de menus). Cette méthode ressemble un peu au cliché de l'homme des cavernes tirant sa femme par les cheveux. Cela n'est jamais vraiment arrivé, bien sûr, et en tout cas pas après que les femmes ont commencé à se promener avec leur club de golf.

## Utiliser les barres de défilement

Certaines fenêtres possèdent deux barres de défilement - une à droite de l'écran, l'autre en bas. Ces barres contiennent un petit *curseur de défilement* (aussi appelé *ascenseur*) et une flèche à chaque extrémité. A l'intérieur de la barre verticale, le petit ascenseur monte et descend au fur et à mesure que vous faites défiler les pages de votre travail. Pour vous déplacer dans votre document, vous pouvez cliquer sur une des flèches, faire glisser le curseur de défilement, ou encore cliquer dans la barre avant ou après le curseur.

## Utiliser les menus déroulants

Il y a tant de commandes disponibles sous Windows 95 que, pour éviter que votre écran ne ressemble aux 12 pages du menu de votre restaurant chinois préféré, Microsoft les dissimule dans une *barre de menus* (généralement située en haut de la fenêtre d'application sous la barre de titre).

Chaque option apparaissant dans une barre de menus décrit une catégorie de commandes. Lorsque vous cliquez sur l'une d'elles, Windows "déroule" le menu contenant les commandes relatives à cette option. Par exemple, le menu Fichier contient les commandes Enregistrer, Ouvrir, Nouveau, Fermer, etc ; toutes concernent les fichiers.

- Vous pouvez également accéder aux différents menus via votre clavier. Pressez la touche Alt ou F10. Cette action sélectionne le premier menu de la barre de menus. Pour sélectionner un menu ou une option d'un menu, tapez la lettre soulignée, telle que le "F" de Fichier.

- Dans ce livre, les commandes de menu sont indiquées dans le format Fichier/Ouvrir. Pour accéder à cette commande, vous pouvez également ment presser les touches Alt, F, O.

## Fermer une fenêtre

 Fermer une fenêtre d'application signifie quitter cette application. Vous la faites disparaître. La méthode la plus courante pour fermer une fenêtre consiste à cliquer sur le bouton représentant un X dans l'angle supérieur droit de cette fenêtre.

Une autre méthode renversante - renversante parce qu'évidente - consiste à sélectionner la commande Quitter ou Fermer du menu Fichier.

- Vous ne pouvez quitter Windows 95 en fermant une fenêtre, comme c'était le cas avec l'ancienne version de Windows. Vous devez impérativement utiliser la commande Arrêter du menu principal Démarrer. (Pour en savoir plus, reportez-vous à la section "Eteindre l'ordinateur", au Chapitre 4.)

# Comprendre les boîtes de dialogue

Comme leur nom l'indique, les *boîtes de dialogue* vous permettent de dialoguer avec Windows. Dans ce cas, les fenêtres contiennent des options et autres gadgets que vous utilisez pour contrôler quelque chose. Vous utilisez votre souris pour sélectionner des options et effectuer des réglages, puis vous cliquez sur un bouton marqué des lettres OK pour envoyer vos sélections au système digestif de Windows.

Si tout cela vous semble compliqué, essayez de vous remémorer l'ancienne méthode du DOS :

```
C> FORMAT A: /S /U /F:144 /V:BIDULE
```

Oui, c'est une véritable commande DOS. Sous Windows, une boîte de dialogue vous permet de réaliser cette même opération, mais de manière graphique. La Figure 5.6 illustre cette commande, version Windows.

Tous les petits machins de la boîte de dialogue illustrée Figure 5.6 sont manipulés à l'aide de la souris. Ce qu'ils réalisent n'est pas encore important. Ce qui importe pour l'instant est le nom que l'on attribue à chacun d'eux. Les définitions qui suivent font référence à la Figure 5.6.

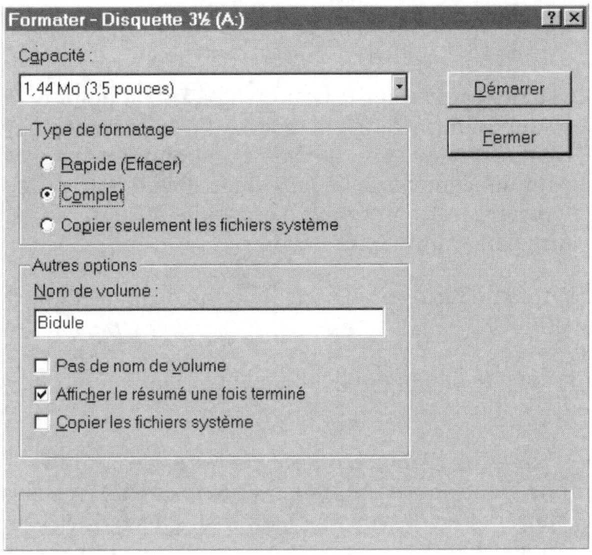

Figure 5.6 :
La boîte de
dialogue
Formater.

**Boîte à liste déroulante :** Sous la rubrique Capacité se trouve une boîte à liste déroulante (aussi appelée simplement "liste déroulante"). Si vous cliquez sur la flèche pointant vers le bas située à droite de la liste, vous affichez, au-dessous de cette zone, les options qu'elle contient. Cliquez alors sur une des options proposées pour la sélectionner. Si la liste est longue, une barre de défilement apparaîtra également sur un côté pour vous permettre de parcourir toutes ses options.

**Bouton radio :** Les boutons ronds des boîtes de dialogue sont appelés "boutons radio". Ils sont regroupés par famille, tels les trois boutons de la Figure 5.6. A l'image des anciens autoradios, un seul de ces boutons peut être actionné à la fois. Pour activer la commande d'un bouton, il suffit de cliquer sur ce bouton à l'aide de la souris. Un point noir remplit alors le bouton actionné.

**Zone de texte :** Toute zone dans laquelle vous pouvez saisir du texte se nomme "zone de texte". Dans la Figure 5.6, une zone de texte comportant le mot "Bidule" se trouve sous la rubrique Nom de volume.

**Case à cocher :** Les petits boutons carrés d'une boîte de dialogue sont appelés "cases à cocher". Contrairement aux boutons radio, vous pouvez cliquer sur autant de cases que vous le souhaitez. Lorsqu'une case est cochée, l'option qui lui correspond est activée. Pour la désactiver, il suffit de cliquer de nouveau sur sa case (qui apparaît alors vide).

Après avoir effectué vos sélections, vous cliquez généralement sur un bouton OK. (Dans la Figure 5.6, le bouton OK s'intitule Démarrer.) Si vos choix ne vous conviennent plus, cliquez sur le bouton Fermer.

Pour obtenir de l'aide, cliquez sur le bouton figurant un point d'interrogation situé dans l'angle supérieur droit de la fenêtre. Cette action transforme le pointeur de la souris en une flèche accolée à un point d'interrogation. Il suffit alors de cliquer sur un élément de la boîte de dialogue pour obtenir des informations le concernant à l'intérieur d'une bulle style BD. Cliquez de nouveau pour faire disparaître cette bulle.

- Presser la touche Entrée dans une boîte de dialogue équivaut à cliquer sur le bouton OK.

- Presser la touche Echap équivaut à cliquer sur le bouton Annuler d'une boîte de dialogue.

- Certaines boîtes de dialogue offrent des boutons intitulés *Appliquer*. Ces boutons fonctionnent comme les boutons OK, si ce n'est qu'ils vous permettent de voir vos modifications sans fermer la boîte de dialogue. Si les changements vous conviennent, vous pouvez alors cliquer sur le bouton OK. S'ils vous semblent vraiment nuls, vous pouvez les redéfinir ou cliquer sur le bouton Annuler. Bref, Windows est vraiment très arrangeant pour une fois.

- La touche de tabulation vous permet de vous déplacer d'une option à l'autre dans les boîtes de dialogue.

- Certaines boîtes à liste ne sont pas déroulantes ; elles sont toujours visibles soit totalement, soit en partie dans les boîtes de dialogue.

- Si vous aimez les complications, vous pouvez utiliser le clavier pour configurer les options d'une boîte de dialogue. Trouvez la lettre soulignée de l'option qui vous intéresse (telle que le *o* de *Complet* dans la Figure 5.6). Pressez la touche Alt + cette lettre, et vous obtenez le même résultat que si vous cliquiez directement sur cette option.

# A l'aide !

Windows possède un incroyable système d'aide que tous les programmes Windows partagent. Quel que soit le programme dans lequel vous vous trouvez, presser la touche de fonction F1 active le menu Aide approprié. Ce menu comporte trois volets intitulés : Sommaire de l'aide, Index, et Rechercher. Voici quelques informations utiles :

- Le volet Sommaire de l'aide présente les informations sous la forme de titres sur lesquels vous double-cliquez pour obtenir une liste plus détaillée des thèmes abordés, et ainsi de suite jusqu'à obtenir les informations finales.

- Le volet Index est le plus utile. Cliquez onglet pour afficher ce volet, puis tapez les informations recherchées dans la zone de texte située en haut de la fenêtre. Au fur et à mesure que vous tapez, Windows 95 affiche les rubriques qu'il estime répondre à votre demande. Dans la partie inférieure de la fenêtre, cliquez alors sur l'entrée qui vous semble la plus appropriée, puis sur le bouton Afficher pour tout savoir à son sujet.

- Vous pouvez ignorer le volet Rechercher.

- La plupart des informations intéressantes sont affichées sous la forme d'étapes à suivre.

- Vous pouvez cliquer sur les petits carrés gris pour obtenir des informations supplémentaires relatives au sujet traité.

- Pour obtenir de l'aide générale sur Windows, choisissez l'option Aide du menu principal Démarrer.

- Vous pouvez cliquer sur un terme souligné en vert (avec un soulignement en pointillé) pour afficher une petite fenêtre définissant ce terme.

Le système d'aide est un programme autonome. Lorsque vous avez obtenu les informations désirées, n'oubliez pas de le fermer. Cliquez sur le bouton figurant un X dans l'angle supérieur droit de la fenêtre.

# *Quelques conseils entre amis*

Ne négligez pas votre souris. Si vous n'en possédez pas, vous pourrez toujours utiliser Windows, mais avec moins d'efficacité. Soyons sérieux et ne leurrons personne, *vous avez besoin* d'une souris sous Windows !

Demandez à un gourou de la micro d'organiser les options du menu Démarrer pour vous. Par la même occasion, demandez-lui de placer vos programmes les plus populaires sur le bureau sous la forme d'*icônes de raccourci*.

N'oubliez pas que Windows peut faire tourner plusieurs programmes à la fois. Jetez un œil sur la barre des tâches pour voir quels programmes sont ouverts avant d'en lancer un deuxième exemplaire par erreur. (Oui, vous pouvez exécuter plusieurs copies d'un même programme sous Windows, mais ce n'est *absolument* pas nécessaire...)

# Chapitre 6
# Commencer à travailler

- - - - - - - - - - - - - - - - - - - - - - - - - - - - - - -

## Dans ce chapitre...

Démarrer un programme sous Windows 95

Agrandir votre travail

Basculer vers un autre programme (sans quitter l'application en cours)

Quelques commandes importantes

- - - - - - - - - - - - - - - - - - - - - - - - - - - - - - -

N'avez-vous jamais remarqué que les héros des "soap opéras" ne travaillent jamais. Bien sûr, ils ont tous un emploi. Vous les voyez même parfois "au travail". Mais personne ne travaille vraiment. Ils parlent. Ils cancanent sur le fait que James n'est plus avec Linda depuis qu'Eva est sortie du couvent. Ils se demandent si Alex a vraiment un frère jumeau diabolique. Ils se moquent de Louise qui prétend être enceinte d'un extra-terrestre et ont peur de Bill qui se promène avec un carton à œufs et que l'on soupçonne d'avoir volé des échantillons secrets provenant du service d'ophtalmologie de la clinique MacBidule.

Pour vous, simple mortel, la vie est beaucoup moins palpitante. Vous devez, quelque huit heures par jour, travailler. C'est pour cela que vous avez acheté tous ces logiciels : pour faire votre travail.

## Démarrer un programme sous Windows 95

Vous pouvez vous asseoir devant votre ordinateur et vous balader toute la journée dans Windows 95 sans pour autant réaliser quoi que ce soit d'efficace. Pour commencer à travailler, il faut lancer (démarrer) un programme. Pour cela, vous devez utiliser le bouton Démarrer et l'ennuyeux menu qui apparaît. Voici les étapes à suivre :

1. **Activez le menu Démarrer.**

Cliquez sur le bouton Démarrer dans la barre des tâches. Hop ! le menu apparaît.

Vous obtenez le même résultat en pressant la combinaison de touches Ctrl+Echap.

2. **Choisissez l'option Programmes.**

Cliquez sur le mot Programmes pour afficher le sous-menu illustré Figure 6.1.

Figure 6.1 :
Le sous-
menu
Programmes.

3. **Cliquez sur le nom du programme désiré.**

Les options comportant une flèche pointant vers la droite ouvrent d'autres sous-menus.

4. **Votre programme est lancé ; le menu Démarrer disparaît.**

- Le programme qui vous intéresse peut apparaître directement en haut du menu principal Démarrer. Le cas échéant, pointez, cliquez, et le programme démarre.

- Les menus sont très volages. Ils répondent instantanément aux mouvements de la souris. Aussi, concentrez-vous si vous ne voulez pas perdre votre sang-froid.

- Pour lancer rapidement un matériel sur lequel vous avez travaillé récemment, choisissez le sous-menu Documents : cliquez sur le bouton Démarrer, puis sur l'option Documents. Recherchez votre document dans la liste. S'il y figure, cliquez sur son nom pour l'ouvrir dans le programme approprié. S'il n'y figure pas, prenez un jour de repos et regardez votre feuilleton préféré à la télé.

## Lancer un programme à partir d'une icône du bureau

Un moyen rapide de lancer un programme sans avoir à jouer à cache-cache avec le menu du bouton Démarrer et sa pléthore de sous-menus consiste à trouver son icône flottante quelque part sur le bureau. Cela fonctionne également pour toute icône du bureau, qu'il s'agisse d'un programme ou d'un fichier créé, tel que votre base de données recensant toutes les allées et venues du terrible Bill dans la clinique MacBidule.

Pour placer une icône de votre programme préféré sur le bureau, ouvrez l'Explorateur ou le Poste de travail. Localisez votre programme (c'est la partie technique) dans son propre dossier ou là où il se cache. (Reportez-vous à la section "La boîte de dialogue Rechercher" du Chapitre 9 si vous avez besoin d'aide.)

Voici maintenant la partie "bête comme chou" : à l'aide du bouton *droit* de la souris, faites glisser l'icône hors de la fenêtre Explorateur ou Poste de travail et relâchez le bouton lorsque vous avez atteint un espace vierge du bureau. Un menu contextuel apparaît à côté de l'icône. Cliquez sur l'option Créer un ou des raccourci(s) ici. Et voilà, l'affaire est emballée !

# *Agrandir votre travail*

Certains programmes démarrent en mode plein écran, d'autres sous une forme réduite. Berk ! Qui voudrait d'un programme modèle réduit ?

Pour faire apparaître la fenêtre d'une application sur toute la surface de votre écran - et rentabiliser chaque pixel de votre moniteur - cliquez sur le bouton *Agrandissement* dans l'angle supérieur droit de la fenêtre (représenté dans la marge).

- Certaines fenêtres ne peuvent pas être agrandies. Certains jeux, par exemple, apparaissent dans une fenêtre de taille fixe que vous ne pouvez modifier. Ne soyez pas trop gourmand.

- Si vous êtes l'heureux propriétaire d'un moniteur de grande taille, vous pouvez vous permettre de ne pas exécuter certains programmes plein écran.

- Si vous travaillez avec plusieurs programmes, vous pouvez vouloir les organiser à l'écran de manière qu'ils soient tous visibles. Pour cela, cliquez à l'aide du bouton droit de la souris sur une partie vierge de la barre des tâches (ou sur l'horloge). Puis, dans la fenêtre qui apparaît, sélectionnez l'option Mosaïque horizontale ou Mosaïque verticale.

## Basculer vers un autre programme (sans quitter l'application en cours)

Sous Windows, vous pouvez exécuter plusieurs programmes à la fois. Imaginez l'essor de productivité ! Faire plusieurs choses à la fois ! Mais imaginez aussi la confusion. En fait (et heureusement), vous ne faites pas vraiment tourner plusieurs programmes à la fois, vous avez simplement la possibilité de *basculer* entre eux sans avoir à fermer un programme pour en démarrer un autre, fermer, démarrer, fermer, démarrer, fermer...

Si Windows est capable d'engranger plusieurs programmes à la fois (les empilant les uns au-dessus des autres à la manière d'une pile de papiers), en tant qu'être humain - et j'imagine que vous l'êtes - vous ne pouvez travailler qu'avec celui dont la fenêtre se trouve en face de vous, au-dessus de la pile ou occupant la totalité de l'écran. Pour basculer vers un autre programme, plusieurs options s'offrent à vous :

**La méthode rapide :** La méthode la plus rapide pour basculer vers un autre programme consiste à cliquer sur sa fenêtre, sous réserve que celle-ci soit visible à l'écran bien entendu. Cliquer sur une fenêtre fait apparaître celle-ci au-dessus de la pile.

**La méthode rapide si la fenêtre n'est pas visible :** Divers boutons se trouvent dans la barre des tâches, chacun d'eux étant une représentation de la fenêtre ou de l'application ouverte. Cliquez sur le bouton de l'application recherchée, et l'objet de votre quête apparaît aussitôt au-dessus de la pile.

**La méthode "de côté" :** Cliquez sur le bouton *Réduction* dans l'angle supérieur droit de la fenêtre (illustré dans la marge) pour la faire disparaître de l'écran et la réduire à la taille d'un bouton de la barre des tâches. Cette opération ne ferme pas l'application, celle-ci est simplement "écartée", vous permettant d'accéder à la fenêtre qui se trouve derrière.

**Les méthodes sans souris :** Le clavier offre deux solutions très pratiques pour basculer entre programmes. La méthode Alt+Tab est une de mes préférées.

- **Alt+Tab :** Pressez les touches Alt+Tab en même temps - mais maintenez la touche Alt appuyée et relâchez la touche Tab. Une minuscule fenêtre apparaît au milieu de l'écran, affichant les icônes de toutes vos fenêtres et programmes ouverts. Gardez la touche Alt enfoncée et appuyez successivement sur la touche de tabulation pour entourer d'un petit carré l'icône représentant votre programme ou fenêtre. Relâchez la touche Alt, et l'application choisie fera son apparition à l'écran.

- **Alt+Echap :** Pressez les touches Alt+Echap en même temps pour visiter à tour de rôle chacune de vos fenêtres ouvertes.

 Réduire une fenêtre d'application en cliquant sur le bouton *Réduction* dans l'angle supérieur droit de la fenêtre ne ferme pas cette application. Le programme est simplement réduit à la taille d'une icône rangée au bas de l'écran. Double-cliquez sur cette icône pour accéder de nouveau au programme.

# Quelques commandes importantes

## Copier

Pour copier un élément sous Windows, sélectionnez-le à l'aide de la souris : faites glisser la souris sur du texte, cliquez sur une image ou une icône, ou faites glisser la souris autour de l'objet. Le texte, l'image, ou l'icône apparaît alors en surbrillance (en vidéo inversée), indiquant qu'il a été sélectionné et qu'il est prêt à être copié.

Après avoir sélectionné un élément, choisissez Edition/Copier. Cette action place une copie de l'élément dans un emplacement de stockage spécial appelé *Presse-papiers*, à partir duquel il pourra être collé dans une autre fenêtre (voir "Coller", plus loin dans ce chapitre).

Le raccourci clavier correspondant à la commande Coller est Ctrl+C. Pas de problème pour mémoriser cette combinaison, C étant l'initiale du mot Copier.

- Une sélection copiée peut ensuite être collée directement dans le programme en cours ou dans n'importe quelle autre application Windows.

- Lorsque vous copiez un objet, celui-ci est aussitôt placé dans le Presse-papiers Windows. Malheureusement, une seule chose peut y être stockée à la fois. Si vous y copiez ou collez un autre élément, cet élément écrasera (remplacera) automatiquement le précédent.

## Couper

Couper est une commande qui ressemble beaucoup à la précédente : vous sélectionnez une image, du texte ou une icône, puis vous choisissez Edition/Couper. Toutefois, contrairement à l'objet copié, l'élément coupé est copié dans le Presse-papiers et supprimé du fichier d'origine.

Le raccourci clavier de la commande Couper est Ctrl+X. Pour mémoriser ce raccourci, pensez au X formant une paire de ciseaux ouvert.

- La sélection qui a été coupée reste dans le Presse-papiers de Windows jusqu'à ce qu'une nouvelle sélection la remplace. Elle peut être collée dans le document courant ou dans n'importe quelle autre application Windows.

## Coller

La commande Coller permet d'insérer un élément du Presse-papiers dans l'application active. Vous pouvez coller une image dans du texte ou du texte dans une image, et les icônes peuvent atterrir à peu près n'importe où.

Pour coller la sélection du Presse-papiers, choisissez la commande Edition/Coller, ou pressez le raccourci clavier Ctrl+V. C'est rapide, facile et vous n'avez pas de colle sur les doigts.

- Pourquoi un V ? Tout simplement parce que cette touche se situe juste à côté des deux autres de la famille (pour mémoire : X et C).

- Vous pouvez coller tout matériel préalablement coupé ou collé depuis n'importe quelle application Windows dans une autre application Windows.

## Annuler

Windows vous donne droit à l'erreur. Tous les programmes Windows possèdent une fonction intitulée *Annuler* qui, comme son nom l'indique, *annule* ce que vous venez de faire.

Pour annuler une opération (généralement une énorme bêtise), choisissez la commande Edition/Annuler. Cette option est toujours la première de la liste. Pratique, n'est-ce pas ? La combinaison de touches est Ctrl+Z, Z comme "Zappez-moi ça tout de suite !".

- Le raccourci clavier Ctrl+Z a un frère jumeau : Alt+Retour arrière.

# Enregistrer

Après avoir travaillé des heures et obtenu un résultat satisfaisant à l'écran, vous voudrez probablement enregistrer votre oeuvre. Non seulement l'ordinateur conservera vos travaux bien rangés sur disque, mais vous pourrez également les rouvrir quand bon vous semblera pour les imprimer ou les modifier.

Pour enregistrer un document, vous devez valider la commande Fichier/Enregistrer. Cette opération ouvre la boîte de dialogue Enregistrer dans laquelle vous spécifiez le nom et l'emplacement que vous voulez attribuer au document. (La boîte de dialogue Enregistrer est officiellement présentée au Chapitre 8.)

L'équivalent clavier de la commande Fichier/Enregistrer est Ctrl+S (S pour *Save*, Sauvegarder).

Sauvegardez toujours votre travail. J'enregistre le mien toutes les 5 minutes à peu près.

- La première fois que vous enregistrez un document sur disque, vous devez lui donner un nom et indiquer à Windows où le stocker (le Chapitre 8 vous présente tous les détails). Après quoi la commande Enregistrer opérera sans afficher la boîte de dialogue.

- Enregistrer sous est une variante de la commande Enregistrer. Elle permet d'enregistrer un document sous un nouveau nom. Cette opération ne modifie pas l'original, elle crée uniquement une copie de ce document sous un autre nom.

# Ouvrir

La commande Ouvrir vous permet de trouver toutes les bonnes choses que vous avez sauvegardées sur disque et de les ouvrir tel un cadeau d'anniversaire. Le fichier ouvert apparaît alors dans la fenêtre du programme, prêt à recevoir vos instructions.

Pour ouvrir un fichier stocké sur disque, choisissez la commande Fichier/Ouvrir, ou utilisez le raccourci clavier Ctrl+O. Cette action affiche la boîte de dialogue Ouvrir, qui vous sera décrite en détail au Chapitre 8.

# Imprimer

La commande Imprimer ordonne à l'ordinateur d'envoyer votre œuvre affichée à l'écran vers l'imprimante pour obtenir une œuvre tout aussi sublime sur papier.

Pour imprimer un document, vous devez utiliser la commande Fichier/
Imprimer. La boîte de dialogue Imprimer apparaît alors à l'écran, vous deman-
dant quelques précisions. Le plus souvent, il suffira de cliquer sur le bouton
OK pour obtenir ce que vous voulez.

- Assurez-vous que votre imprimante est allumée, qu'elle contient du
  papier et qu'elle est prête à imprimer avant d'activer la commande.

- Les détails de cette commande sont présentés au Chapitre 16.

## Quitter

Pour quitter une application, vous devez choisir la commande Fichier/
Quitter. Hélas, certains programmes ne proposent pas de menu Fichier, et
encore moins de commande Quitter. Le cas échéant, essayez la dernière
commande du premier menu, c'est généralement la bonne.

La combinaison de touches pour quitter tout programme Windows et pour
fermer toute fenêtre est assez étrange : Alt+F4. Ne cherchez aucune logique
là-dedans.

- Si votre programme n'offre pas de commande Fichier/Quitter, vous
  pouvez le fermer en cliquant sur le bouton de fermeture (illustré dans
  la marge) situé dans l'angle supérieur droit de la fenêtre.

- Vous n'avez pas à fermer votre application si vous voulez simplement
  utiliser un autre programme quelques instants et revenir à l'autre
  application plus tard. Vous pouvez réduire la taille de sa fenêtre ou la
  faire basculer en arrière-plan. Reportez-vous à la section "Basculer vers
  un autre programme (sans quitter l'application en cours)" plus avant
  dans ce chapitre pour plus de détails.

# Troisième partie
# Fichiers, disques, disquettes et autres brouettes

## Dans cette partie...

Lorsque les Jeux olympiques ont fait leur apparition en 776 avant Jésus-Christ, qui aurait cru que le lancer de disque allait avoir une telle longévité ? Aujourd'hui, même si les disques les plus courants sont ceux qui permettent de stocker des informations, ils ressemblent encore à ceux des jeux de la Grèce antique.

Les chapitres de cette partie du livre traitent essentiellement des disques et des informations qu'ils permettent de stocker. Il peut s'agir de disques durs, de disquettes, de CD ou de disques de réseaux non identifiés. Rien de très compliqué ou frustrant ici, mais si la colère devait vous emporter, n'oubliez pas qu'avec un bon élan et une bonne rotation, vous avez toutes les chances de plaire aux dieux de l'olympe.

# Chapitre 7
# Disques, disquettes et lecteurs

*L*es disques et disquettes sont comme les glaces, on en trouve de toutes les formes et à tous les parfums. La disquette est le petit esquimau glacé des disques informatiques, et le disque dur la bombe glécée. Les lecteurs, quant à eux, peuvent être comparés à nos bouches gourmandes qui "avalent", mais de manière plus émétique, les disques et disquettes avant de les recracher. Il est préférable, d'ailleurs, que les ordinateurs ne les digèrent pas.

Ce chapitre traite des disques et des lecteurs, et de toute la folie qui va avec. C'est un sacré morceau, aussi munissez-vous de quelques biscuits et d'une tasse de thé avant de commencer votre lecture.

## A quoi servent les disques ?

Disques et disquettes sont utilisés par l'ordinateur comme supports de stockage. Les disquettes permettent de stocker des petites quantités d'informations et le ou les disques durs des données plus importantes. Ces disques sont nécessaires dans la mesure où un ordinateur ne peut traiter plus d'informations que sa mémoire ne peut en contenir à un moment donné. En outre, la mémoire de l'ordinateur (RAM) est temporaire. Eteignez le monstre et pfff ! tout ce qu'il avait en mémoire disparaît aussitôt.

- Vous utilisez les disques pour stocker des informations à long terme. Ces informations, ou *fichiers*, sont alors à votre disposition à tout moment pour d'éventuelles corrections, mises à jour, impressions, ou tout simplement pour le plaisir.

- Consultez le Chapitre 12 pour tout savoir sur la mémoire (ou *RAM*) de votre ordinateur.

- Comme la mémoire, le stockage sur disque est calculé en *kilo-octets* et *méga octets*. Reportez-vous aux Chapitres 3 et 12 pour en savoir plus sur le sens de ces termes.

## Matériel ou logiciel ?

Une erreur commune parmi les utilisateurs d'ordinateur consiste à croire que les disquettes entrent dans la catégorie logicielle. Il n'en est rien. Les disquettes font partie des éléments matériels. Elles peuvent être touchées ou lancées. (Bien qu'une disquette ne fasse pas aussi mal qu'un moniteur lorsqu'elle atterrit sur votre pied, ils appartiennent tous deux au même monde.) Reportez-vous à la Figure 7.1 pour un aperçu de ces objets volants.

Cette méprise vient du fait que les logiciels sont généralement stockés sur disquettes. Ces logiciels sont enregistrés sur les disquettes, suivant des techniques magnétiques. Par conséquent, comme il est faux de dire qu'un CD audio est une musique, vous ne pouvez pas dire qu'une disquette est un logiciel.

### Qui se préoccupe réellement du fonctionnement d'un disque ?

Les disques sont recouverts d'une couche magnétique. Leurs données y sont enregistrées "magnétiquement", de la même manière que les images ou le son sur des cassettes vidéo ou audio. Toutefois, à l'inverse de ces cassettes, les informations stockées par un ordinateur sont électroniques ; bits et octets constituent des informations numériques et non analogiques.

Une tête de lecture flotte littéralement sur la surface du disque et y inscrit des informations magnétiques ou lit des impulsions magnétiques déjà stockées. Un *contrôleur de disque* traduit ces impulsions en successions de 1 et de 0 qui sont alors envoyées au système digestif de l'ordinateur.

# Les disquettes

Il existe principalement deux types de disquettes : les 5 pouces 1/4 (13 cm) et les 3 pouces 1/2 (89 mm). L'antique format à 8 pouces n'est plus utilisé que par des ordinateurs spécifiques appartenant à des utilisateurs têtus qui refusent de vendre leur quincaillerie.

Le format 3 pouces 1/2 est le plus populaire. Ces disquettes existent dans toute la gamme de couleurs de l'arc-en-ciel. Les couleurs des plus anciennes 5 pouces 1/4 sont aussi variées que le noir, le noir, et le noir foncé. Chaque type de disquette peut être de *basse densité* ou de *haute densité*.

La Figure 7.1 illustre ces deux types de disquettes.

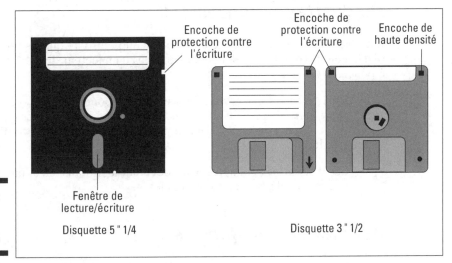

Figure 7.1 :
Les deux
tailles de
disquettes.

# Disquettes 3 pouces 1/2

Le Macintosh a rendu populaire ce carré de plastique à l'épreuve des empreintes meurtrières. Fabriquées dans un plastique rigide, ces disquettes sont plus résistantes que leurs grandes soeurs.

La disquette type 3 pouces 1/2 contient 1,44 Mo (à peu près un million et demi d'octets) de données, mais il existe également des disquettes contenant 720 Ko et de plus récentes de 2,8 Mo. Pour vous y retrouver, retenez que la disquette de 1,44 Mo contient généralement les lettres *HD* (*High Density*) dans un coin, que la disquette de 2,8 Mo est dotée des lettres *ED* (*Extended Density*) et que celle de 720 Ko, comme le vilain petit canard, n'a rien du tout.

- La plupart des PC sont équipés d'un lecteur de disquettes 3 pouces 1/2, conçu pour mâchouiller les disquettes 3 pouces 1/2 de 1,44 Mo. Vous pouvez également utiliser les anciennes disquettes de 720 Ko, mais est-ce bien nécessaire ?

- Votre ordinateur doit être doté d'un lecteur spécial et coûteux pour pouvoir lire les disquettes ED, disquettes de capacité étendue à 2,8 Mo. Dans la mesure où ces disquettes ne sont pas aussi populaires que les autres, les logiciels sont rarement distribués sur ces supports.

- Il est tentant d'utiliser ces disquettes comme dessous de verre. N'en faites rien, le liquide ou la condensation peuvent s'infiltrer sous la plaque métallique, et avoir un effet désastreux sur vos données.

## Disquettes 5 pouces 1/4

Ces disquettes sont passées de mode beaucoup plus vite que les télés noir et blanc. Peu d'ordinateurs sont encore équipés d'un lecteur de disquettes 5 pouces 1/4.

- Il existe en fait deux types de disquettes 5 pouces 1/4, les disquettes *basse densité* et les disquettes *haute densité*. Les premières ne peuvent contenir plus de 360 Ko d'informations. Les secondes en contiennent 1,2 Mo.

- Ces disquettes sont autrement tout à fait identiques en apparence et peuvent facilement être confondues.

## Acheter des disquettes

Tout PC a besoin de disquettes. C'est, bien entendu, le disque dur qui est le plus souvent sollicité, mais les disquettes sont très utiles pour diverses raisons :

Elles peuvent être utilisées comme copies de sauvegarde permettant de stocker en toute sécurité les informations cruciales du disque dur. Elles vous permettent de transporter des fichiers d'un ordinateur à un autre et peuvent être lancées à travers la pièce sur la tête de votre collègue qui s'est endormi sur son clavier.

Si vous n'avez pas à portée de main un paquet de disquettes prêtes à l'emploi, courez vite chez votre revendeur préféré. Pensez à acheter des disquettes qui correspondent en taille et en densité à vos lecteurs !

**Taille :** Il existe deux tailles de disquette : les 3 pouces 1/2 et les 5 pouces 1/4. Ces valeurs font référence à la longueur de leurs côtés (et oui, ces petits disques sont carrés).

**Densité :** La densité d'une disquette fait référence à la quantité d'informations qu'elle peut contenir. Une disquette peut être de basse densité ou de haute densité. Il existe également des disquettes 3 pouces 1/2 de densité étendue, mais personne ne les utilise.

Votre mission consiste à acheter des disquettes correspondant à la taille et à la densité de votre lecteur. Rien de très compliqué, mais jetez quand même un œil sur le Tableau 7.1 avant de vous embarquer.

- Les lecteurs haute capacité acceptent les disquettes basse et haute capacités. Que cela ne vous perturbe en rien ! Si vous avez acheté votre PC au cours des cinq dernières années, il est forcément muni d'un ou de plusieurs lecteurs haute densité. Si c'est le cas, vous n'avez absolument aucun souci à vous faire.

- Achetez de préférence des disquettes préformatées, elles coûtent un peu plus cher, mais elles vous feront gagner un temps considérable. (Le formatage est une notion traitée plus loin dans ce chapitre).

- La plupart des disquettes 3 pouces 1/2 sont distribuées dans des petites pochettes transparentes. Vous pouvez vous en débarrasser si vous voulez.

- Les pochettes des disquettes 5 pouces 1/4, en revanche, doivent impérativement être conservées dans la mesure où elles protègent la surface nue et exposée du disque.

**Tableau 7.1 : Tailles et densités des disquettes.**

| Taille et densité du lecteur | Disquettes à acheter |
|---|---|
| 5 pouces 1/4, Basse | Basse densité, 360 Ko, ou DS/DD (double face/double densité) |
| 5 pouces 1/4, Haute | Haute densité, 1,2 Mo, ou DS/HD (double face/haute densité) |
| 3 pouces 1/2, Basse | Basse densité, 720 Ko, ou DS/DD |
| 3 pouces 1/2, Haute | Haute densité, 1,44 Mo, ou DS/HD |
| 3 pouces 1/2, Etendue | Densité étendue, 2,8 Mo, ou DS/ED |

## Quelques anicroches entre les disquettes basse densité et haute densité ?

Un des pires tours que vous puissiez jouer à une disquette est de tenter de la formater à une densité supérieure. Cela paraît simple, et ça peut même marcher... pour un temps. Mais lui confieriez-vous vos précieuses données, pour économiser seulement quelques francs ? Je ne vous le conseille pas.

Le scénario est le suivant : Lorsque les disquettes 3 pouces 1/2 à haute densité firent leur apparition sur le marché, tout le monde remarqua qu'elles étaient en tous points identiques aux disquettes basse densité, si ce n'est pour deux petites choses. La première est qu'elles comportaient un trou supplémentaire, et la seconde qu'elles coûtaient plus cher. Cela fit croire à beaucoup qu'ils pouvaient transformer une disquette basse densité en haute densité, d'un coup d'encoche magique, alléguant que ces disquettes étaient "vraiment ressemblantes"...

C'est vrai, si vous mutilez une disquette basse densité, vous pouvez la formater à une densité supérieure. Vous pouvez même l'utiliser quelque temps sans problème. Mais attention, au bout de deux ou trois utilisations, les disquettes ainsi modifiées deviennent complètement inutilisables. Des erreurs apparaissent aux dépens de vos données et vous ne pouvez même plus les reformater. En faisant une encoche sur une disquette basse densité, vous lancez un pari perdu d'avance. Alors n'en faites rien, quoi que l'on vous dise.

## *Mais qu'y a-t-il sur cette disquette ?*

Ne vous êtes-vous jamais penché sur une disquette en vous demandant ce qu'elle pouvait bien contenir ? Si oui, j'ai une maxime pour vous :

Etiquetez toujours vos disquettes !

Toutes les boîtes de disquettes - même les moins chères - comportent des étiquettes autocollantes. Voici comment les utiliser :

1. **Ecrivez les informations sur l'étiquette à l'aide d'un stylo.**

   Décrivez brièvement le contenu de la disquette ou donnez-lui un nom descriptif, du genre "Fichiers tableur", "Lettres personnelles" ou "Sauvegarde".

2. **Collez l'étiquette en prenant garde à ne pas masquer trous ou encoches se trouvant sur la disquette.**

Et voilà. Facile, n'est-ce pas ? Si vous collez des étiquettes sur toutes vos disquettes, vous pourrez les utiliser plus rapidement sans avoir à vérifier leur contenu.

- Pour vérifier le contenu d'une disquette, pas besoin de tournevis. Ouvrez plutôt le Poste de travail, puis double-cliquez sur le lecteur de disquettes contenant la disquette "inconnue". Le contenu de la disquette apparaît alors dans une fenêtre.

- Etiquetez vos disquettes juste après les avoir formatées. Ainsi, vous pourrez faire la différence entre vos disquettes formatées et les autres.

- N'utilisez pas de Post-it sur les disquettes, ils peuvent se perdre sur votre bureau ou, pire, dans vos lecteurs.

## Quelques explications sur les disquettes haute densité et basse densité

Bien que toutes les disquettes se ressemblent, leur support d'enregistrement magnétique possède des différences que l'œil ne peut distinguer. Pour bien comprendre de quoi il s'agit, j'aime comparer la surface du disque à un bac à sable (sans les enfants et leurs pelles).

Une disquette basse densité est comme un bac à sable constitué de gros grains. A l'aide d'un râteau, vous pouvez tracer des lignes dans ce sable. Dans la mesure où les grains sont épais, tout ira bien si ces lignes sont suffisamment éloignées les unes des autres. Dans le cas contraire, le sable retombera sur lui-même et effacera les rainures creusées par le râteau.

Si le bac est rempli de sable fin, vous pouvez utiliser un râteau aux dents plus étroites et creuser davantage de rainures. Comme le sable est fin, les rainures ne bougent pas. C'est là que réside la différence entre une disquette basse densité et une disquette haute densité. Une disquette haute densité est composée d'un matériau magnétique plus fin et peut contenir beaucoup plus de pistes (où les informations sont stockées) qu'une disquette basse densité.

Tenter de formater une disquette basse densité à haute densité (en lui ajoutant le trou que possèdent leurs consœurs), c'est comme tracer de fines rainures dans du gros sable : ça peut marcher un temps, mais les grains vont très vite glisser et effacer les rainures. Il en va de même pour une disquette. Et, dans la mesure où les informations que vous enregistrez sur la disquette se gravent sur des pistes, lorsque celles-ci disparaissent, vous pouvez aussi dire adieu à vos données.

## *Comment savoir de quel type de disquette il s'agit*

Même si une disquette est étiquetée, il est parfois difficile de dire s'il s'agit d'un modèle basse densité ou haute densité. Les indications suivantes devraient vous permettre de vous y retrouver :

**Sur les disquettes 5 pouces 1/4 de 360 Ko :**

L'étiquette contient une des informations suivantes : DS/DD, double face/ double densité, 40 TPI (Tracks Per Inch - pistes pas pouce).

Comme indication visuelle, l'axe central devrait comporter un anneau de renfort. Les disquettes 1,2 Mo n'en ont pas.

**Sur les disquettes 5 pouces 1/4 de 1,2 Mo :**

Devraient se trouver les lettres HD ou les termes haute densité, double face/ haute densité, ou encore 96 TPI.

L'indication visuelle ici est l'absence d'anneau de renfort figurant sur la plupart des disquettes de 360 Ko.

**Sur les disquettes 3 pouces 1/2 de 720 Ko :**

Indications visuelles : DS/DD, double face/double densité, DD, ou 135 TPI.

L'indication visuelle essentielle est que ce type de disquette ne comporte pas de trou dans son angle inférieur droit. (Ce trou se situe en face de l'encoche de protection en écriture.)

**Sur les disquettes 3 pouces 1/2 de 1,44 Mo :**

Indications visuelles : haute densité, DS/HD, double face/haute densité, ou le très intéressant "HD" en double ligne. (Ce "HD" est votre meilleur indice, tous les fabricants l'utilisent.)

A la différence des disquettes basse densité, les disquettes haute densité sont dotées d'une petite encoche supplémentaire dans leur angle inférieur droit. (Cette encoche se situe sur le côté opposé de l'encoche de protection en écriture.)

**Sur les disquettes 3 pouces 1/2 de 2,8 Mo :**

Devrait se trouver une des informations suivantes : DS/ED, double face/ densité étendue, ou le meilleur indice, un large "ED" sur la disquette.

La meilleure indication est l'encoche supplémentaire qui se trouve dans l'angle inférieur droit de ces disquettes. (Cette encoche se situe sur le côté opposé de l'encoche de protection en écriture.) Remarquez que ces deux encoches ne sont pas exactement à la même hauteur, vous permettant de bien faire la différence entre les disquettes 2,8 et 1,2 Mo.

## Protéger une disquette en écriture

Vous protégez des disquettes en écriture pour éviter d'écraser accidentellement des fichiers vitaux. Votre ordinateur peut alors lire, voire même exécuter des fichiers qui se trouvent sur ces disquettes, mais il ne peut plus écrire dessus.

Pour protéger une disquette 3 pouces 1/2, cherchez le petit carré de plastique qui couvre ou découvre l'une des encoches de la disquette. Si ce petit carré recouvre le trou, vous pouvez écrire sur la disquette. Si vous le faites glisser hors du trou (avec l'ongle ou la pointe d'un crayon si nécessaire), votre ordinateur refusera d'y enregistrer des informations.

Pour protéger une disquette 5 pouces 1/4, trouvez un des petits carrés autocollants livrés dans la boîte de disquettes. Collez-en un à cheval sur l'encoche située sur l'un des côtés de la disquette, et repliez-le sur lui-même pour recouvrir l'encoche des deux côtés.

Pour enlever la protection, procédez en sens inverse. Sur les disquettes 5 pouces 1/4, enlevez l'étiquette de l'encoche (cela laissera peut-être un peu de colle, mais vous devrez pouvoir gérer ce problème). Sur les disquettes 3 pouces 1/2, couvrez l'encoche avec le petit carré de plastique en le faisant glisser.

## *Quelques recommandations à suivre*

Les disquettes enregistrent les informations sous forme d'impulsions magnétiques. Cela veut dire que, si vous les approchez trop près d'une source magnétique, vous risquez de copier de nouvelles impulsions aléatoires sur vos précieuses données.

- Eloignez vos disquettes de toutes les sources de rayonnement magnétique : combiné téléphonique, haut-parleurs, téléviseur, trombones géants (les normaux aussi quelquefois), ventilateurs de bureau, amplis de guitares électriques, pour ne citer que les plus courantes.

- Ne posez pas de livres ou autres charges lourdes sur vos disquettes. La pression pourrait incruster de petites particules de poussière à l'intérieur du disque.

- Evitez les températures extrêmes. Ne laissez pas vos disquettes sur la plage arrière de votre voiture ni sous le pare-brise. Et, même si cette idée novatrice vous vient, ne stockez pas vos disquettes dans le congélateur.

- Efforcez-vous de remettre vos disquettes dans leur enveloppe de protection après utilisation. Ce conseil s'applique tant aux disquettes 5 pouces 1/4 qu'aux plus petites.

- Ne posez pas vos doigts sur le disque lui-même, manipulez les disquettes uniquement par leur enveloppe protectrice. Ne huilez pas vos disquettes, même si elles font un drôle de bruit en tournant. Le problème vient du lecteur, qu'il est également déconseillé de huiler.

- Si vous voulez expédier une disquette 5 pouces 1/4 par la poste, utilisez une enveloppe spéciale. Ne pliez pas la disquette pour la faire entrer dans une enveloppe standard.

- N'utilisez jamais de stylo à bille pour écrire sur l'étiquette d'une disquette. La pointe du stylo peut endommager le disque. Utilisez plutôt un feutre ou, mieux encore, écrivez sur l'étiquette *avant* de la coller sur la disquette.

# Les disques durs

Les disquettes sont peu pratiques pour l'utilisation quotidienne d'un ordinateur. Y écrire ou lire des données prend du temps et, de plus, elles ne peuvent contenir beaucoup d'informations.

C'est à la suite de cette constatation qu'un ingénieux informaticien a inventé la disquette idéale : un grand disque en rotation résidant de façon permanente à l'intérieur de votre ordinateur. L'ordinateur y lit et écrit de la même manière que sur les disquettes. Mais, à l'inverse des disquettes, le disque dur est scellé à l'intérieur de l'unité centrale, à l'abri des poussières, aimants, boissons gazeuses et autres grands destructeurs de données. (D'ailleurs, les personnes qui fabriquent ces disques portent des vêtements spéciaux et travaillent dans des pièces stérilisées ; une poussière, un éternuement et tout est à refaire pour cette série de disques.)

Du fait de sa taille et de son épaisseur, le disque dur peut contenir plus d'informations que des centaines de disquettes ; il tourne aussi plus rapidement.

- On parle souvent de disque dur pour désigner le *lecteur* de disque dur, tout comme l'on dit "boire un verre" alors que l'on boit uniquement son contenu. Il faut toutefois connaître la différence. Le disque dur est le disque physique qui tourne à l'intérieur de votre PC. Le mécanisme qui abrite ce disque est le lecteur.

- IBM, dans sa grande quête d'originalité, appelle le disque dur : *disque fixe* (par opposition aux disquettes qui se retirent des lecteurs).

- Tout comme les lecteurs de disquettes, le disque dur possède un voyant lumineux pour indiquer son activité. S'il vous semble que votre ordinateur met longtemps à charger un programme, vérifiez l'activité du voyant du disque dur ; s'il ne clignote pas sporadiquement (s'il reste éteint ou allumé en permanence) cela peut signifier que quelque chose ne tourne pas rond. Le cas échéant, consultez la sixième partie de cet ouvrage pour quelques remèdes possibles.

# Les lecteurs de CD-ROM

Les lecteurs de CD-ROM (Compact Disk-Read Only Memory) "avalent" des disques particuliers qui ressemblent énormément aux CD audio. Ces disques optiques sont capables de stocker des méga octets d'informations numériques. Les lecteurs de CD-ROM vous permettent d'accéder à ces informations, exactement comme si elles étaient sur disques durs ou disquettes.

Il existe deux façons d'insérer ces disques dans leur lecteur. La première méthode consiste à placer le disque à l'intérieur d'un petit tiroir à glissière qui sort du lecteur à la manière d'un gamin tirant la langue. L'étiquette doit être orientée vers le haut. Lorsque le disque est positionné correctement, poussez délicatement le petit tiroir dans son rangement pour déclencher le mécanisme de fermeture ou appuyez sur un bouton prévu à cet effet.

La seconde méthode consiste à insérer le CD-ROM dans une cassette spéciale, étiquette orientée vers le haut, de sorte que vous puissiez la voir à travers le couvercle transparent de cette petite boîte. Une fois le disque placé, refermez son enveloppe et placez le tout dans le lecteur.

Lorsque le disque est inséré, vous l'utilisez comme n'importe quel autre disque de votre ordinateur.

Pour éjecter un disque, procédez comme suit :

1. **Localisez l'icône du lecteur de CD-ROM dans la fenêtre Poste de travail.**

   Double-cliquez sur l'icône Poste de travail, généralement située en haut du bureau Windows, pour l'ouvrir. Une fenêtre apparaît affichant tous les lecteurs de votre ordinateur plus quelques autres dossiers importants.

Internet (D:)

2. **Placez le pointeur de la souris sur l'icône du CD-ROM.**

   Un exemple de cette icône apparaît dans la marge.

3. **Cliquez sur le bouton droit de la souris.**

   Un petit menu contextuel apparaît (Figure 7.2).

4. **Choisissez l'option Ejecter.**

   Placez le pointeur de la souris sur le mot Ejecter, puis cliquez.

   Le disque est aussitôt éjecté du lecteur.

   • Vous pouvez aussi presser un petit bouton prévu à cet effet, qui devrait être situé à côté du lecteur.

- Les CD-ROM sont des disques non réinscriptibles que vous pouvez uniquement lire. Autrement dit, vous ne pouvez pas effacer, modifier ou ajouter des informations.

- Ces disques optiques contiennent généralement des informations multimédias ou des jeux.

- A l'inverse des lecteurs de disquettes ou des disques durs, aucune lettre spécifique de l'alphabet n'est attribuée aux lecteurs de CD-ROM. La lettre qui les identifie peut être n'importe laquelle. (Voyez la section suivante à ce propos.)

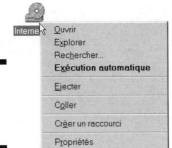

Figure 7.2 :
Le menu
contextuel
d'un CD-
ROM.

# Repérer vos lecteurs

Contrairement aux parents qui achètent des livres spéciaux, à la recherche de prénoms pour leur futur enfant, les ordinateurs économisent du temps et de l'argent en désignant leurs lecteurs par les lettres de l'alphabet, de A à Z.

Tous les ordinateurs possèdent un lecteur A qui est votre premier lecteur de disquettes (c'est aussi le lecteur préféré de l'ordinateur).

Si votre PC est équipé d'un deuxième lecteur de disquettes, il est appelé B.

Le premier disque dur de votre PC s'appelle toujours C, que vous ayez ou non un lecteur B. Vous pouvez avoir d'autres disques durs, ils s'appelleront D, E, F, etc., jusqu'à Z.

- Si vous possédez un lecteur de CD-ROM, ce lecteur est également désigné par une lettre. Cette lettre dépend du nombre de lecteurs installés sur votre PC et du cycle lunaire.

- Windows aussi fait référence à vos lecteurs par ces lettres, auxquelles il ajoute généralement un deux-points. Par conséquent, le lecteur A est appelé *A:* (prononcez A deux-points). De la même façon, le lecteur B est appelé *B:* (B deux-points).

- En général, le lecteur A est situé vers le haut de l'ordinateur au-dessus des autres lecteurs. Si ce n'est pas le cas, faites-vous un pense-bête et collez-le près des lecteurs pour les repérer.

## Utiliser un lecteur

L'ordinateur lit les informations stockées sur ses unités de lecture (disques durs, disquettes, etc.). Avant d'y parvenir, vous devez mettre le nez de votre PC dans la direction du lecteur approprié. Autrement dit, vous devez préciser à l'ordinateur dans quel lecteur (A, B, C ou autre) se trouvent les fichiers que vous voulez utiliser.

Par exemple, pour utiliser une disquette placée dans le lecteur A, vous pouvez ouvrir l'icône correspondante dans le Poste de travail ou l'Explorateur.

- Avant de pouvoir lire et exploiter des informations enregistrées sur disquette, vous devez insérer la disquette dans un lecteur. Cette tâche est expliquée dans la section suivante.

- Votre ordinateur ne peut utiliser les informations directement sur un disque. Il doit, au préalable, les copier dans sa mémoire. Il pourra alors les manipuler, les envoyer vers l'imprimante ou éventuellement les perdre. Dans la mesure où il n'utilise qu'une copie des données, les données du disque ne risquent rien.

- Ne vous inquiétez pas si le fichier d'un disque est plus important que la mémoire de votre PC. Par exemple, vous pouvez vouloir ouvrir une image graphique de 15 Mo avec un ordinateur doté de seulement 8 Mo de RAM. Pas de panique ! Si l'ordinateur est incapable de lire votre fichier, il vous le fera savoir. Mais, la plupart du temps, il vous surprendra en ouvrant sans aucun problème votre fichier. De drôles d'appareils ces ordinateurs.

## La valse folle des disquettes

### Introduire une disquette 3 pouces 1/2 dans un lecteur

1. Saisissez la disquette, l'étiquette tournée vers le haut et la petite plaque métallique vers l'ordinateur.

2. Poussez-la dans le lecteur. Donnez-lui le dernier coup de pouce pour entendre ce cliquetis caractéristique du lecteur qui vient de recevoir sa pitance.

- Une disquette 3 pouces 1/2 ne s'insère dans son lecteur que d'une seule façon. Si elle semble refuser d'y entrer, ne la poussez pas avec force. Replacez-la correctement et essayez de nouveau.

- Si la disquette refuse toujours d'entrer dans le lecteur, assurez-vous qu'il n'est pas déjà occupé. Le cas échéant, éjectez cet intrus (voir la série d'étapes suivante).

### Retirer une disquette 3 pouces 1/2 du lecteur

1. Appuyez sur le petit bouton situé juste au-dessous de la fente du lecteur. La disquette est éjectée.

2. Saisissez la disquette. Retirez-la. Souriez.

- N'enlevez jamais une disquette d'un lecteur alors que le voyant lumineux est encore allumé. Ce voyant signifie que le lecteur essaie de lire ou d'écrire des données sur cette disquette. Pour bien comprendre les conséquences d'un tel acte, imaginez que la disquette soit un plat de spaghetti et le lecteur un individu qui vient juste d'y planter sa fourchette en y faisant quelques tours. Retirez-lui alors subitement son plat et voyez le résultat !

- Avant de retirer une disquette, enregistrez toujours vos données et fermez sa fenêtre.

### Introduire une disquette 5 pouces 1/4 dans un lecteur

1. Saisissez la disquette, l'étiquette tournée vers le haut et la petite fenêtre (laissant apparaître le disque magnétique) vers l'ordinateur.

2. Faites glisser la disquette dans le lecteur.

3. Tournez un levier en position verticale ou fermez une petite porte pour verrouiller la disquette.

- Assurez-vous que votre lecteur ne comporte pas déjà d'occupant. Le cas échéant, procédez à une éjection en règle avant d'insérer votre nouvelle disquette.

- Si vous n'arrivez pas à rabaisser le petit levier à l'entrée de la fente, c'est que la disquette n'est pas introduite correctement. Essayez encore.

- Il existe huit orientations possibles pour une disquette 5 pouces 1/4. Ne les essayez pas toutes ! Insérez toujours la disquette, l'étiquette tournée vers le haut et la petite fenêtre de lecture en premier.

### *Retirer une disquette 5 pouces 1/4 du lecteur*

1.  Ouvrez la petite porte du lecteur ou tournez le levier en position horizontale.

2.  Saisissez la disquette éjectée du lecteur.

3.  Sortez-la délicatement.

4.  Glissez-la dans sa pochette et rangez-la soigneusement.

•   Jetez un œil sur la section intitulée "Quelques recommandations à suivre", plus avant dans ce chapitre, pour d'autres informations concernant la manipulation des disquettes.

# *Formater une disquette*

Contrairement à un disque vinyle qui ne possède qu'un sillon, chaque ordinateur utilise son propre format pour créer le nombre de *pistes* nécessaires à l'enregistrement des informations. Cette adjonction de pistes s'appelle *formatage*. Et, à moins que vous soyez suffisamment malin pour acheter des disquettes préformatées, vous devrez procéder au formatage de vos disquettes avant de les utiliser.

Si vous essayez d'ouvrir une disquette non formatée, Windows vous lancera un de ses affreux messages d'erreur, similaire à celui de la Figure 7.3. Le cas échéant, cliquez sur Oui et préparez-vous à formater.

Figure 7.3 : Si vous tentez d'ouvrir une disquette non formatée, voilà ce qui risque de vous arriver.

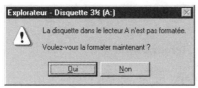

Pour formater une disquette, procédez comme suit, après avoir inséré la disquette dans le lecteur approprié.

1.  **Ouvrez le Poste de travail.**

Double-cliquez sur l'icône Poste de travail, résidant généralement dans l'angle supérieur gauche du bureau Windows. Une liste des lecteurs de votre ordinateur apparaît, ainsi que deux ou trois autres dossiers (Figure 7.4).

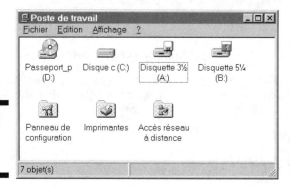

Figure 7.4 :
La fenêtre
Poste de
travail.

2.  **Insérez une disquette non formatée dans le lecteur A.**

    Ou utilisez le lecteur B. Ou la disquette peut déjà se trouver dans le lecteur.

    Assurez-vous que la disquette n'est pas formatée ou qu'il s'agit d'une disquette dont les données ne vous intéressent plus. Le formatage détruit toutes les données d'un disque, c'est une opération irréversible qui demande toute votre attention.

3.  **Sélectionnez le lecteur A.**

    Cliquez sur l'icône du lecteur A (ou B) pour la faire apparaître en surbrillance.

4.  **Choisissez la commande Fichier/Formater.**

    La boîte de dialogue Formater apparaît (Figure 7.5).

5.  **Cliquez sur le bouton Démarrer.**

    Dans la mesure où tout est déjà défini correctement en fonction du lecteur sélectionné, vous pouvez ignorer les autres options de la boîte de dialogue et cliquer directement sur Démarrer.

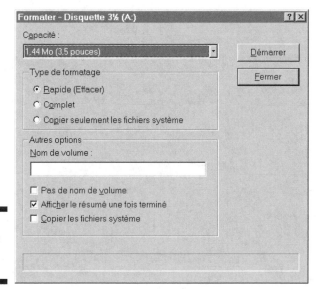

Figure 7.5 :
La boîte de
dialogue
Formater.

Cette opération ne durera pas plus d'une minute ou deux, profitez-en pour vaquer à votre rituelle observation des taches de votre bureau. Lorsque Windows a terminé... rien ne se passe. Enfin, vous verrez peut-être un petit résumé apparaître à l'écran. Pressez la touche Echap pour fermer la boîte de dialogue. Vous pouvez maintenant utiliser votre disquette.

- Les lecteurs de disquettes de la fenêtre Poste de travail portent des petites disquettes sur leurs épaules. Ne les confondez surtout pas avec un autre type de lecteur.

- Une fois votre disquette formatée, étiquetez-la. Utilisez les étiquettes autocollantes livrées avec les disquettes. Ecrivez sur l'étiquette *avant* de la coller sur la disquette.

- Sous aucun prétexte vous ne devez formater le disque C ou tout autre disque dur ! C'est d'ailleurs une tâche pratiquement impossible sous Windows. N'y pensez même pas ! Formater un disque dur est une opération effectuée à l'usine, une tâche réservée aux techniciens avertis, aux personnes qui travaillent en combinaisons aseptisées, aux ingénieurs à lunettes triple foyer, aux extra-terrestres... Mais pas aux simples mortels que nous sommes...

# Chapitre 8
# Stocker des informations (ou L'art d'utiliser des dossiers)

L'Ouest des Etats-Unis. Un monde sauvage. Inconnu. Un vaste territoire à découvrir, à défricher. Et soudain, les premiers conquérants arrivent, par centaines, par milliers... Il faut très vite un shérif. Un marshal. Un homme de loi. Quelqu'un pour faire régner l'ordre, appliquer la loi et organiser ces familles en camps, puis en villes. Un John Wayne : serviable, gentleman, parfait.

Le disque dur de votre PC est à l'image de l'ancien Ouest sauvage des Etats-Unis. Un vaste monde qui a besoin d'organisation, sans quoi les choses peuvent très vite mal tourner. Les fichiers, comme les colonisateurs, ont besoin d'ordre. Les bons ont besoin d'un lieu de résidence approprié et facile d'accès. Les mauvais doivent être écartés. La tâche n'est pas simple, mais on compte sur vous, John...

# Une question d'organisation

En vérité, rien ne vous oblige à organiser les informations que vous stockez sur votre disque dur. Vous pouvez même l'utiliser des mois entiers sans jamais créer un seul dossier. Mais quelques problèmes risquent d'apparaître très vite.

- Sans dossiers, les fichiers sont enregistrés n'importe où. Vous pouvez en retrouver certains, mais vous avez de grandes chances de perdre tous les autres.

- Différents programmes stockent leurs fichiers dans différents dossiers. Qui sait où se trouvent vos petites affaires ?

- Ne vous êtes-vous jamais arraché les cheveux à essayer de retrouver un fichier perdu ? C'est probablement parce que vous aviez négligé l'importance des dossiers lorsque vous l'avez créé et enregistré.

- Grâce aux dossiers, vos fichiers peuvent être soigneusement rangés dans leurs emplacements respectifs. Vous pouvez organiser vos données par thème, domaine, type de fichiers, ou tout ce qui vous semble approprié.

Votre ordinateur est comme votre bureau. Ce n'est pas parce que ce qui est à l'intérieur ne se voit pas à l'extérieur qu'il faut négliger un peu de rangement.

En fait, le véritable problème est que Windows ne se soucie guère de vos habitudes de rangement. Si vous utilisez des dossiers, vous serez organisé et pourrez toujours retrouver vos données. Sinon, vous parviendrez quand même à vos fins... beaucoup moins vite.

En ce qui me concerne, je préfère m'organiser et conserver mes cheveux sur le crâne.

# Le tour du propriétaire

Un dossier est un emplacement destiné à recevoir des fichiers traitant d'un thème commun. Il peut également contenir d'autres dossiers, ajoutant ainsi un autre niveau d'organisation. Ainsi, par exemple, vous pouvez créer un dossier appelé Comptes et ajouter à l'intérieur d'autres dossiers, un pour l'année 1996, un pour 1997, et ainsi de suite.

- Que vous utilisiez vos fichiers ou non, Windows les place toujours dans des dossiers sur disque. Aussi, lorsque vous enregistrez vos données sous Windows, vous les placez en fait dans un dossier spécifique quelque part sur votre disque dur.

- Les dossiers contiennent des fichiers, tout comme les dossiers en carton de votre bureau. Mince alors, quelle coïncidence !

## Dossiers et sous-dossiers

Pendant des années, les utilisateurs de Windows ont rangé leurs petites affaires dans des *répertoires* et *sous-répertoires*. Aujourd'hui, ils les stockent dans des *dossiers* et *sous-dossiers*. Aucune importance, si ce n'est que vous risquez de trouver des programmes contrariants (y compris Windows) qui parlent encore de répertoires. Répertoires, dossiers, deux termes, même notion.

## Noms et emplacements

Certains dossiers ont des noms spéciaux. Pour preuve et pour vous familiariser avec l'étrange système d'appellation de Windows, jetez un coup d'œil sur l'écran de votre PC. (Allumez l'ordinateur, cette démonstration n'est pas valable si la machine est éteinte.)

**Le bureau :** Ce que vous apercevez lorsque Windows est lancé se nomme le *bureau*. Vous devrez peut-être fermer des applications ouvertes et réduire la taille de quelques fenêtres pour apercevoir la surface de votre bureau. Nous sommes ici au niveau d'organisation le plus élevé de votre ordinateur.

- Le bureau est tout simplement l'écran que vous voyez lorsque vous utilisez Windows.

- Toute icône collée sur le bureau, telle que Voisinage réseau, Poste de travail, The Microsoft Network, ou tout ce que vous y placez vous-même fait partie du bureau.

Poste de travail

**Le Poste de travail :** Au niveau inférieur se trouve votre Poste de travail, représenté par une icône d'ordinateur dans l'angle supérieur gauche du bureau Windows.

Double-cliquez sur l'icône Poste de travail pour l'ouvrir. Une fenêtre apparaît alors, affichant tous les lecteurs de votre ordinateur, plus quelques invités d'honneur, généralement les dossiers Panneau de configuration et Imprimantes.

- L'icône Poste de travail vous montre ce que contient votre ordinateur, et essentiellement vos lecteurs (disques durs, CD-ROM, disquettes, et tout ce qui peut héberger des fichiers).

- Le dossier Panneau de configuration est l'atelier de travail dans lequel vous pouvez bricoler les différents composants de votre ordinateur. Il n'a rien à voir avec le stockage sur disque ou la gestion de fichiers.

- Pareil pour le dossier Imprimantes qui est le réceptacle de toutes les imprimantes reliées à votre PC (voir le Chapitre 16).

**Le dossier racine :** Chaque disque contient au moins un dossier. Ce dossier - le dossier principal - est appelé *dossier racine*. Telles les branches d'un arbre, tous les autres dossiers de votre disque dur partent de cette base.

- Ce dossier racine n'est pas associé à une icône particulière. En fait, s'il devait ressembler à quelque chose, ce serait au lecteur de disque lui-même. En tout cas, c'est ainsi que les programmes Poste de travail et Explorateur le présentent.

- Lorsque vous ouvrez un lecteur à partir du Poste de travail ou de l'Explorateur, les fichiers et dossiers que vous voyez sont tous stockés dans le dossier racine.

- Le dossier racine est aussi parfois appelé *répertoire racine* (petit souvenir du DOS, qui le tenait lui-même du système UNIX que le roi Hérode en personne utilisait).

**Les dossiers ordinaires :** Ce sont tout simplement les dossiers de votre disque dur qui contiennent des fichiers et peut-être encore d'autres dossiers.

- Théoriquement, le nom d'un dossier devrait toujours vous donner des indications sur son contenu.

- Certains dossiers spéciaux, tels que le Panneau de configuration, n'abritent pas vraiment des fichiers et autres données que vous stockez sur votre disque dur, mais des informations très particulières sur la configuration de votre PC. Vous les identifierez facilement dans la mesure où ils ne ressemblent pas au dossier jaune ordinaire représenté dans la marge (sur l'écran). Utilisez-les avec une extrême précaution, et seulement si vous n'avez pas le choix.

## Une structure arborescente

Cette kyrielle de dossiers et fichiers est organisée en quelque chose que les accros de la micro appellent *structure arborescente*. Imaginez un arbre contenant à la base le dossier racine, puis diverses branches pour les divers dossiers et les fichiers en guise de feuilles. Les aphidiens ne sont pas présents dans cette métaphore.

Pourquoi toute cette histoire de structure arborescente ? Parce qu'elle vous permet d'organiser vos fichiers. Si vous voulez vraiment comprendre comment tout cela fonctionne, suivez ces quelques petites étapes :

1. **Ouvrez l'Explorateur.**

   L'Explorateur convient bien mieux pour une petite visite guidée dans votre PC que le Poste de travail. Pour lancer le programme à partir du menu Démarrer, choisissez Programmes/Explorateur Windows.

L'explorateur apparaît à l'écran, plus ou moins identique à la Figure 8.1.

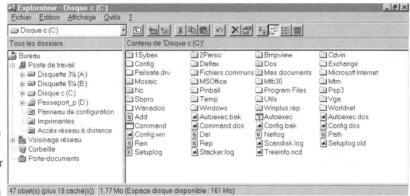

Figure 8.1 :
L'Explorateur
en action.

- Si la barre d'outils de l'Explorateur n'apparaît pas, choisissez la commande Affichage/Barre d'outils. Modifiez la taille de la fenêtre si nécessaire.

- La fenêtre de l'Explorateur est constituée de deux parties ou volets. A gauche se trouve la structure arborescente de votre ordinateur - tel qu'il est organisé, du bureau au plus petit dossier. A droite apparaît le contenu de ce qui est sélectionné dans le volet gauche.

2. **Faites défiler la fenêtre de gauche.**

Si vous ne pouvez voir l'icône Bureau au sommet de la fenêtre de gauche, utilisez la barre de défilement verticale pour dérouler le haut de la fenêtre de gauche. Le bureau est le tout premier élément de ce volet.

Au-dessous du bureau, doit se trouver le Poste de travail, et au-dessous du Poste de travail, toutes les unités de lecture de votre ordinateur, plus quelques autres dossiers spéciaux.

3. **Sélectionnez le lecteur C.**

Dans le volet gauche, cliquez sur le lecteur C.

Ce lecteur peut être un nom suivi d'une lettre, tel que :

```
Bibi (C:)
```

Ou simplement une lettre et un deux-points entre parenthèses :

```
(C:)
```

Dans tous les cas, cliquez sur le nom du lecteur pour afficher son contenu dans le volet droit de l'Explorateur.

- Ce que vous voyez dans le volet droit, le contenu du disque C, est en fait le dossier racine. Ce concept est expliqué plus haut dans ce chapitre.

- Les quatre boutons à droite de la barre d'outils vous permettent de visualiser vos fichiers et icônes de quatre façons différentes. Si vous avez un peu de temps devant vous, cliquez sur chacune d'elles pour expérimenter ces différents points de vue.

- Le mode d'affichage Petites icônes est le mode illustré dans la Figure 8.1.

- Le mode d'affichage Grandes icônes est identique à celui qu'utilise le Poste de travail.

- Les "micromaniaques" adôôôrent le mode Détails !

- Ne me demandez pas pourquoi ils ont mis la lettre identifiant le lecteur et le deux-points entre parenthèses. La présence du deux-points me semblait suffisamment déroutante. Mais, non, pas pour Microsoft apparemment.

- Le lecteur C est le premier disque dur de votre ordinateur. Reportez-vous au Chapitre 7 pour en savoir plus sur ce lecteur, et notamment pourquoi il ne s'appelle pas lecteur A.

4. **Ouvrez votre lecteur C.**

   Cliquez sur le petit plus à côté du lecteur. (Si un signe moins apparaît à côté du lecteur, alors pas besoin de cliquer, le disque est déjà ouvert.)

   Ouvrir le disque C en cliquant sur le petit plus affiche tous les dossiers du disque dans le volet gauche.

- Le volet gauche de l'Explorateur affiche la structure arborescente de votre ordinateur : unités de lecture et dossiers. Le volet droit affiche ce qu'il contiennent.

- Un signe plus apparaît à côté d'un lecteur ou dossier lorsqu'il est fermé. Vous cliquez sur ce signe pour déballer le contenu de ce lecteur ou dossier.

- Un signe moins apparaît à côté d'un lecteur ou dossier lorsqu'il est ouvert.

- Si vous avez déjà travaillé avec un logiciel de renom, la notion de structure arborescente devrait vous être familière. Sinon, faites juste un petit signe de la tête et continuez votre lecture.

5. **Ouvrez le dossier Windows.**

Déroulez la fenêtre de gauche si le dossier Windows est hors de vue. Cliquez sur le nom du dossier pour afficher son contenu dans le volet droit.

Il faudra peut-être utiliser la barre de défilement du volet gauche pour trouver le dossier Windows.

6. **Ouvrez le dossier Media.**

   A l'aide du volet *droit* uniquement, localisez le dossier Media. Vous devrez peut-être utiliser la ou les barre(s) de défilement pour trouver ce dossier. Double-cliquez ensuite sur ce dossier pour l'ouvrir et afficher son contenu dans le volet droit.

   - Il est possible qu'il n'y ait pas de dossier Media dans votre dossier Windows. Le cas échéant, ouvrez un autre dossier qui vous semble tout aussi intéressant. Ne perdez pas votre temps.

   - Avez-vous remarqué comme le petit dessin du dossier Media s'est légèrement ouvert dans le volet gauche ? Cela vous permet de savoir dans quel dossier vous fouinez. La petite légende *Contenu de 'Media'* peut également apparaître en haut du volet droit.

7. **Retournez au dossier racine.**

   Utilisez la barre de défilement (si nécessaire) pour localiser le premier niveau de votre organisation (le disque C). Cliquez sur cet élément.

   Cette action vous ramène directement au dossier principal - ou à tout autre dossier situé au-dessus de celui dans lequel vous vous trouviez. Il s'agit là d'une méthode turbo pour passer d'un dossier à un autre (sujet de cet exercice s'il faut le rappeler).

Si vous voulez simplement accéder au niveau supérieur du dossier courant, utilisez le bouton Dossier parent de la barre d'outils.

Naviguer dans les eaux troubles de votre système est une activité très prenante, mais pas très compliquée, qui devient nécessaire lorsque vous créez de nombreux dossiers pour héberger vos fichiers.

# *Dossiers et sous-dossiers*

Dossiers et sous-dossiers peuvent loger n'importe où. Vous pouvez donc les ranger où vous voulez. Mais attention, quelques précautions s'imposent.

- Vous pouvez créer tous vos dossiers dans le dossier (ou répertoire) racine, la première liste de fichiers et dossiers d'un disque dur. Mais cela ne saurait faire preuve de beaucoup d'organisation. En outre, le nombre de dossiers qu'il est possible de stocker dans une racine est limité par Windows. Il vaut mieux les installer ailleurs.

- En créant des dossiers par catégories, vous pouvez organiser claire-ment votre travail. Par exemple, j'ai un dossier appelé Graphiques. Dans ce dossier se trouvent d'autres dossiers organisés en différentes catégories d'images. Un tel dossier correctement nommé et clairement structuré vous permettra de trouver ce que vous recherchez très rapidement et accroîtra votre efficacité.

- Ma stratégie de rangement consiste à créer des dossiers par thèmes, tels que Correspondance, Impôts, Divers, etc.

  Ainsi, lorsque je veux retrouver toutes les informations concernant une de mes déclarations d'impôts, il me suffit d'ouvrir le dossier Impôts, puis le sous-dossier de l'année de référence.

  J'organise ma correspondance de la même façon : le dossier Mes documents contient un dossier Lettres dans lequel se trouvent d'autres dossiers également classés par thèmes. Ces derniers peuvent encore contenir d'autres dossiers agrandissant la hiérarchie.

- Ne suis-je pas bien organisé ? Vous aussi pouvez être un exemple d'organisation. Il suffit d'essayer. Lorsque vous aurez commencé à créer vos petits dossiers, vous ne pourrez plus vous en passer.

- Si vous êtes l'heureux propriétaire d'une version de Microsoft Office (la dernière précisément), le programme a créé un dossier appelé Mes documents au moment de l'installation. C'est là que les programmes d'Office - Excel, Word, etc. - essaient toujours d'enregistrer vos fichiers. Créez vos propres dossiers à l'intérieur de ce dossier pour une meilleure organisation.

## Créer un dossier

Créer un dossier est une opération très simple. Savoir où créer un dossier est plus dur. Les étapes ci-après expliquent comment créer un dossier nommé Trucs dans le dossier racine de votre disque dur.

1. **Ouvrez le Poste de travail.**

   Double-cliquez sur l'icône Poste de travail nichée en haut à gauche du bureau Windows. Une fenêtre apparaît, détaillant tous les lecteurs disponibles sur votre ordinateur, plus deux autres dossiers étranges.

2. **Ouvrez votre disque C.**

   Localisez le lecteur C et double-cliquez sur son icône pour ouvrir une nouvelle fenêtre.

3. **Choisissez Fichier/Nouveau/Dossier.**

   Cela place un nouveau dossier dans la fenêtre, qui peut être similaire à l'icône de la marge (tout dépend en fait du mode d'affichage que vous avez choisi).

4. **Remplacez le nom attribué par défaut, Nouveau dossier, par un nom plus utile.**

   Tapez directement un nouveau nom. Faites preuve d'ingéniosité. N'oubliez pas que ce dossier contiendra des fichiers et éventuellement d'autres dossiers, tous relatifs d'une manière ou d'une autre au nom de ce dossier. Pour cet exercice, tapez le nom non descriptif **Trucs**.

   - Utilisez la touche Retour arrière pour revenir en arrière et corriger une erreur.

   - Reportez-vous au Chapitre 9 pour quelques règles à suivre lorsque vous voulez attribuer un nom à un fichier.

5. **Faites quelque chose avec votre dossier. Créez d'autres dossiers ; coupez et collez des fichiers, enfin vous voyez...**

   Double-cliquez sur l'icône du dossier pour l'ouvrir. Une fenêtre vierge apparaît. Logique puisqu'il n'y a encore rien dans ce nouveau dossier.

   Vous pouvez maintenant créer d'autres dossiers ou copier et coller des fichiers et dossiers dans ce nouveau réceptacle.

   Alors, c'était facile, n'est-ce pas ?

   - Copier et coller des fichiers sont deux concepts traités dans le chapitre suivant.

   - Si vous venez de créer le dossier Trucs mais que vous ne l'avez pas encore utilisé, supprimez-le. Reportez-vous page suivante à la section "Supprimer un dossier".

## Créer un raccourci sur le bureau

Certains dossiers sont si pratiques que vous voulez les conserver sur le bureau où vous pouvez les ouvrir rapidement. Pour cela, il ne faut pas copier le dossier entier - cela grignoterait trop d'espace disque - mais simplement créer un raccourci.

Pour créer un nouveau raccourci sur le bureau, commencez par localiser le dossier que vous voulez utiliser dans l'Explorateur ou le Poste de travail. Cliquez une fois sur le dossier pour le sélectionner. Celui-ci apparaît en vidéo inversée indiquant qu'il a été sélectionné.

Choisissez la commande Edition/Copier, puis cliquez à l'aide du bouton droit de la souris sur un espace vierge du bureau. Un menu contextuel apparaît, identique à celui de la Figure 8.2. Choisissez la commande Coller le raccourci. Et voilà, un raccourci de votre dossier existe maintenant sur le bureau. Il suffit alors de double-cliquer sur son icône pour l'ouvrir et voir les fichiers et dossiers qu'il contient.

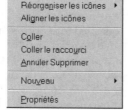

Figure 8.2 : Le menu contextuel du bureau.

- L'avantage de ces raccourcis est qu'ils vous permettent d'accéder rapidement à vos fichiers.

- Reportez-vous au Chapitre 9 si le sujet vous intéresse.

## Supprimer un dossier

Dans le programme Explorateur ou Poste de travail, trouvez le dossier que vous voulez supprimer et faites-le glisser sur le bureau dans l'icône de la Corbeille.

Splash !

Parti. Envolé.

- Un message peut apparaître vous avertissant que vous êtes sur le point de supprimer un dossier. Cliquez sur Oui si là est bien votre intention.

- Si la barre d'outils est visible, vous pouvez aussi cliquer sur le bouton Supprimer.

- La commande Annuler peut vous permettre de récupérer un dossier supprimé par erreur. Attention, cette commande doit être utilisée aussitôt après votre méfait. Vous pouvez choisir la commande Edition/Annuler, presser les touches Ctrl+Z, ou cliquer sur le bouton Annuler de la barre d'outils, à vous de choisir.

- Supprimer un dossier détruit tout ce qu'il contient- fichiers, dossiers, et tous les fichiers et dossiers enregistrés dans ces dossiers. Vous parlez d'un massacre ! Aussi, utilisez cette commande avec précaution ; vous pourriez avoir à rendre des comptes au tribunal de guerre de votre disque dur.

- Une bonne nouvelle ! Il est possible de ressusciter des données détruites par Windows. Attendez le Chapitre 9 pour tout savoir à ce sujet.

# Visiter la boîte de dialogue Ouvrir

La boîte de dialogue Ouvrir est un des moyens vous permettant d'accéder à vos dossiers et de charger un fichier. Vous devez savoir dans quel dossier vous avez enregistré le fichier que vous voulez consulter et où vous l'avez stocké sur le disque.

Suivez les étapes ci-après pour ouvrir un fichier. (Scoop : Pour toute application Windows, la procédure est la même.)

1. **Cliquez sur l'icône Ouvrir de la barre d'outils ou choisissez la commande Fichier/Ouvrir.**

   La boîte de dialogue Ouvrir apparaît. Dans le programme WordPad, elle s'appelle Ouverture (Figure 8.3).

Figure 8.3 : La boîte de dialogue Ouverture de WordPad.

2. **Si votre fichier apparaît, ouvrez-le.**

   Au centre de la boîte de dialogue se trouvent tout un tas d'icônes de fichiers. Si vous y trouvez votre fichier, double-cliquez sur son icône pour l'ouvrir. Ce fichier apparaîtra aussitôt.

Vous devrez peut-être utiliser la barre de défilement horizontale au bas de la liste pour voir tous vos fichiers.

3. **Si votre fichier n'est pas directement visible, cliquez sur un autre lecteur.**

   Votre fichier est peut-être enregistré dans un autre lecteur que celui actuellement ouvert dans la boîte de dialogue. Le cas échéant, cliquez sur la flèche pointant vers le bas, à droite de la liste déroulante Chercher (appelée dans Word : Regarder dans), pour afficher le contenu de cette liste. Cliquez sur le lecteur contenant le fichier recherché, par exemple Disque C.

   La liste au centre de la boîte de dialogue est aussitôt modifiée, et le contenu du disque C apparaît.

   Si vous trouvez votre fichier, ouvrez-le !

4. **Si votre fichier n'apparaît toujours pas, recherchez-le dans un autre dossier.**

   Double-cliquez sur un dossier pour l'ouvrir et afficher son contenu au centre de la boîte de dialogue.

   Continuez ainsi jusqu'à ce que vous trouviez le fichier recherché. (Si votre disque dur est organisé et vos dossiers intelligemment nommés, ces quelques opérations devraient se dérouler sans problème.)

   Si vous trouvez votre fichier, ouvrez-le !

   Si vous voulez retourner à un précédent dossier, cliquez sur le bouton Dossier parent (illustré dans la marge).

- Au bas de la boîte de dialogue se trouve une liste déroulante intitulée Type (ou Type de fichier, dans Word). Cette option peut vous aider à réduire le nombre de fichiers de la liste. Par exemple, dans la Figure 8.3, seuls les documents Word apparaissent. Vous pouvez également étendre votre recherche à tous les types de fichiers en sélectionnant l'option Tous.

- Certaines boîtes de dialogue Ouvrir (ou Ouverture) sont plus complexes que celle de la Figure 8.3. Celle de l'application Word est un véritable parcours du combattant. Elle fonctionne toujours de la même façon, seulement vous devez ignorer davantage d'options ennuyeuses.

- Si vous préférez la méthode style DOS, vous pouvez taper le chemin complet du fichier (si, par chance, vous le connaissez) dans la zone Nom (ou Nom de fichier). Couvrez les yeux de votre souris pour essayer cette technique.

# Visiter la boîte de dialogue Enregistrer

La boîte de dialogue Enregistrer est la plus importante que vous utiliserez sous Windows. C'est la clé d'une bonne gestion. Si vous l'utilisez correctement et tirez profit des fichiers uniques que vous avez créés, vous serez toujours en mesure de retrouver vos petites affaires.

Vous ouvrez la boîte de dialogue Enregistrer en activant la commande Fichier/Enregistrer. (Je sais, dans la Figure 8.4 il est écrit "Enregistrer sous", mais c'est quand même ce qui apparaît lorsque vous enregistrez un fichier pour la première fois, alors...) Voici comment l'utiliser :

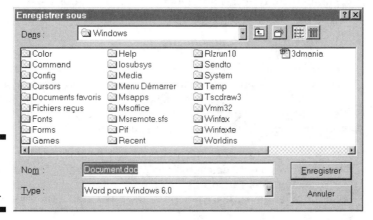

Figure 8.4 :
La boîte de
dialogue
Enregistrer.

1.  **Assurez-vous que vous êtes bien dans le dossier approprié.**

    Le nom du dossier apparaît dans la liste déroulante Enregistrer Dans. Dans la Figure 8.4, il s'agit du dossier Windows. (Berk !) Si ce n'est pas le dossier recherché, passez à l'étape 2.

    Si c'est le bon dossier, passez directement à l'étape 4.

2.  **Recherchez le dossier dans lequel vous voulez enregistrer vos données.**

    Cliquez sur la flèche pointant vers le bas à droite de la liste déroulante intitulée Dans (ou, dans Word, Enregistrer dans) située en haut de la boîte de dialogue. La liste des différents lecteurs de votre PC apparaît. Cliquez sur le lecteur dans lequel vous voulez enregistrer votre fichier, par exemple Disque C.

    Le contenu de la liste au centre de la boîte de dialogue est aussitôt modifié et affiche maintenant le contenu de votre répertoire racine.

Il est vivement recommandé de *ne pas* enregistrer vos fichiers dans le dossier racine. C'est un dossier très tatillon qui ne s'entend qu'avec deux ou trois fichiers *très* spéciaux.

3. **Ouvrez un dossier.**

   Localisez le dossier dans lequel vous voulez enregistrer vos données ou le dossier contenant le dossier (et ainsi de suite). Par exemple, ouvrez le dossier Mes documents.

   Chaque fois que vous ouvrez un dossier, le contenu de la liste située au centre de la boîte de dialogue change.

   Continuez à ouvrir des dossiers jusqu'à ce que vous trouviez le dossier précis pour vos données. Ensuite, passez à l'étape suivante.

4. **Attribuez un nom à votre fichier.**

   Entrez un nom dans la zone de texte Nom (ou Nom de fichier, dans d'autres programmes Windows). Ce nom vous permettra de le reconnaître plus tard et de dire (tout haut) : "Hé ! Mais c'est mon fichier. Celui que je veux ouvrir. Je suis si content de l'avoir enregistré sous un nom aussi descriptif qui évoque aussi facilement son contenu."

   Voyez le Chapitre 9 pour en savoir plus sur les noms de fichiers. Windows 95 accepte des noms de fichiers très longs, les chiffres, les lettres et certains caractères spéciaux. Toutefois, il est préférable de rester bref et de n'utiliser que des caractères alphanumériques.

   Si vous donnez au fichier un nom invalide, vous ne pourrez pas l'enregistrer. Windows est très regardant dans ce domaine.

5. **Cliquez sur le bouton Enregistrer.**

   Clic ! Ce dernier acte officiel enregistre le fichier sur disque, dans un dossier approprié et sous un nom approprié.

   Si le bouton Enregistrer semble ne pas fonctionner, c'est que vous avez certainement tapé un nom de fichier invalide. Essayez autre chose (étape 4).

   Après avoir enregistré votre fichier, chaque fois que vous actionnerez la commande Fichier/Enregistrer, Windows copiera automatiquement votre fichier sur disque (à son emplacement, sous ses nom et format courants) sans que vous ayez à affronter la boîte de dialogue Enregistrer.

Vous pouvez choisir la commande Enregistrer sous par la suite pour copier un fichier sous un nouveau nom, dans un nouvel emplacement ou sous un format différent.

Comme pour la boîte de dialogue Ouvrir (ou Ouverture), certaines boîtes de dialogue Enregistrer peuvent offrir davantage d'options.

# Qu'est-ce qu'un chemin d'accès (ou Pathname) ?

Un *chemin d'accès* (aussi appelé *nom d'accès*) est un nom de fichier complet indiquant précisément à la fois le nom du fichier, son emplacement et son format.

Prenez, par exemple, le fichier nommé Briques.bmp, résidant dans le dossier Windows du disque C. Son chemin d'accès est :

```
C:\WINDOWS\BRIQUES.BMP
```

La première lettre indique qu'il est stocké sur le disque dur, \WINDOWS indique qu'il réside dans le dossier Windows, et BRIQUES.BMP est son nom de fichier.

Par conséquent, un chemin d'accès est un nom qui vous donne l'itinéraire complet d'un fichier. En guise d'exemple, imaginez que vous deviez trouver le fichier identifié sous le nom suivant :

```
C:\MES DOCUMENTS\PERSO\LETTRES\AMIS\LOLO.DOC
```

Vous devrez alors commencer par sélectionner le disque C, puis ouvrir à tour de rôle les dossiers Mes documents, Lettres, Amis, et enfin double-cliquer sur le fichier Lolo pour l'afficher à l'écran.

- La rétrobarre (ou barre oblique inverse) sert de séparateur dans un chemin d'accès. Elle sépare le lecteur du premier dossier, tous les dossiers intermédiaires et le dernier dossier du nom du fichier.

- Une double rétrobarre (\\) au début d'un chemin d'accès signifie que vous venez de découvrir quelque chose provenant d'un disque de réseau. Courez vous mettre à l'abri ! (Voyez le Chapitre 10 pour en savoir plus sur les réseaux.)

- Ne confondez pas la rétrobarre (\) et la barre oblique (/). Windows utilise la rétrobarre pour des raisons quelque peu rétros.

- Lisez le chapitre suivant pour en savoir plus sur les fichiers.

- Un chemin d'accès complet inclut généralement l'extension du nom de fichier - un point suivi de trois lettres. Vous pouvez avoir ordonné à Windows de vous cacher cette information, autrement dit de ne pas l'afficher dans le Poste de travail ou l'Explorateur. Mais cette information est toujours nécessaire dans un chemin d'accès.

# Chapitre 9
# Organiser vos fichiers

*L*es fichiers sont des groupes de données stockés sur le disque dur de votre PC. Lorsque vous créez un document, vous l'enregistrez sur disque en tant que fichier. Pour le réutiliser, vous devez donc rouvrir ce fichier. Pas de problème, jusque-là.

En revanche, cela devient un peu plus compliqué lorsqu'il s'agit de contrôler les fichiers. Tel un maître d'école maternelle dans une classe remplie d'enfants turbulents, il est de votre devoir de faire régner l'ordre parmi les fichiers. Heureusement, Windows vous permet d'organiser les fichiers ; comme à la maternelle, vous pouvez les couper et les coller pour les mettre à leur place, leur donner de nouveaux noms, et même les supprimer - tout cela sans offenser personne bien entendu.

- Windows représente les fichiers sous la forme d'*icônes*. Une icône est en fait l'image qui accompagne le nom du fichier sur le bureau, dans le Poste de travail ou l'Explorateur. Le fichier est ce qui réside vraiment sur le disque.

- Toutes les données enregistrées sur disque sont rassemblées dans des *fichiers*. Certains fichiers sont des *programmes*, d'autres de simples *documents* que vous créez.

# *Quelques règles à respecter avant d'attribuer un nom*

S'il est une discipline dans laquelle l'homme excelle, c'est bien celle qui consiste à attribuer des noms aux choses. Découvrez une comète, et vous pouvez lui coller un nom, une fleur, un insecte, une poussière, et les voilà affublés, sans même le savoir, d'un nom pour la vie. C'est comme cela depuis toujours, depuis que l'homme est homme et que le verbe existe.

Lorsque vous créez un document sur votre PC et l'enregistrez sur disque, vous devez lui donner un nom approprié. Ce nom est lié à ce que vous avez créé pour former un fichier. Ce fichier apparaît sous la forme d'une icône dans les programmes Poste de travail et Explorateur, et chaque fois que vous utilisez une boîte de dialogue de type Ouvrir. C'est ainsi que les ordinateurs organisent vos petites affaires.

- Le nom d'un fichier doit être suffisamment évocateur pour vous permettre d'en déduire le contenu. (Comme appeler deux chats siamois "Griffes-dehors et Dents-pointues" devrait permettre aux gens d'en déduire qu'il vaut mieux ne pas les énerver.)

- Toutes les règles présentées ici s'appliquent aussi aux noms de dossiers.

- Voyez le Chapitre 8 pour en savoir plus sur la boîte de dialogue Ouvrir.

- Les conseils proposés dans la section suivante s'appliquent uniquement à Windows 95.

## *Quelques recommandations à suivre*

Voici quelques conseils qu'il est bon de garder en mémoire avant d'attribuer un nom à un fichier :

**Soyez bref :** Un nom de fichier doit être bref, mais descriptif. En voici quelques exemples :

```
Plan
Projet
Chapitre 09
Itinéraire de vacances
Complot pour renverser la Finlande
```

**Utilisez uniquement des lettres, des nombres et des espaces :** La plupart des caractères de votre clavier sont acceptés, mais pas tous (voir la section suivante). Aussi, il est préférable de se limiter aux lettres, nombres et espaces.

- En théorie, vous pouvez donner à un fichier un nom extrêmement long pouvant aller jusqu'à 255 caractères. Mais n'en faites rien !

- Plus un nom de fichier est long, plus vous avez de chances de faire une erreur de frappe et d'embrouiller Windows lorsqu'il tente d'ouvrir le fichier.

- Windows n'est pas sensible à la casse, c'est-à-dire qu'il ne fait pas la différence entre les minuscules et les majuscules. Si vous tapez Finlande, par exemple, Windows pourra vous présenter le fichier finlande, Finlande, FINLANDE, ou toutes les autres combinaisons de lettres majuscules/minuscules.

## Qu'est-ce qu'une extension ?

La dernière partie d'un nom de fichier est généralement constituée d'un point suivi de trois caractères. On appelle cela une *extension*. L'extension d'un nom de fichier permet à Windows d'identifier le type du fichier (de déterminer le programme à l'origine du fichier). Par exemple, une extension .BMP indique qu'il s'agit d'une image graphique de Paint et un .DOC un document créé par WordPad.

Inutile de taper ces extensions lorsque vous nommez ou renommez un fichier. En fait, cela est même vivement déconseillé. Pourtant, Windows a besoin de cette information - cette extension de fichier - où il brouille les cartes lorsque vous essayez d'ouvrir le fichier à éditer.

Pour contourner ce dilemme, une solution consiste à choisir Affichage/Options dans le menu du programme Explorateur ou Poste de travail. Cette commande affiche la boîte de dialogue Options. Assurez-vous que deux de ces options sont activées : *Cacher les fichiers de type* et *Masquer les extensions MS-DOS pour les types de fichiers enregistrés*. Lorsque ces options sont validées, les extensions de noms de fichiers n'apparaissent plus de sorte que vous n'avez plus à vous en soucier.

Cliquez sur le bouton OK pour fermer la boîte de dialogue Options.

## *Quelques restrictions*

Les caractères suivants sont à proscrire :

```
* / : < > ? \ |
```

Il ne vous arrivera rien de catastrophique si vous tentez d'utiliser ces caractères ; Windows refusera tout simplement de sauvegarder votre fichier ou de modifier son nom. (Un message d'erreur risque de vous sauter à la figure, c'est tout.)

- Vous pouvez utiliser les points dans un nom de fichier. Toutefois, vous ne pouvez nommer un fichier qu'avec des points. Je sais, c'est plutôt étrange, et je suis probablement le seul de cette planète à l'avoir essayé, quoi qu'il en soit, ça ne marche pas.

## Renommer un fichier

Si vous pensez que le nom que vous venez d'attribuer à un fichier est vraiment ridicule, vous pouvez le modifier facilement. Voici comment procéder :

1. **Localisez le fichier.**

   Utilisez l'Explorateur ou le Poste de travail pour trouver votre fichier s'il n'est pas tout simplement niché quelque part sur le bureau.

2. **Sélectionnez le fichier.**

   Cliquez sur le fichier lorsque vous l'avez trouvé pour le sélectionner.

3. **Pressez la touche F2.**

   C'est le raccourci clavier de la commande Renommer. Vous pouvez également choisir Fichier/Renommer dans le menu.

   Le nom que vous voulez modifier apparaît aussitôt dans un rectangle de sélection.

4. **Tapez un nouveau nom.**

   Utilisez la touche Retour arrière pour effacer le nom courant et tapez le nouveau nom. Pour en savoir plus sur les autres touches d'édition, consultez le Chapitre 15.

5. **Pressez la touche Entrée.**

   Votre nouveau nom est enregistré.

- Vous pouvez presser la touche Echap à tout moment, avant d'appuyer sur la touche Entrée, pour annuler vos modifications et revenir à l'ancien nom.

- Windows ne vous permet pas d'attribuer un nom déjà existant à plusieurs fichiers d'un même dossier.

- Un fichier doit impérativement avoir un nom. Aucun fichier ne peut être enregistré sans avoir été préalablement baptisé.

- Vous ne pouvez renommer un groupe de fichiers d'un seul coup. Chaque fichier doit être renommé individuellement.

# Manipuler vos fichiers

Les fichiers ne restent jamais en place. Vous allez constamment les copier, les déplacer, les supprimer, etc. Si ce n'est pas le cas, votre disque dur ressemblera vite à tel un champ de bataille que vous éteindrez votre ordinateur de honte si des amis se présentent chez vous à l'improviste.

Organiser vos fichiers est une aventure qui se déroule dans un des deux programmes : Explorateur ou Poste de travail. Le Poste de travail semble plus logique si vous êtes débutant. Après quelque temps, vous préférerez peut-être utiliser l'Explorateur dans la mesure où il n'encombre pas votre écran de fenêtres chaque fois que vous ouvrez un dossier.

## Sélectionner un ou plusieurs fichiers

Avant d'effectuer quoi que ce soit sur un fichier, celui-ci doit d'abord être sélectionné. Vous pouvez sélectionner des fichiers individuellement ou en groupe.

Pour sélectionner un seul fichier, localisez-le dans le Poste de travail ou l'Explorateur. Une fois trouvé, cliquez dessus avec la souris. Le fichier apparaît aussitôt en surbrillance, indiquant qu'il est sélectionné et prêt à l'action.

Sélectionner un groupe de fichiers peut être réalisé de plusieurs façons. La plus simple consiste à maintenir la touche Ctrl (Contrôle) appuyée pendant que vous cliquez sur les fichiers que vous voulez sélectionner.

Si vous avez opté pour le mode d'affichage en icônes, vous pouvez entourer d'une marquise de sélection un groupe d'icônes à l'aide de la souris. Faites glisser la souris sur les fichiers : commencez par l'angle supérieur gauche au-dessus des fichiers, puis faites glisser la souris vers la droite pour créer un rectangle autour des icônes de fichiers que vous voulez sélectionner (Figure 9.1). Relâchez le bouton de la souris. Et voilà.

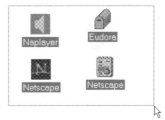

Figure 9.1 :
Un groupe
de fichiers
sélectionnés.

- Pour sélectionner un groupe de fichiers, maintenez la touche Ctrl appuyée et cliquez sur les fichiers un à un.

- Pour sélectionner tous les fichiers d'un dossier, choisissez Edition/ Sélectionner tout ou pressez le raccourci clavier Ctrl+A.

- Pour désélectionner un fichier d'un groupe, cliquez simplement sur ce fichier en appuyant sur la touche Ctrl.

## Couper et coller des fichiers

Pour couper et coller (donc déplacer) un fichier, procédez comme suit :

1. **Localisez le fichier que vous voulez déplacer.**

   Recherchez-le dans l'Explorateur ou le Poste de travail.

2. **Sélectionnez-le.**

   Cliquez sur le fichier une fois pour le sélectionner (ou, pour sélection-ner un groupe de fichiers, utilisez les techniques décrites plus avant dans ce chapitre).

3. **Choisissez la commande Edition/Couper.**

   L'icône du fichier apparaît en grisé. Cela signifie que le fichier a été *coupé* et qu'il est prêt à être collé.

4. **Ouvrez le dossier dans lequel vous voulez coller le fichier.**

   Là encore, recherchez le dossier de destination dans l'Explorateur ou le Poste de travail

5. **Choisissez la commande Edition/Coller.**

   Le fichier rejoint aussitôt sa nouvelle demeure.

- Le raccourci clavier pour Couper est Ctrl+C et Ctrl+V pour Coller.

- Vous pouvez également couper et coller un dossier. Toutefois, cela implique un plus grand déménagement dans la mesure où vous dépla-cez par la même occasion le contenu du dossier - lequel peut être très important. Gardez cette option pour les grands ménages de printemps.

## Copier et coller des fichiers

La procédure Copier/Coller ressemble à la procédure Couper/Coller, avec toutefois deux petites différences.

Le fichier d'origine n'est pas supprimé. Vous vous retrouvez avec deux versions identiques d'un même fichier : l'originale et la copie.

Vous devez utiliser la commande Fichier/Copier au lieu de la commande Fichier/Couper. Voyez l'exercice précédent pour le détail de la procédure.

- Parfois, vous n'avez pas vraiment besoin de copier un fichier sur le disque dur, il suffit de lui créer un raccourci. Voyez la section "Créer des raccourcis" un peu plus loin dans ce chapitre.

## Copier un fichier sur une disquette

Une manière simple de copier un ou plusieurs fichiers sur une disquette consiste à utiliser la commande Envoyer vers. Un jeu d'enfant :

1. **Localisez le fichier que vous voulez copier sur votre disquette.**

   Utilisez l'Explorateur ou le Poste de travail pour cela.

2. **Sélectionnez-le.**

   Cliquez sur le fichier pour le sélectionner ou maintenez la touche Ctrl appuyée pour sélectionner un groupe de fichiers.

3. **Insérez une disquette formatée dans le lecteur A.**

   Voyez le Chapitre 7 pour en savoir plus sur les disquettes.

4. **Choisissez la commande Fichier/Envoyer vers/Disquette 31/2 (A).**

   Le fichier est copié.

- Le sous-menu Envoyer vers contient la liste des lecteurs de disquettes de votre PC. Par exemple, si le lecteur B contient des disquettes 3 pouces 1/2, le menu affichera l'option Disquette 31/2 (B). Si le lecteur A contient des disquettes 5 pouces 1/4, vous verrez l'option Disquette 51/4 (A).

## Créer des raccourcis

Un raccourci est une copie de fichier light (1% de matière grasse). Il vous permet d'accéder rapidement à votre fichier depuis n'importe quelle portion de votre système, mais sans le bagage supplémentaire qui accompagne forcément le fichier copié.

Par exemple, vous pouvez placer un raccourci de WordPerfect sur le bureau - où il sera rapidement accessible - plus facilement que par l'intermédiaire du menu Démarrer.

Créer un raccourci est un jeu d'enfant : suivez les mêmes étapes que pour copier un fichier (décrites dans la section "Couper et copier des fichiers), mais choisissez la commande Edition/Coller un raccourci au lieu de la commande Coller standard.

Pour coller le raccourci sur le bureau, cliquez à l'aide du bouton droit de la souris sur un espace vierge du bureau. Un menu contextuel apparaît dans lequel vous pouvez choisir la commande Coller un raccourci.

Raccourci vers
Microsoft
Internet

- Les icônes de raccourci sont accompagnées d'une petite flèche dans un carré blanc. Cette petite flèche vous indique qu'il s'agit d'un raccourci de fichier et non pas du fichier lui-même.

- Vous pouvez créer des raccourcis pour tout élément auquel vous devez accéder souvent : programme, fichier, dossier, unité de disque, etc.

- Vous pouvez ouvrir un raccourci comme toute autre icône : double-cliquez pour ouvrir un document, charger une application, ou déballer le contenu d'un dossier.

- Ne craignez pas de supprimer des raccourcis ; cela n'affecte en rien le fichier, dossier ou programme d'origine.

- Windows attribue un nom à tous les raccourcis, lequel commence par Raccourci vers, puis se termine par le nom de fichier d'origine. Vous pouvez utiliser les techniques décrites plus avant dans ce chapitre pour renommer un raccourci.

## Supprimer des fichiers

Contrairement aux cartes de crédit et aux pièces d'identité, les fichiers n'ont pas de date d'expiration. Vous pouvez les garder des siècles sur votre disque dur sans jamais vous en préoccuper jusqu'au jour où même votre souris ne veut plus aller s'y promener : votre disque dur est prêt à exploser. Que faire ? Un peu de ménage expéditif et supprimer tous ces fichiers temporaires ou décrépits.

Pour supprimer un fichier, il suffit de le sélectionner, puis de choisir Fichier/Supprimer. Cette procédure place en fait le fichier sélectionné dans la Corbeille (d'où il pourra être récupéré plus tard).

Si vous voulez supprimer définitivement un fichier, cliquez sur ce fichier, puis pressez les touches Maj+Suppr. Windows affiche alors une boîte de dialogue vous avertissant que vous êtes sur le point d'effacer un fichier. Cliquez sur Oui pour le faire disparaître à tout jamais.

- Vous pouvez également supprimer des fichiers en pressant simplement la touche Suppr.

- Ah ! vous pouvez aussi utiliser le bouton Supprimer de la barre d'outils. Choisissez Affichage/Barre d'outils dans le programme Poste de travail ou Explorateur si elle n'apparaît pas à l'écran.

- Vous pouvez supprimer des fichiers comme des dossiers. Toutefois, n'oubliez pas que, dans ce dernier cas, vous supprimez d'un coup tout son contenu, qui peut être des douzaines d'icônes, de fichiers, de dossiers, etc.

- Ne supprimez jamais de fichiers ou de dossiers appartenant au dossier Windows.

- Ne supprimez jamais de fichiers du dossier racine de votre disque dur.

- En fait, ne supprimez jamais de fichiers que vous n'avez pas créés vous-même.

- Ne supprimez pas vos programmes ! Utilisez plutôt un outil dédié à cette tâche dans le Panneau de configuration Windows. Consultez le Chapitre 20 pour en savoir plus.

## *Récupérer des fichiers supprimés*

Corbeille

Pour récupérer un fichier supprimé par erreur, procédez comme suit :

1. **Ouvrez la Corbeille posée quelque part sur le bureau.**

   Double-cliquez sur l'icône représentant une corbeille.

   La boîte de dialogue de la Figure 9.2 apparaît. Son contenu varie en fonction des fichiers que vous avez supprimés et du mode d'affichage sélectionné. Le mode Détails (celui de la figure) permet de trier les fichiers dans un ordre spécifique et offre d'autres informations précises sur les fichiers.

2. **Sélectionnez le fichier que vous voulez récupérer de l'autre monde.**

   Cliquez sur le fichier pour le ressusciter.

L'avantage du mode d'affichage Détails est qu'il vous permet de trier les fichiers de la Corbeille en fonction de la date à laquelle ils ont été supprimés. Cliquez simplement sur l'en-tête de colonne Date de suppression, et les fichiers sont aussitôt classés en commençant par les plus récemment supprimés. (Cliquez de nouveau pour trier les fichiers dans l'ordre inverse.) Ce mode d'affichage vous aide à localiser des fichiers disparus récemment que vous pourriez vouloir récupérer.

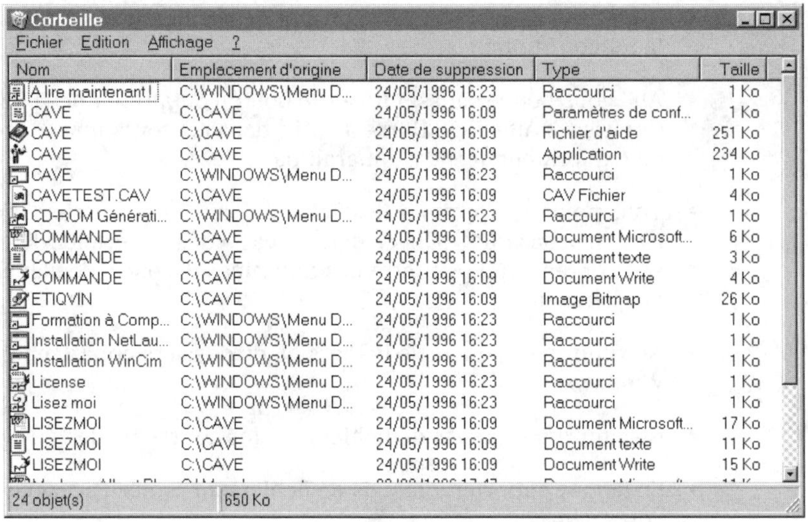

| Nom | Emplacement d'origine | Date de suppression | Type | Taille |
|---|---|---|---|---|
| A lire maintenant ! | C:\WINDOWS\Menu D... | 24/05/1996 16:23 | Raccourci | 1 Ko |
| CAVE | C:\CAVE | 24/05/1996 16:09 | Paramètres de conf... | 1 Ko |
| CAVE | C:\CAVE | 24/05/1996 16:09 | Fichier d'aide | 251 Ko |
| CAVE | C:\CAVE | 24/05/1996 16:09 | Application | 234 Ko |
| CAVE | C:\WINDOWS\Menu D... | 24/05/1996 16:23 | Raccourci | 1 Ko |
| CAVETEST.CAV | C:\CAVE | 24/05/1996 16:09 | CAV Fichier | 4 Ko |
| CD-ROM Générati... | C:\WINDOWS\Menu D... | 24/05/1996 16:23 | Raccourci | 1 Ko |
| COMMANDE | C:\CAVE | 24/05/1996 16:09 | Document Microsoft... | 6 Ko |
| COMMANDE | C:\CAVE | 24/05/1996 16:09 | Document texte | 3 Ko |
| COMMANDE | C:\CAVE | 24/05/1996 16:09 | Document Write | 4 Ko |
| ETIQVIN | C:\CAVE | 24/05/1996 16:09 | Image Bitmap | 26 Ko |
| Formation à Comp... | C:\WINDOWS\Menu D... | 24/05/1996 16:23 | Raccourci | 1 Ko |
| Installation NetLau... | C:\WINDOWS\Menu D... | 24/05/1996 16:23 | Raccourci | 1 Ko |
| Installation WinCim | C:\WINDOWS\Menu D... | 24/05/1996 16:23 | Raccourci | 1 Ko |
| License | C:\WINDOWS\Menu D... | 24/05/1996 16:23 | Raccourci | 1 Ko |
| Lisez moi | C:\WINDOWS\Menu D... | 24/05/1996 16:23 | Raccourci | 1 Ko |
| LISEZMOI | C:\CAVE | 24/05/1996 16:09 | Document Microsoft... | 17 Ko |
| LISEZMOI | C:\CAVE | 24/05/1996 16:09 | Document texte | 11 Ko |
| LISEZMOI | C:\CAVE | 24/05/1996 16:09 | Document Write | 15 Ko |

24 objet(s) — 650 Ko

Figure 9.2 :
Le contenu
de la
Corbeille
apparaît
lorsque vous
double-cliquez
sur son
icône.

3. **Choisissez la commande Fichier/Restaurer.**

   Le fichier réapparaît magiquement dans son emplacement d'origine.

4. **Fermez la fenêtre de la Corbeille.**

   Cliquez sur le bouton figurant un X à l'angle supérieur droit de la fenêtre.

- Tant qu'un élément n'est pas supprimé de la corbeille, il peut toujours être restauré.

## Vider la Corbeille

TRUC

La Corbeille peut occuper énormément d'espace disque sur votre PC. En fait, elle est réglée pour consommer 10% de votre espace disque, après quoi elle commence à purger les éléments les plus anciens. Pour augmenter (ou diminuer) ce pourcentage, cliquez à l'aide du bouton droit de la souris sur l'icône de la Corbeille, puis choisissez Propriétés dans le menu contextuel et faites glisser le curseur de contrôle dans le sens désiré.

Pour vider totalement la Corbeille, choisissez la commande Fichier/Vider la corbeille dans la barre de menus. Cette opération supprime à tout jamais le contenu de la Corbeille. Aussi, procédez avec précaution.

# Déplacer ou copier des fichiers à l'aide de la souris

Vous pouvez couper, copier et coller des fichiers sans jamais recourir aux options de menus. Saisissez simplement les fichiers qui vous intéressent et déplacez-les ou copiez-les à l'aide de la souris.

Le seul inconvénient de cette approche est que vous devez ouvrir deux dossiers ou plus sur votre bureau. L'exemple de la Figure 9.3 comportant deux fenêtres représente deux dossiers ouverts, le dossier d'origine et celui de destination.

**Déplacer des fichiers :** Pour déplacer un fichier d'un dossier à un autre, faites-le glisser à l'aide de la souris d'une fenêtre à une autre. Dans la Figure 9.3, la souris fait glisser le fichier Chap29 du dossier PC4nuls vers le dossier PC4révis.

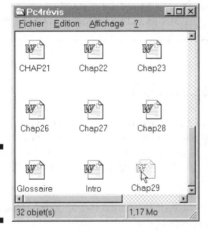 

Figure 9.3 :
Les fichiers
savent
voler !

**Copier des fichiers :** Pour copier un fichier d'une fenêtre de dossier à une autre, pressez et maintenez la touche Ctrl appuyée, puis faites glisser le fichier.

- Les fichiers sont *déplacés* lorsque vous les faites glisser d'un dossier à un autre sur le même disque dur.

- Les fichiers sont *copiés* lorsque vous les faites glisser d'une unité de disque à une autre.

- Pour déplacer un fichier d'une unité de disque à une autre, pressez et maintenez la touche Maj appuyée avant de cliquer sur le fichier et de le faire glisser.

TRUC

## Utiliser le bouton droit de la souris pour copier et déplacer des fichiers

Copier. Déplacer. Faire glisser. Maintenir la touche Ctrl appuyée. Comment tout mémoriser ? Une seule technique : ne rien mémoriser du tout et utiliser le bouton droit de la souris.

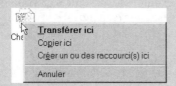

Transférer ici
Copier ici
Créer un ou des raccourci(s) ici

Annuler

Lorsque vous faites glisser des icônes à l'aide du bouton droit de la souris, au moment où vous relâchez le bouton un menu contextuel apparaît. Ce menu contient quatre options : Transférer ici, Copier ici, Créer un ou des raccourci(s) ici, et Annuler. Choisissez une de ces options pour déplacer, copier ou coller un raccourci du ou des fichiers que vous faites glisser.

## La boîte de dialogue Rechercher

Les fichiers vont et viennent. Vous risquez même d'en perdre un ou deux de temps en temps, tout particulièrement si vous n'êtes pas organisé, ou si vous avez effectué votre sauvegarde dans un moment de panique lors d'un tremblement de terre. Pour retrouver un fichier égaré, une seule solution : la boîte de dialogue Rechercher.

Dans la fenêtre du programme Explorateur, choisissez Outils/Rechercher/ Fichiers ou dossiers. Dans le Poste de travail, choisissez Fichier/Rechercher. La boîte de dialogue Rechercher, illustrée Figure 9.4, apparaît. A l'aide des différentes commandes de cette boîte de dialogue, vous pouvez pister tous les fichiers et dossiers de votre ordinateur.

Les sections suivantes vous expliquent comment utiliser la boîte de dialogue Rechercher. Dans tous les cas, à la fin de la recherche, vous obtenez un des deux résultats suivants :

**Pas de chance :** Si le système ne trouve aucun fichier correspondant à votre demande, le message 0 fichier(s) trouvé(s) apparaît au bas de la boîte de dialogue. La liste des fichiers est vide. Grincez des dents et versez quelques larmes.

**Eurêka :** Si vous êtes chanceux, le programme affichera quelques fichiers susceptibles de répondre à votre demande. La Figure 9.5 montre quelques fichiers trouvés sur le disque dur.

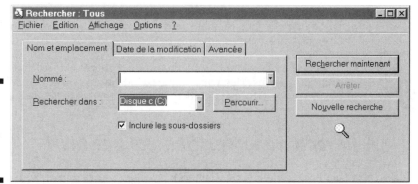

Figure 9.4 :
La boîte de
dialogue
Rechercher
mène
l'enquête.

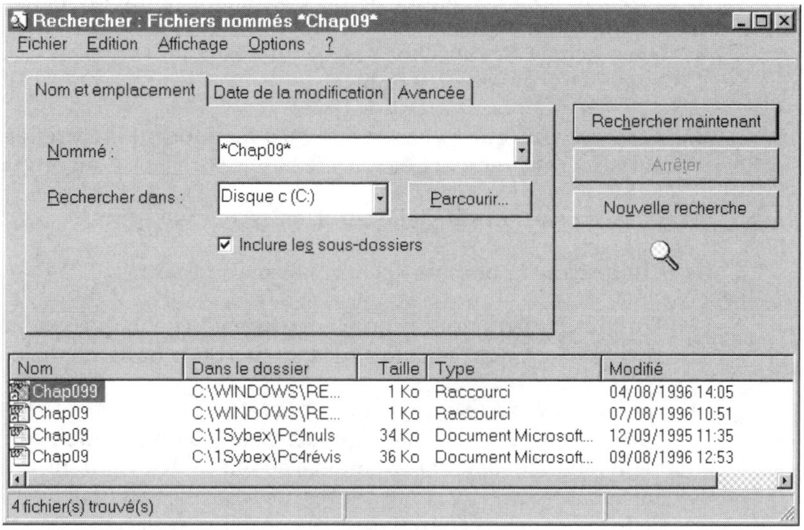

Figure 9.5 :
Plusieurs
fichiers
correspon-
dent au
portrait-
robot.

Lorsque vous avez trouvé vos fichiers, voici ce que vous pouvez en faire :

- Double-cliquez sur un des fichiers de la liste pour l'ouvrir, lancer ce programme ou éditer ce fichier.

- Faites glisser le fichier sur le bureau, là où il sera plus facilement accessible, ou dans un dossier approprié.

- Regardez simplement dans la colonne intitulée Dans le dossier pour voir dans quel dossier se trouve le fichier.

- Vous pouvez également accéder à la boîte de dialogue Rechercher depuis le menu Démarrer. Choisissez, dans ce menu, Rechercher/ Fichiers ou dossiers.

- Reportez-vous à la section "Qu'est-ce qu'un chemin d'accès (ou Pathname) ?" dans le Chapitre 8 pour savoir comment déchiffrer la colonne Dans le dossier.

- Vous pouvez combiner les méthodes de recherche décrites dans les sections ci-après. Plus vous donnez d'indications sur le fichier recherché, plus vous avez de chances de trouver exactement le fichier recherché.

## A la recherche des fichiers perdus !

Ouvrez la boîte de dialogue Rechercher. Cliquez sur l'onglet Nom et emplacement pour afficher le volet correspondant (illustré sur la Figure 9.4).

1. **Tapez le nom du fichier recherché dans la zone de texte Nommé.**

2. **Dans la liste Rechercher dans, choisissez le lecteur A, B, C, etc., dans lequel se trouve votre fichier.**

3. **Assurez-vous que la case en regard de l'option Inclure les sous-dossiers est bien cochée.**

   Dans le cas contraire, cliquez dans cette case.

4. **Cliquez sur le bouton Rechercher maintenant.**

   Tous les fichiers dont le nom correspond à celui que vous avez spécifié apparaissent dans la liste située au bas de la boîte de dialogue.

- Si vous ne connaissez pas le nom exact du fichier mais seulement une partie de son nom, utilisez des astérisques pour remplacer les éléments manquants. Par exemple, j'ai différentes versions du Chapitre 7 sur mon disque dur. Pour toutes les trouver, j'ai demandé à Windows d'effectuer une recherche à l'aide de cette option :

```
*Chap07*
```

Le résultat de cette recherche est illustré Figure 9.5. Les astérisques remplacent tous les caractères avant et après Chap07. Si j'avais été sûr que le fichier commençait par Chap07, j'aurais simplement tapè :

```
Chap07*
```

Dans ce cas, l'astérisque remplace tous les caractères pouvant se trouver à la fin du nom. Il en va de même pour le début.

```
*Chap07
```

Ici, l'astérisque remplace tous les caractères pouvant se trouver en début de nom.

## *Mais où est mon programme ?*

Pour trouver un programme, vous devez procéder comme pour trouver un fichier ordinaire. Suivez les étapes décrites dans la section précédente, et tapez le nom de votre programme comme le nom de fichier à rechercher.

Si vous ne connaissez pas le nom du programme, cliquez sur l'onglet Avancée de la boîte de dialogue Rechercher pour faire apparaître les options du volet correspondant.

Dans la liste déroulante De type, sélectionnez Application.

Cliquez sur le bouton Rechercher maintenant.

La boîte de dialogue affiche tous les programmes de votre ordinateur. Votre application se trouve quelque part dans cette liste. Utilisez la barre de défilement pour la localiser.

## *"J'ai oublié le nom du fichier, mais je sais qu'il contient le mot 'exécrable' !"*

Suivez ces étapes :

1. **Cliquez sur l'onglet Avancée de la boîte de dialogue Rechercher.**

2. **Assurez-vous que l'option Tous les fichiers et dossiers est sélectionnée dans la liste déroulante De type.**

   Si ce n'est pas le cas, cliquez sur la flèche pointant vers le bas à droite de cette liste pour dérouler sa panoplie d'articles, puis cliquez sur cette option (qui devrait figurer en tête de liste).

   Vous pouvez gagner du temps si vous connaissez le nom du programme à l'origine du document. Par exemple, si vous savez qu'il s'agit d'un document Word, choisissez l'option Document Microsoft Word dans la liste.

3. **Pressez la touche de tabulation.**

   Votre curseur se place dans la zone de texte Contenant le texte.

4. **Tapez le texte que le document est censé contenir.**

   Entrez le moins de texte possible, tel que :

exécrable

N'ajoutez pas de point à la fin.

5.  **Cliquez sur le bouton Rechercher maintenant.**

    Avec un peu de chance, votre fichier apparaîtra au bas de la liste. Dans le cas contraire, essayez de nouveau, avec un autre mot.

## "J'ai oublié le nom du fichier, mais je sais que c'est une feuille de calcul !"

Si vous procédez à une recherche par type de fichier, vous obtenez une montagne de résultats, mais c'est toujours mieux que d'examiner chacun de vos fichiers sur le disque dur. Voici comment procéder :

1.  **Cliquez sur l'onglet Avancée de la boîte de dialogue Rechercher.**

2.  **Choisissez le type de fichier dans la liste déroulante De type.**

    Par exemple, cliquez sur l'option Feuille de calcul Microsoft Excel.

3.  **Cliquez sur le bouton Rechercher maintenant.**

    De nombreux fichiers risquent d'apparaître. Votre mission consiste à trouver, parmi les fichiers de la liste proposée, celui que vous recherchez précisément. Bonne chance !

Vous aurez plus de chances de trouver ce que vous recherchez si vous connaissez la date exacte à laquelle votre fichier a été créé ou enregistré sur disque. Cette petite astuce est traitée dans la section suivante.

## "Tout ce que je sais c'est que je l'ai créé jeudi dernier !"

Pour trouver un fichier créé à une date spécifique, suivez ces étapes :

1.  **Dans la boîte de dialogue Rechercher, cliquez sur l'onglet Date de la modification.**

    Les options du volet Date de la modification apparaissent.

2.  **Cliquez sur le bouton Rechercher tous les fichiers créés ou modifiés.**

Cette action vous permet de choisir parmi une des trois options proposées au bas de la boîte de dialogue :

**3a. Si vous savez que le fichier a été créé le mois dernier, cliquez sur le bouton Au cours des derniers X mois.**

Utilisez les flèches pour modifier le nombre de mois, 1 pour un mois, 6 pour six, etc.

Ce procédé n'étant pas très précis, de nombreux fichiers pourront en résulter.

**3b. Si vous savez que le fichier a été créé quelques jours plus tôt, cliquez sur le bouton Au cours des derniers X jours.**

Utilisez les flèches pour modifier le nombre de jours à examiner. Par exemple, si le jour de votre recherche est un jeudi et que vous pensez avoir créé votre fichier dans la semaine, entrez 4 dans la case.

Cette méthode est plus précise que la précédente, mais pas autant que si vous connaissiez la date exacte.

**3c. Si vous connaissez la date approximative à laquelle vous avez créé votre fichier, cliquez sur le bouton Entre le X et le X.**

Entrez les dates appropriées dans les cases proposées, la date la plus ancienne en premier. Si vous savez que le fichier a été créé le 1$^{er}$ septembre 1996, tapez 1/09/96 dans les deux cases, ou 31/08/96 dans la première et 2/09/96 dans la seconde.

**4. Cliquez sur le bouton Rechercher maintenant.**

Windows vous propose un certain nombre de fichiers. Dans la mesure où il affiche tous les fichiers créés aux dates indiquées, ce nombre peut être assez élevé si vous êtes productif.

- En combinant cette technique de recherche avec les autres, vous pouvez en principe aboutir précisément au fichier recherché.

- Reportez-vous aux Chapitres 8 et 9 pour apprendre à bien enregistrer et organiser vos fichiers et dossiers, de sorte que vous ne perdrez plus jamais rien.

# Chapitre 10

# Partager des informations (ou "Comment fonctionnent les réseaux")

A u début étaient les gros ordinateurs (les *mainframes*). Installés dans des pièces vitrées loin des microbes et de la poussière et consommant plus d'électricité qu'une armée d'aspirateurs, ils étaient la création de petits génies en blouses blanches qui les mettaient à la disposition d'utilisateurs de terminaux via des câbles spéciaux. Qui aurait cru que l'arrivée du PC allait causer une telle révolution ? Bientôt les utilisateurs auraient leur propre ordinateur personnel. L'ère de l'indépendance informatique était sur le point de naître.

Aujourd'hui, ces ordinateurs centraux sont loin d'être morts, mais ils ont été détrônés par une autre espèce majeure : les *réseaux informatiques*. Le concept est enfantin : vous prenez un ordinateur individuel, vous le reliez à quelques autres (avec éventuellement une imprimante au milieu), et voilà votre réseau formé. Vous pouvez y ajouter autant d'ordinateurs et d'imprimantes qu'il vous plaît, même quelques gros ordinateurs et satellites.

Le concept de réseau dépasse largement l'étendue de ce livre. Il faudra consulter d'autres ouvrages plus spécialisés pour des informations complètes et techniques. Si vous êtes seul à votre domicile derrière votre PC, vous pouvez toujours faire un petit tour dans ce chapitre pour enrichir votre culture dans le domaine. Si vous travaillez dans un bureau ou si vous avez simplement entendu quelqu'un parler *du réseau*, alors faites une escale plus prolongée.

- Tout ordinateur relié à un réseau est appelé *noeud*. Si votre ordinateur est sur réseau, c'est donc un noeud.

- Ce chapitre traite uniquement du système d'égal-à-égal de Windows. Réseaux Novell ? Vignes du Lubéron ? Allez chercher ailleurs.

## *Une question de communication*

La volonté de partager des informations sur un ordinateur existe chez tout utilisateur qui se respecte. Plus qu'une envie, il s'agit d'une véritable nécessité. L'écran satisfait ce désir en affichant les résultats de notre labeur, et notre imprimante qui en est le prolongement nous fournit sur papier une copie de nos oeuvres.

Un jour quelqu'un remarqua qu'il était stupide d'imprimer un document, puis de le donner à un autre utilisateur pour qu'il le retape sur son ordinateur. Après tout, ces informations étaient déjà disponibles sur un ordinateur. Pourquoi ne pouvaient-elles pas simplement circuler entre ordinateurs ? Ce fut possible alors de deux manières : en échangeant des disquettes entre ordinateurs et en reliant les ordinateurs par l'intermédiaire de câbles spéciaux.

- Le partage d'informations n'est possible que dans la mesure où les ordinateurs peuvent lire les mêmes formats de disquettes. Pour tous les PC, cela ne pose aucun problème. C'est d'ailleurs le moyen le plus courant d'échanger et de distribuer des fichiers et des programmes. Il suffit de transférer (d'enregistrer) le contenu de la disquette sur le disque dur.

- Partager des disquettes entre différents types d'ordinateurs, entre PC et Mac par exemple, n'est pas aussi simple. Ces deux systèmes utilisent différents formats de disquettes. Un PC ne peut lire, et encore moins comprendre, des informations Macintosh.

- Tous les ordinateurs équipés de ports série peuvent communiquer entre eux via un *câble null-modem*. Ce câble permet une liaison directe entre deux ordinateurs qui se situent dans la même pièce. Il leur est également possible de communiquer par l'intermédiaire de lignes téléphoniques à l'aide d'un *modem*.

- Consultez le Chapitre 17 pour plus d'informations sur les modems, et si *réellement* vous voulez en savoir plus sur le câble null-modem, lisez la rubrique technique de ce chapitre.

## Informations totalement inutiles sur le câble null-modem

Rien ne cause plus de maux de tête que d'avoir affaire à un *câble null-modem* ou à son frère jumeau, l'*adaptateur null-modem*. Un câble null-modem est en fait un type de câble série. On l'appelle également *paire torsadée*. Ce câble a la particularité de relier les ports série de deux ordinateurs par l'intermédiaire des deux fils réception/émission inversés (le câble émission est relié au câble réception et vice versa). L'adaptateur null-modem est simplement un appareil qui permet la liaison grâce à cette émulation de connexions physiques.

Une fois les deux ordinateurs reliés, les réjouissances commencent. Les deux systèmes doivent non seulement utiliser un logiciel de communication spécial, mais également être configurés d'une certaine manière. En outre, les fichiers transmis ne peuvent être que des fichiers ASCII. Cela ne devrait donc passionner que des accros de la micro, et pas de véritables êtres humains comme vous et moi.

# A quoi servent les réseaux ?

Les ordinateurs, tout comme les téléviseurs, ont des réseaux et des programmes. Un réseau d'ordinateurs s'apparente à un réseau de télévision, mais en beaucoup plus productif. Il est géré par un administrateur auquel vous pouvez faire appel en cas de nécessité (configuration, panne, etc.).

- Les réseaux ont trois fonctions : échanger des fichiers, partager les ressources et faire tourner des programmes communs.

- *Echanger des fichiers* signifie envoyer et recevoir des fichiers depuis votre ordinateur relié à d'autres ordinateurs sur le réseau. Soit les fichiers arrivent par le câble du réseau, soit vous allez les chercher dans une mémoire centrale. L'idée de base est la suivante : vous obtenez des informations provenant d'un autre ordinateur sans avoir à manipuler de disquettes.

- *Partager des ressources* signifie mettre des équipements (du matériel ou *hardware*) en commun de sorte que plusieurs utilisateurs puissent en profiter. Par exemple, vous pouvez utiliser, à travers le réseau, l'imprimante qui se trouve dans le bureau voisin. Vous pouvez également profiter d'un disque dur "sur" réseau ; vos fichiers peuvent alors provenir de ce disque ou y être copiés.

- *Faire tourner des programmes communs* fait référence aux applications abritées par d'autres ordinateurs. Sur certains types de réseaux, vous pouvez accéder à un autre ordinateur et exécuter un de ses programmes - tout cela grâce à un petit fil qui pend à l'arrière de votre PC. L'inconvénient est que le fonctionnement de cet autre ordinateur en est considérablement ralenti. Aussi, un ordinateur puissant, appelé *serveur de fichiers*, est souvent dédié à cette tâche ; il joue le rôle d'un énorme disque dur abritant les programmes utilisés par les autres terminaux.

- Les réseaux sont aussi appelés *réseaux locaux* ou *LAN* (pour *Local Area Network*) lorsqu'il s'agit de réseaux de petite ou moyenne envergure.

## Comment se connecter à un réseau

Avant de pouvoir utiliser un réseau, vous devez ouvrir une session (log in) : entrer votre nom d'utilisateur et votre mot de passe dans une boîte de dialogue spéciale dès que vous lancez Windows.

Vous vous connectez à un réseau en tapant votre nom d'utilisateur, lequel est généralement une contraction de vos nom et prénom, puis en tapant un mot de passe secret qui est probablement écrit sur un Post-it collé sur un côté de votre écran.

- Dès que vous avez entré votre nom et votre mot de passe, vous pouvez utiliser le réseau.

- Si vous ne voulez pas entrer ces informations, cliquez sur la touche Echap. La boîte de dialogue disparaît, vous permettant quand même d'utiliser le réseau. (Très utile cette boîte...)

- Si votre système dépend d'un mot de passe, ne l'écrivez pas ! Mémorisez-le pour qu'il ne tombe jamais entre les mains de l'ennemi.

- Après une connexion réussie, vous pouvez accéder aux divers disques durs et à l'imprimante du réseau. Leur utilisation est détaillée plus loin dans ce chapitre.

## Quelques trucs à faire sur réseau

Lorsque vous êtes branché à un réseau, vous pouvez utiliser d'autres imprimantes et disques reliés au réseau. Et, si vous trouvez des fichiers sur ces disques, vous pouvez les télécharger ou exécuter des programmes.

### Visite guidée dans le Voisinage réseau

Si votre PC Windows est relié à un réseau, vous devez être capable de localiser une icône sur le bureau intitulée Voisinage réseau. C'est la clé de tous les ordinateurs et imprimantes du réseau.

Votre chasse au trésor dans la fenêtre Voisinage réseau peut s'effectuer de deux façons. La deuxième méthode est assez stupide, aussi je ne parlerai que de la première. Celle-ci est plus évidente ; elle consiste à ouvrir l'icône Voisinage réseau en double-cliquant dessus. Cette action affiche une fenêtre détaillant tous les ordinateurs de votre réseau.

Les ordinateurs présents sur le réseau ne sont pas tous capables de tout partager. Vous pouvez voir ce qu'un ordinateur peut partager en ouvrant son icône dans le dossier Voisinage réseau. Le cas échéant, vous double-cliquez sur cette icône et une autre fenêtre apparaît listant les éléments que cet ordinateur peut partager avec les autres.

- Tous les dossiers présentés dans une fenêtre d'un ordinateur sont à votre disposition.

- Vous pouvez accéder aux fichiers qu'ils contiennent en les ouvrant - exactement comme s'ils faisaient partie de votre ordinateur.

- La présence d'une imprimante dans le dossier d'un ordinateur indique que votre ordinateur peut accéder à cette imprimante de réseau et l'utiliser pour imprimer vos documents. Pour cela, vous devez double-cliquer sur l'icône de cette imprimante et effectuer les réglages nécessaires. (Tâche laborieuse que vous vous ferez une joie de déléguer à quelqu'un d'autre.)

- Il n'y a aucun danger à vous promener dans le Voisinage réseau la nuit.

- Comme dans l'Explorateur ou le Poste de travail, vous pouvez modifier le mode d'affichage du Voisinage réseau. Les options disponibles se trouvent, en toute logique, dans le menu Affichage

## Utiliser un dossier ou un disque de réseau

Le rôle de base d'un réseau est de vous éviter d'avoir à vous déplacer d'un poste à l'autre avec des disquettes sous le bras.

Pour déplacer un fichier d'un ordinateur sur un autre ordinateur du réseau, vous devez vous mettre en communication avec un disque de réseau, qui est un disque dur (ou une disquette) d'un ordinateur quelconque relié au réseau. Vous pouvez pêcher ce fichier à l'aide du Voisinage réseau. Mais il est préférable que ce disque soit présent sur votre ordinateur, dans la fenêtre Poste de travail, en tant que disque de réseau.

Pour ajouter un disque de réseau dans la fenêtre Poste de travail, procédez comme suit :

1. **Ouvrez la fenêtre Poste de travail.**

Double-cliquez sur l'icône Poste de travail pour afficher sa fenêtre, et laissez-la de côté pendant quelques étapes.

2. **Recherchez le disque de réseau que vous voulez ajouter.**

   Ouvrez l'icône Voisinage réseau et sondez les différents ordinateurs de votre réseau à la recherche d'un disque disponible. (Voyez la section "Visite guidée dans le Voisinage réseau" pour quelques informations supplémentaires dans ce domaine.)

3. **Faites glisser le disque (ou dossier) de réseau dans le Poste de travail.**

   Utilisez la souris pour faire glisser l'icône de la fenêtre de l'ordinateur de réseau vers la fenêtre du Poste de travail.

4. **Choisissez une lettre pour identifier le disque de réseau.**

   Vous pouvez attribuer à ce disque de réseau toutes les lettres disponibles (à l'exception des lettres A, B et C que le PC se garde précieusement). Si vous avez un disque dur C et un CD-ROM appelé D, par exemple, vous pouvez attribuer à votre disque de réseau toutes les lettres de l'alphabet entre E et Z.

   Choisissez cette lettre dans la liste déroulante ou appuyez simplement sur la touche correspondante.

   La lettre que vous attribuez est personnelle. Elle n'affecte nullement les autres ordinateurs du réseau.

   Windows peut afficher ce disque de réseau dans la fenêtre Poste de travail chaque fois que le PC démarre. Pratique, n'est-ce pas ?

5. **Cliquez sur le bouton OK.**

   Clic. Le disque de réseau est maintenant aussi facile d'accès que n'importe quel disque de votre propre PC. Ah, les joies du réseau !

- Les icônes représentant des disques de réseau sont identiques aux icônes de disques ordinaires, si ce n'est qu'elles sont dotées d'un petit câble de liaison.

## Déconnecter un disque de réseau

Si vous ne voulez plus utiliser un disque de réseau, vous pouvez le déconnecter. Pour cela, vous procédez comme si vous raccrochiez un téléphone : la connexion est terminée, mais le disque existe toujours ailleurs, disponible pour d'autres utilisateurs. (Tout comme vous ne supprimez pas le disque, vous ne tuez pas votre interlocuteur lorsque vous raccrochez le téléphone.)

# *Partager des disques et dossiers sur un réseau*

Sacrifier vos précieux fichiers sur l'autel des réseaux peut être réalisé en un clin d'œil. Bien entendu, en fonction de vos informations, vous pouvez en restreindre l'accès. Il existe bien un système de sécurité de réseau, mais il n'est pas très évolué.

Pour mettre vos fichiers à la disposition des autres utilisateurs, suivez ces étapes :

1. **Sélectionnez le disque ou le dossier que vous voulez partager.**

   Dans l'Explorateur ou le Poste de travail, cliquez sur le lecteur ou dossier que vous voulez partager.

2. **Dans le menu Fichier, choisissez Propriétés.**

3. **Cliquez sur le bouton radio Partagé en tant que.**

   Cette opération place un point dans le bouton radio, activant le reste de la boîte de dialogue. Vient ensuite l'étape "remplir les blancs".

4. **Donnez un nom qui identifiera votre disque sur le réseau.**

   La zone de texte contient généralement la lettre identifiant le disque ou un nom de dossier. Vous pouvez ne rien y taper ou laisser aller votre créativité.

   N'appuyez pas encore sur Entrée !

5. **Inutile de remplir la zone de texte Commentaires.**

6. **Choisissez un niveau d'accès.**

   Trois niveaux d'accès sont disponibles :

   • Les autres utilisateurs peuvent uniquement lire votre disque. Personne d'autre que vous ne peut le modifier.

   • Toutes les personnes connectées au réseau peuvent accéder à votre disque, le lire et le modifier.

   • Le premier ou le deuxième niveau est déclenché en fonction du mot de passe qu'elles tapent. Ces mots de passe sont définis par vous au bas de la boîte de dialogue.

Mon conseil : Choisissez la deuxième option si vous faites confiance à vos collègues. Sinon, optez en toute sécurité pour la première option. Je n'utilise jamais la dernière, car j'ai tendance à oublier les mots de passe. (Tous mes ordinateurs partagent le même mot de passe : *aucun*.)

7. **Cliquez sur le bouton OK.**

   Votre disque ou dossier est maintenant partagé. Il sera toujours
   identique sur votre système, mais il peut désormais être utilisé par
   d'autres utilisateurs via le Voisinage réseau de leurs PC.

   • Lorsque vous partagez quelque chose, son icône développe une petite
   main serviable.

   • Pour partager votre imprimante, vous devez procéder comme pour
   partager un lecteur ou un dossier. Les imprimantes reliées au réseau se
   trouvent dans le dossier Imprimantes qui sommeille quelque part dans
   la fenêtre principale Poste de travail. Vous devrez, toutefois, vous
   assurer que les autres ordinateurs du réseau sont correctement
   configurés s'ils veulent pouvoir imprimer leurs oeuvres. Mais peut-être
   vaut-il mieux laisser quelqu'un d'autre se charger de cela pour vous.

## Et si le réseau tombe en panne ?

Les réseaux s'effondrent plus souvent qu'à leur tour. Cela ne veut pas dire que
l'utilisation d'un réseau soit incertaine. Le problème est que des éléments qui, à
l'origine, tournent tant bien que mal, marchent encore moins bien lorsqu'ils
sont utilisés ensemble. Un courant d'air fait tomber ce château de cartes.

• Lorsqu'un réseau est en panne, vous pouvez toujours utiliser votre PC,
mais vous ne pouvez plus accéder aux fichiers et imprimantes reliés à
ce réseau.

• Toute panne sur un réseau demande des connaissances spécifiques.
Consultez toujours l'administrateur du réseau avant de vous lancer
dans une telle aventure.

• Ne débranchez jamais les connexions à l'arrière du PC lorsque le
réseau fonctionne.

• Si, au cours d'une impression, votre ordinateur vous fait défaut, il y a
des chances pour que la procédure d'impression continue. Toutefois,
si le problème vient du serveur, vous devrez relancer l'impression.

• Si vous souhaitez des conseils généraux de dépannage, consultez la
sixième partie de cet ouvrage.

# Quatrième partie
# Visite guidée de votre environnement matériel

"Ça me paraît suffisamment rapide..."

## Dans cette partie...

Vous ouvrez ici la porte de votre environnement informatique : ce monde de disquettes, disques durs, UC, EPROM, câbles, et encore bien d'autres trucs que vous croyiez réservés à ces types aux cheveux gras et lunettes triple foyer. Malheureusement, l'utilisation d'un ordinateur implique inévitablement une connaissance (même succincte) de son matériel et des termes qui le définissent. Si vous ne vous en souciez pas maintenant, vous le regretterez plus tard.

Il n'est pas nécessaire d'entrer dans de longues explications techniques à propos du matériel de votre PC. Mais vous allez très certainement devoir toucher ce matériel, le plus souvent sous la pression d'un manuel ou d'un utilisateur plus expérimenté qui sait de quoi il parle. La mission de cette partie du livre consiste donc à vous familiariser avec les différents composants matériels d'un PC et à vous présenter les termes qui vont avec, de sorte que vous ayez une image complète, nette et précise du scénario.

# Chapitre 11

# Anatomie de l'unité centrale d'un PC

*L*'unité centrale (cet affreux parallélépipède beige) peut paraître froide et impressionnante. Les seuls indices extérieurs d'une quelconque activité sont les voyants lumineux sur sa face avant et un doux ronronnement. L'intérieur, quant à lui, est rempli de cartes électroniques et autres gâteries qui, outre le fait qu'elles font rêver plus d'un technicien de la micro, permettent à votre PC de fonctionner. Aux premiers rangs se trouvent la *carte mère*, le *microprocesseur*, le *BIOS*, les *ports*, l'*alimentation électrique*, et *les connecteurs d'extension*. Il ne s'agit pas d'éléments que vous verrez - ou même toucherez -, mais de petits trucs que vous voudrez peut-être comprendre. Après tout, vous avez payé pour ça, non ?

- La mémoire, un composant essentiel de votre PC, n'est pas traitée ici. Voyez le Chapitre 12.

## La carte mère

La *carte mère*, pièce maîtresse des circuits internes de votre ordinateur, contient les éléments suivants (inutile de mémoriser cette liste) :

- Le microprocesseur : le cerveau de l'ordinateur.

- Les mémoires de l'ordinateur.

- Les connecteurs d'extension et les cartes d'extension spéciales qui s'y logent.

- Des puces électroniques spéciales appelées ROM.

- Le BIOS.

- D'autres circuits d'assistance.

- D'autres composants techniques super-pointus.

Même si la carte mère contient de nombreux éléments, il s'agit essentiellement d'une unité et on y fait référence comme telle.

- Vous ne pouvez ajouter ou retirer que deux éléments de votre carte mère : la mémoire annexe et les cartes d'extension (lesquelles se fixent sur les connecteurs d'extension). Laissez le terme *upgrading*, qui fait référence à l'ajout de ces éléments, à ceux qui ne parlent qu'en binaire ou en jargon technique. Il s'agit tout simplement d'une augmentation de puissance.

- Certaines cartes mère vous permettent de supprimer et d'ajouter un microprocesseur. Toutefois, je vous le déconseille (je vous expliquerai probablement pourquoi plus tard).

- Le terme *carte mère* est aussi mignon qu'il en a l'air. "Mère" implique que c'est la carte de circuit principale du PC. Accrochées à la mère sont les *cartes filles*, lesquelles ajoutent davantage de fonctions à la carte mère de base.

## Petite description un peu plus technique, au cas où cela vous intéresserait

La carte mère est une pièce en fibre de verre, d'une couleur généralement vert foncé (les scientifiques de l'informatique étant une espèce plutôt macho, ces cartes n'auraient jamais pu être de couleur rose ou mauve par exemple). Les puces et autres petites bêtes électroniques sont soudées sur la carte mère, puis connectées par de minuscules fils de cuivre qui ressemblent à de petites routes parcourant la carte mère dans tous les sens. C'est ainsi que les divers circuits intégrés, résistances et condensateurs communiquent entre eux.

Le courant électrique leur parvient via une mince feuille de métal prise en sandwich au milieu de la carte elle-même. Le résultat final, et grâce aux miracles de l'électronique, est un ordinateur qui fonctionne. Bien entendu, pour que tout cela soit pratique, vous avez besoin d'une alimentation secteur, d'un écran, d'un clavier, de lecteurs, etc.

# Le microprocesseur

Au cœur de tout ordinateur trône le *microprocesseur*. C'est la puce principale de l'ordinateur. Si le logiciel est le cerveau de l'ordinateur, le microprocesseur est son centre nerveux. Il agit essentiellement comme un minuscule et rapide calculateur qui additionne, soustrait, multiplie et divise des valeurs stockées en mémoire.

Le microprocesseur traite avec des éléments externes de l'ordinateur. Ces éléments fournissent soit des *entrées*, soit des *sorties* (aussi appelées *E/S*, pour *Entrées/Sorties*).

Les entrées sont des données à traiter qui entrent dans le microprocesseur.

Les sorties sont les résultats obtenus que le microprocesseur génère et recrache.

Toute l'activité de l'ordinateur tourne en fait autour de ces entrées et sorties.

- La puce principale de l'ordinateur est le *microprocesseur*, qui est essentiellement une calculatrice dont le coût est aussi élevé que sa taille est petite.

- Il existe d'autres termes pour désigner un microprocesseur. Parmi ceux-ci, on peut citer le *processeur* ou *CPU* (*Central Processing Unit*, unité centrale de traitement).

- Pour économiser votre salive, vous pouvez également faire référence au microprocesseur par son synonyme tronqué : *processeur*.

- Le microprocesseur ressemble à ces petits chocolats carrés que l'on sert après dîner (style "After Eight") ou à une petite bête plate munie de pattes en métal.

- La puissance d'un ordinateur est fonction de son microprocesseur. Evidemment, c'eût été trop simple d'attribuer des noms comme Hercule, Samson ou Perceval à ces processeurs. Pour les identifier, vous aurez affaire à des termes tels que 80386, 486 ou Pentium.

- En plus du nombre qui les caractérise, les microprocesseurs possèdent une autre dimension importante : leur rapidité de calcul. Elle s'exprime en *mégahertz* ou *MHz*. Plus le nombre de mégahertz est important, plus le microprocesseur est rapide (et c'est à peu près tout ce qu'il faut savoir).

- Les entrées du microprocesseur peuvent provenir de plusieurs régions de l'ordinateur : la mémoire, les unités de lecture, le clavier, la souris, le modem, etc.

- Le microprocesseur envoie ses données à la mémoire de l'ordinateur, ses unités de disque, son écran, imprimante, modem, etc.

## Comment identifier votre microprocesseur

Comment savoir quel microprocesseur sommeille au cœur de votre PC ? La méthode la plus simple consiste à cliquer avec le bouton droit de la souris sur l'icône Poste de travail située à l'angle supérieur gauche du bureau. Cette action affiche un menu contextuel.

Choisissez alors la dernière option (Propriétés) pour faire apparaître la boîte Propriétés Système.

Le premier volet de la boîte de dialogue (Général) contient les informations concernant Windows, vous et votre PC. Il indique le type de microprocesseur installé sur votre PC et la quantité de mémoire (RAM) de votre système.

- Dans la Figure 11.1, l'ordinateur est un microprocesseur Pentium doté de 8 Mo de mémoire.

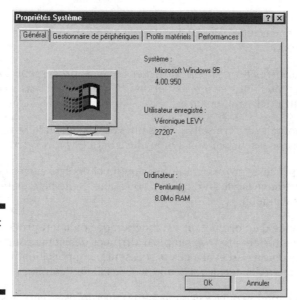

Figure 11.1 :
La boîte de
dialogue
Propriétés
Système.

- Le (r) après le mot Pentium correspond en fait au sigle ®, qui indique que le terme qui lui est accolé est une marque déposée. Donc, ne prononcez pas *pentiumère*.

- Le numéro de votre microprocesseur apparaît là où vous voyez Pentium(r) dans la Figure 11.1. Pour un 486, par exemple, le numéro 80486 apparaît. Ce numéro identifie le processeur de votre PC, il ne s'agit pas d'un code secret.

- Reportez-vous au Chapitre 14 pour toute information concernant le bouton droit de la souris. Vous l'utilisez assez fréquemment sous Windows.

## Une affaire de famille

C'est avec la génération des 386 que cette notion de famille a vraiment vu le jour. Ensuite, est apparue la famille des 486, puis des Pentium. Oui, ces derniers auraient dû s'appeler 586, mais Intel n'ayant pu protéger les droits de ce numéro a préféré opter pour Pentium. La prochaine génération devrait s'appeler Pentium Pro. (Et que sera la famille des 786 ? Les Pentium Pro Pro, peut-être ?)

Le nombre 80 précède généralement les numéros des microprocesseurs. Ainsi :

- Un 386 est en fait un 80386.

- Un 486 est en fait un 80486.

- Un 586 est en fait un 80-Pentium (raté !).

Les utilisateurs branchés font référence au microprocesseur par son numéro à trois chiffres.

Viennent ensuite les suffixes ! Toutes ces informations sont secondaires, vous n'êtes pas tenu de les lire. Mais si vous êtes de ceux pour qui la différence entre un SX et un DX reste un mystère qui vous tracasse, continuez votre avancée courageuse.

 Le 386DX est un ordinateur doté d'une puce 386 pleinement épanouie. Le 386SX, en revanche, désigne une puce demi-portion. Elle possède toutes les fonctions de la puce 386DX, mais elle communique avec l'extérieur deux fois moins vite. Un 386SX est donc censé équiper un ordinateur bon marché. Le processeur 386SLI est une version spéciale du 386 conçue spécialement pour les ordinateurs portatifs et les notebooks.

Il en va de même pour la famille des 486. La puce 486DX fait référence à la version musclée, alors que sa sœur demi-portion est allégée en calorie. Plus sérieusement, la puce 486SX n'est tout simplement pas dotée des facultés mathématiques de sa grande sœur.

Enfin, viennent les puces D2, connues aussi sous le nom de doubleurs d'horloge, qui peuvent "réfléchir" deux fois plus vite qu'elles ne parlent à leur entourage (les périphériques). Voilà une qualité bien appréciable. Puis, les puces D4 quatre fois plus rapides ? Eh non ! Seulement trois fois. La logique de l'industrie informatique en pleine action.

Le Tableau 11.1 dresse la liste des microprocesseurs les plus courants pour lesquels nous avons ajouté quelques observations. Pour vous distraire, nous y avons également inclus les prototypes, aujourd'hui tombés en désuétude.

**Tableau 11.1 : Les microprocesseurs.**

| Microprocesseur | Puissance relative (bits) | Type de PC et observations |
|---|---|---|
| 8088 | 8/16 | Les premiers PC, le PC XT et quelques portables. Un véritable escargot. |
| 8086 | 16/16 | Le premier Compaq. Le 8086 était plus rapide que le 8088 mais plus cher. |
| 80286 | 16/16 | Types PC AT et compatibles ainsi que quelques portables. Beaucoup plus rapide que les 8088/8086. Ce microprocesseur a fait son apparition dans le PC AT. |
| 80386 | 32/32 | Le père de la famille des ordinateurs 386. Aussi appelé 80386DX ou plus simplement 386. |
| 80386SLI | 16/32 | Conçu pour les portables, ses fonctions d'économie d'énergie permettent aux batteries des portables de durer plus longtemps. |
| 80386SX ou 386SX | 16/32 | Portables et systèmes à bas prix. |
| 80486 | 32/32 | Aussi appelé i486 ou 486DX. |
| 80486SX | 32/32 | Moins cher que le précédent. |
| 80486DX2 | 32/32 | Une version légèrement meilleur marché que le 486DX. |
| 80486DX4 | 32/32 | Une version encore plus rapide que le 486DX. |
| 586/Pentium | 32/64 | Il est plus facile de breveter un nom original comme Pentium qu'un nombre. |
| Pentium Pro | 64/64 | Pentium super méga top. |

## *Le syndrome du "plus récent"*

Vous pouvez rencontrer des affirmations du genre : "Ce logiciel ne fonctionne qu'avec des ordinateurs 386 ou plus récents." Mais comment sait-on si l'on possède un "plus récent". La liste suivante vous éclairera :

- Les préhistoriques : 8088, 8086, V20 et V30.

- Les moyenâgeux : 80286.

- Les poussiéreux : 80386, 386SX, etc.

- Les derniers : 80486, 486SX.

- Les plus récents : Pentium et Pentium Pro.

Ce syndrome est parfois aussi appelé "et ultérieur" ou "et supérieur".

- Tous les microprocesseurs sont dits *rétrocompatibles*. En d'autres termes, un logiciel développé pour un 80286 fonctionnera sur tous les modèles plus récents.

### Voyage ésotérique au centre du bug mathématique Pentium

A peu près un an après que le premier microprocesseur Pentium eut fait son apparition, un petit problème fut découvert. A l'instar de l'auteur de ce livre, le Pentium avait quelques problèmes avec les mathématiques, et plus spécialement un problème de division. Lorsque deux nombres particuliers étaient divisés, le Pentium produisait un résultat légèrement inexact. Bien entendu, pour une classe de 6$^e$, cela n'aurait posé aucun problème. Mais pour envoyer des gens sur Mars, c'était déjà plus délicat.

Intel reconnut rapidement (enfin, peut-être pas si rapidement que ça) son erreur et offrit des Pentium de remplacement. Ils réglèrent ensuite le problème et tous les nouveaux Pentium qui peuplent depuis les bureaux des plus fortunés d'entre nous se débrouillent bien mieux en math que l'auteur de ce livre.

## *Le coprocesseur mathématique*

Le microprocesseur d'un ordinateur n'est rien de plus qu'un calculateur très rapide. Toutefois, pour les opérations mathématiques vraiment complexes, le microprocesseur type n'est plus suffisant. Une puce de compagnie est alors disponible, appelée *coprocesseur mathématique*. Cette dernière agit comme une calculatrice méga/puissante pour le compte du microprocesseur.

- Le coprocesseur mathématique ne s'occupe que des maths. Théoriquement, le logiciel de votre PC est capable de détecter la présence d'un coprocesseur et de lui envoyer tous les calculs complexes, déchargeant ainsi le microprocesseur principal de toutes les tâches arithmétiques fastidieuses. Sans coprocesseur mathématique, vos programmes tournent quand même, mais plus lentement.

- Le coprocesseur mathématique n'est nécessaire que si vous effectuez des travaux complexes qui demandent un certain nombre d'opérations mathématiques (dessins, applications scientifiques et quelques calculs de tableurs).

- Sur les 386, le coprocesseur mathématique était en option. Vous deviez acheter la puce 80387 (plutôt coûteuse) et l'insérer dans un support situé sur la carte mère (exercice réservé aux plus téméraires).

- Le 80486 (ou i486DX) possède un coprocesseur mathématique intégré. Il n'existe pas de puce 80487.

- La puce 486SX n'est pas équipée d'un coprocesseur mathématique intégré. Dans ce cas, vous devez acheter une puce OverDrive qui jouera le rôle de coprocesseur (entre autres choses).

- Toutes les puces Pentium possèdent leur propre coprocesseur mathématique intégré.

## OverDrive (passez la surmultipliée)

La société Intel, qui fabrique la majorité des microprocesseurs pour PC, avait le problème suivant : les gens préféraient acheter un nouvel ordinateur plutôt qu'un nouveau microprocesseur.

Intel conçut alors l'OverDrive. Ce microprocesseur, installé dans un ancien ordinateur, augmentait jusqu'à 70 % sa vitesse.

- Une puce OverDrive est quelque chose que vous devez acheter en plus, ce qui signifie que vous n'avez pas fait le bon choix lorsque vous avez acheté votre micro.

- La puissance d'un PC peut généralement être accrue. Le concept semble intéressant : Au lieu d'acheter un autre ordinateur, vous vous contentez de remplacer votre microprocesseur pour bénéficier de la dernière technologie de pointe. L'inconvénient est que les nouveaux microprocesseurs requièrent souvent l'ajout de composants matériels spécifiques sur la carte mère. Et, en fin de compte, il est plus simple et économique d'acheter directement un nouvel ordinateur plutôt que de faire évoluer son ancien PC de cette façon.

# Le BIOS

 Il ne suffit pas à l'ordinateur d'avoir un microprocesseur et de la mémoire, il lui faut également des instructions pour savoir ce qu'il doit faire. Ces instructions sont inscrites sur une mémoire ROM spéciale appelée *BIOS* (*Basic Input/ Ouput System* - système d'entrée/sortie de base).

La fonction principale du BIOS est la communication. Il permet au microprocesseur de contrôler les différentes composantes de votre ordinateur (l'écran, l'imprimante, le clavier, etc.) ou de dialoguer avec elles. Ces instructions ont été écrites par les fabricants de votre ordinateur et sont gravées de façon définitive sur les circuits BIOS soudés à la carte mère.

- Reportez-vous au chapitre suivant pour savoir ce qu'est une mémoire ROM.

- Le BIOS fait démarrer votre ordinateur. En fait, vous voyez probablement un message le concernant chaque fois que vous allumez votre PC.

- Le système d'exploitation (Windows) est le programme qui contrôle réellement votre ordinateur. Il dit au microprocesseur ce qu'il doit faire, contrôle les lecteurs de disquettes, gère vos fichiers, organise les informations et communique avec le BIOS pour que les choses se fassent.

- En plus du BIOS principal, votre ordinateur possède peut-être d'autres BIOS : le BIOS vidéo  et le BIOS du disque dur, par exemple, qui contrôlent l'un votre affichage graphique, l'autre votre disque dur. Votre interface réseau peut également posséder son propre BIOS. En règle générale, lorsque le terme BIOS est employé sans autre attribut, il s'agit du BIOS principal de votre PC.

# De port en port

Le terme *port* fait référence à un petit trou situé à l'arrière de votre ordinateur et destiné à recevoir un connecteur de périphérique avec lequel votre PC peut communiquer.

Les deux types de ports les plus courants sont aujourd'hui le port imprimante et le port série.

- D'autres unités externes, telles que le clavier, la souris, ou le moniteur, sont connectées via leur propre port spécial. Parfois, des disques durs externes sont également reliés à un PC par l'intermédiaire, là encore, d'un port spécifique.

- Certains PC sont parfois dotés d'un port spécial, dont le nom technique est port analogique/numérique, désigné (dans 99 % des cas) par l'unité qui lui est reliée. Une grande gamme d'appareils scientifiques très sophistiqués se branchent sur ces ports : les *joysticks* ou *manettes de jeux*.

## Ports imprimante

Le port imprimante est l'endroit où vous branchez votre imprimante. Quelle logique désarmante ! L'une des deux extrémités du câble de l'imprimante se branche sur l'imprimante et l'autre à l'arrière du PC. Ces connecteurs sont différents de sorte qu'il est impossible de vous tromper lors du branchement.

- Le Chapitre 16 est totalement consacré aux imprimantes.

- Ces ports sont également connus sous le nom de *ports parallèles*.

- D'autres unités peuvent également être connectées à un port impri-mante. Il peut s'agir de synthétiseurs vocaux, de connexions de réseau, de disques durs externes, de claviers supplémentaires, d'unités de sauvegarde sur bande, de machines à café, sèche-cheveux, trains électriques, etc.

## Ports série

Le port série est bien plus versatile que le port imprimante ; il peut accueillir une variété d'appareils intéressants, ce qui explique son nom port *série* plus générique que port ceci ou port cela.

Un port série accepte généralement les périphériques suivants : modems, imprimantes, souris, et à peu près tout élément qui requiert une communica-tion bilatérale. La plupart des PC sont équipés de deux ports série.

- Les ports série sont également désignés par le terme *ports RS-232* (*Recommended Standard 232*, standard recommandé 232). J'imagine qu'il s'agit de la 232$^e$ norme établie par le Comité pour l'année de référence. De sacrés bûcheurs !

- Une souris se branche généralement dans son propre port appelé, assez étrangement, *port souris*. Mais elle peut également se brancher dans un port série, auquel cas on l'appelle *souris série*. (Consultez le vendeur de votre animalerie locale pour en savoir plus sur les souris, ou lisez le Chapitre 14.)

## Quelques informations savantes faciles à oublier

Les ports imprimante sont conçus pour fonctionner d'une seule manière et ne requièrent donc aucune configuration supplémentaire. Il n'en va pas de même avec les ports série qui exigent un réglage spécial à la fois de votre ordinateur et du périphérique avec lequel il communique.

Quatre éléments doivent être configurés : la vitesse de transmission du port, la longueur du mot, ou la taille des octets que vous transférez, le nombre de bits d'arrêt et la parité. Ces réglages ne sont à considérer que lorsque vous devez relier l'ordinateur à une imprimante série. Et, dans la mesure où on n'en fait plus trop aujourd'hui, il n'y a aucune raison de s'étendre, n'est-ce pas ?

## *Ports SCSI*

Le port SCSI est un port série spécial. Que désigne cette abréviation ? Qui s'en soucie ! Sachez simplement qu'il s'agit d'un port série très rapide.

Un tel port est capable d'accueillir un nombre presque illimité d'appareils dont voici quelques exemples :

- Des disques durs (de 1 à 6).

- Un scanner.

- Une unité de sauvegarde à bande.

- Un lecteur de CD-ROM.

- Un disque dur amovible ou un lecteur magnéto-optique.

- Et encore bien d'autres gadgets, mais ceux-ci sont les plus courants.

- A l'inverse des ports série, les ports SCSI n'ont pas besoin d'être configurés.

- Malheureusement, vous devez paramétrer les unités qui se branchent aux ports série. Deux réglages sont à voir ici : vous devez attribuer un numéro d'identification unique à chaque unité reliée au port série, et dans la mesure où toutes les unités sont reliées les unes à la suite des autres, à la manière d'une chaîne, la dernière unité doit être dotée d'un interrupteur spécial appelé *terminateur*.

- A peu près la moitié des lecteurs de disques durs et CD-ROM d'aujourd'hui sont des unités SCSI. Vous êtes content de l'apprendre, n'est-ce pas ?

# *Quelle heure est-il à votre PC ?*

La plupart des ordinateurs sont équipés d'une horloge interne. Cette horloge possède sa propre petite pile qui lui permet de fonctionner en permanence, que le PC soit branché ou non.

Pour connaître l'heure exacte, jetez un œil sur la petite horloge qui se situe à l'extrémité droite de la barre des tâches.

- Si vous positionnez le curseur de la souris plus d'une seconde sur l'horloge, Windows affiche la date et l'heure courantes en entier (Figure 11.2).

Figure 11.2 : La date et l'heure courantes (enfin, au moment où la figure a été réalisée).

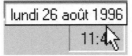

- Si l'heure n'apparaît pas, cliquez sur le bouton Démarrer pour afficher son menu, puis choisissez Paramètres/Barre des tâches. Dans la boîte de dialogue Propriétés pour Barre des tâches, volet Options de la barre des tâches, cliquez sur la case à cocher Afficher l'horloge (pour y placer une marque). Cliquez ensuite sur le bouton OK, et l'horloge apparaît aussitôt à droite de la barre des tâches.

- Le format de la date et de l'heure dépend de la configuration de votre PC. Windows affiche un format basé sur les sélections de la boîte de dialogue Paramètres régionaux (accessible via Démarrer/Paramètres/ Panneau de configuration).

- Qu'est-ce que cela peut faire que l'ordinateur sache ou non quel jour on est ? Eh bien, dans la mesure où vos fichiers sont estampillés de l'heure *et* de la date, ces éléments fournissent des indications chronologiques très utiles. Par exemple, ils vous permettent de connaître la dernière version de deux fichiers identiques ou de deux fichiers dotés du même nom, stockés dans deux disques différents.

## Comment régler l'horloge

Les ordinateurs font d'excellents outils à usages multiples, mais de bien piètres horloges. Après une semaine ou deux, il n'est pas rare que votre horloge interne se dérègle. Pas de panique.

Pour définir ou modifier la date et l'heure de votre PC, double-cliquez sur l'horloge dans la barre des tâches. La boîte de dialogue Propriétés pour Date/ Heure apparaît (Figure 11.3).

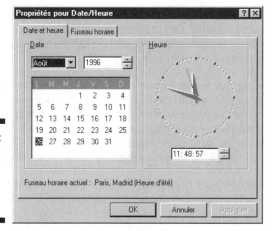

Figure 11.3 :
La boîte de
dialogue
Propriétés
pour Date/
Heure.

- Pour changer de mois, sélectionnez le mois désiré dans la liste déroulante.

- Pour modifier l'année, cliquez sur une des deux flèches accolées à la case appropriée ou tapez directement l'année désirée.

- Pour modifier le jour du mois, sélectionnez un des nombres du calendrier.

- Réglez l'heure en entrant une nouvelle valeur pour l'heure, les minutes, ou les secondes. Double-cliquez sur l'heure, les minutes, ou les secondes, puis tapez une nouvelle valeur.

- Cliquez sur le bouton OK pour valider vos sélections et fermer la boîte de dialogue, ou cliquez sur le bouton Appliquer pour appliquer vos modifications sans fermer la boîte de dialogue.

- Peu d'utilisateurs configurent leur horloge à la seconde près. Et pourquoi le feraient-ils si elle doit se dérégler de quelques minutes toutes les deux semaines ?

# Connecteurs d'extension et cartes

Des connecteurs longs et étroits se situent au-dessus de la carte mère, vers l'arrière de l'ordinateur. Ce sont les *connecteurs d'extension* dans lesquels viennent s'enficher des *cartes d'extension* spéciales. Vous pouvez ainsi étendre les possibilités de votre ordinateur en lui ajoutant des capacités qu'il ne possédait pas au départ.

- Votre PC peut avoir entre 3 et 12 connecteurs - la moyenne est 5 ou 8. Cela dépend de la taille de votre boîtier.

- Bien que tout le monde soit capable de brancher une carte d'extension dans un PC, il est préférable de confier cette délicate opération à des gens plus experts ou téméraires (non, on ne risque rien - si le PC est débranché - mais c'est assez compliqué).

- Scoop (information que les vendeurs d'informatique se gardent bien de vous dire) : La plupart des cartes d'extension s'accompagnent généralement de tentacules impressionnantes qui font ressembler votre carte mère à un plat de spaghettis. Il s'agit de câbles électroniques gisant à l'intérieur du PC ou traînant nonchalamment à l'arrière. Ce sont tous ces câbles qui compliquent les procédures d'installation et d'évolution.

- Les cartes d'extension sont quelquefois appelées *cartes filles* (par opposition à la carte mère). Les connecteurs d'extension, eux, sont aussi appelés *bus*. Ah, la logique implacable de l'industrie informatique !

- Après avoir ajouté une nouvelle carte d'extension, vous devrez en informer Windows. Si c'est un bon jour (soleil, café chaud, oiseaux qui chantent, etc.), Windows reconnaîtra le nouveau matériel et ajustera automatiquement ses paramètres lorsque vous relancerez votre PC. Dans le cas contraire, vous devrez ouvrir le Panneau de configuration et lancer l'icône du programme Ajout de périphériques (les détails sont malheureusement trop rébarbatifs pour qu'on en fasse mention ici).

- Ajouter des cartes d'extension à votre ordinateur est une tâche souvent très compliquée, mais avec le guide *Doper et entretenir le PC pour les Nuls*, vous devriez vous en sortir.

- Certains super-ordinateurs Pentium possèdent des super-connecteurs d'extension *PCI* - des connecteurs comme beaucoup d'autres, mais plus rapides. Une carte ordinaire fonctionne correctement dans un connecteur PCI non utilisé. Mais n'essayez jamais de brancher une carte bus local dans un connecteur PCI !

# L'alimentation

Le dernier élément mystère de votre boîtier est l'alimentation, qui, à votre grand soulagement, ne tombe pas souvent en panne ! Elle a trois fonctions : elle collecte son énergie de la prise du même nom, distribue l'alimentation voulue à la carte mère et aux unités de lecture, et contient l'interrupteur principal.

- L'alimentation est aussi la partie la plus bruyante de l'ordinateur, "grâce" au ventilateur qu'elle renferme et qui lui permet, à l'intérieur de l'unité centrale, de maintenir la température à des niveaux acceptables. En effet, les composants électroniques génèrent de la chaleur lorsque des courants électriques les traversent, et, s'ils sont trop chauds, provoquent des erreurs. D'où la nécessité de ventiler.

- La puissance des alimentations est calculée en *watts*. Plus vous possédez d'accessoires, de lecteurs, de mémoire, de cartes d'extension, etc., plus vous avez besoin de puissance dans votre alimentation. Les PC types possèdent des alimentations d'une puissance allant de 150 à 200 watts. Des systèmes plus puissants ont besoin d'une alimentation plus forte, entre 220 et 250 watts.

- Boum ! Même si la foudre devait tomber sur votre maison ou votre réseau électrique supporter une tension inadéquate, pas de panique, votre alimentation a été conçue pour résister et "fondre" sans, d'aucune manière, affecter le reste de votre ordinateur. Il suffirait alors d'acheter une nouvelle alimentation et de la faire installer. Tout autre élément devrait résister au désastre (c'est d'ailleurs pour cela que le système d'alimentation a été conçu).

# Chapitre 12
# La mémoire

*Je ne suis qu'un modeste ordinateur*
*Et non un rapide exécutant*
*De tous vos programmes*
*Si imposants.*
*Ô comme les images voleraient*
*Et le disque dur s'activerait*
*Si seulement l'on me donnait plus de RAM.*

A l'instar du disque dur, la mémoire *RAM* (*Random Access Memory*, mémoire à accès sélectif) est un emplacement où l'ordinateur stocke des informations. Mais à l'inverse du disque dur, c'est là que le véritable travail s'accomplit. Pour bien comprendre, imaginez la RAM comme étant la surface d'un bureau et le disque dur ses rangements (tiroirs, dossiers, fichiers, etc.). Plus vous avez de place pour sortir et étaler votre matériel de travail (vos programmes), plus vous pouvez travailler rapidement. Et ce n'est pas tout, plus vous avez de mémoire plus l'ordinateur est capable d'exécuter de grandes tâches, telles que traiter des images, des animations, du son et de la musique.

# Qu'est-ce que la mémoire ?

Tous les ordinateurs ont besoin de mémoire. C'est là que le travail se fait. Le microprocesseur est capable d'enregistrer des informations, mais jusqu'à un certain point seulement. Ensuite, il a besoin de mémoire supplémentaire, tout comme les êtres humains ont besoin de carnets de notes et de bibliothèques.

Par exemple, lorsque vous créez un document à l'aide de votre traitement de texte, chaque caractère que vous tapez est enregistré dans un endroit spécifique de la mémoire. Lorsque vous avez terminé, vous devez sauvegarder le document entier sur disque de façon permanente. Ensuite, vous pouvez le recharger sur la mémoire pour que le microprocesseur le traite de nouveau.

Le seul petit problème avec la mémoire, c'est qu'elle constitue un lieu de rangement volatile. Chaque fois que vous éteignez l'ordinateur, le contenu de sa mémoire se vide (comme si la femme de ménage jetait tout ce qui traînait sur votre bureau). Tout va bien si vous avez préalablement enregistré vos documents sur disque (rangé vos affaires dans les tiroirs du bureau), tout est perdu dans le cas contraire.

- Plus vous avez de mémoire, mieux vous travaillez. Avec une capacité mémoire importante, vous pouvez travailler sur de grands documents ou de grandes feuilles de calcul, et profiter des applications qui utilisent des images graphiques et du son.

- Tous les ordinateurs ont une quantité limitée de mémoire, ce qui veut dire qu'un jour ou l'autre vous en viendrez à bout. Le cas échéant, vous verrez un message apparaître sur votre écran, du style : "Mémoire insuffisante." Si cela vous arrive, ne paniquez pas, l'ordinateur peut s'en sortir. Il suffit de lui offrir un peu de mémoire supplémentaire. Consultez votre gourou favori.

- Quand vous *chargez* des informations à partir du disque dur, l'ordinateur les copie dans sa mémoire. C'est seulement lorsqu'elle se trouve dans la mémoire de l'ordinateur qu'une information peut être examinée ou modifiée. Lorsque vous *sauvegardez* de nouveau ces informations, vous les copiez de la mémoire vers le disque.

- Chaque fois que vous éteignez votre ordinateur, vous faites disparaître le *contenu* de sa mémoire. Vous ne détruisez pas la mémoire elle-même.

- Lorsque vous ouvrez un document préalablement enregistré, l'ordinateur va récupérer ces informations sur le disque et les copie dans la mémoire, unique endroit où elles pourront être examinées et modifiées. Lorsque vous enregistrez de nouveau ces données, l'ordinateur les retire de la mémoire pour les copier sur le disque.

- Le terme *RAM* (*Random Access Memory*) peut être utilisé comme synonyme de mémoire. Il signifie *mémoire à accès sélectif* ou *mémoire vive*.

- La RAM est une composante de la carte mère, située à proximité du microprocesseur. Elle est composée de petites barrettes électroniques également appelées barrettes SIMM.

- Vous pouvez ajouter de la mémoire à votre ordinateur en insérant plus de RAM soit sur la carte mère, soit dans des cartes d'extension spéciales. Laissez donc faire les "pros".

## *Quelques questions sur la mémoire*

**Quelle est la taille de la mémoire dont j'ai besoin ?**

Votre cerveau est doté de toute la mémoire dont vous avez besoin pour votre vie entière.

**Non, je veux parler de la mémoire de mon ordinateur ?**

Cette quantité-là de mémoire est fonction de deux critères. Tout d'abord, et c'est le plus important, vous devez tenir compte des exigences de vos logiciels. Certains programmes, tels que les tableurs et les applications graphiques, requièrent beaucoup de mémoire. Par exemple, Adobe Photoshop exige au moins 10 Mo de RAM pour tourner correctement.

Ensuite, et c'est le critère plus frustrant, tout dépend du volume de votre portefeuille. La mémoire coûte de l'argent. Le caprice d'Adobe Photoshop, par exemple, peut vous amener à débourser 3 000 F.

En règle générale, tous les ordinateurs devraient posséder au moins 4 Mo de RAM. Les anciens modèles peuvent fonctionner avec moins de RAM, mais pour exécuter les logiciels d'aujourd'hui il vous faut impérativement 4 Mo, voire 8 ou plus.

**Puis-je ajouter de la RAM à mon PC ?**

Oui. Les applications graphiques étant de plus en plus complexes, elles sollicitent également de plus en plus de mémoire. Si vous n'en ajoutez pas, vous risquez de vous retrouver avec des programmes tournant à une vitesse de croisière de gastropodes endormis.

- Reportez-vous à la section "Ajouter de la mémoire dans votre PC", plus loin dans ce chapitre.

**Mon ordinateur peut-il perdre la mémoire ?**

Votre ordinateur est peut-être doté d'une mémoire limitée, mais celle-ci ne peut se "perdre". Les programmes utilisent de la mémoire lorsque vous les exécutez. Par exemple, lorsque vous lancez WordPerfect, ce dernier se sert une quantité spécifique de mémoire qu'il utilise à ses propres fins et qu'il rend dès que vous fermez le programme. Cette quantité de mémoire est alors disponible pour une autre application.

**Si je copie un programme, est-ce que je consomme de la mémoire ?**

Oui, non, enfin pas tout à fait. Un éclaircissement s'impose. Ne confondez pas la "mémoire" disque et la mémoire de l'ordinateur ou RAM. Vous pouvez copier un énorme fichier d'un emplacement à un autre (par exemple d'un CD à un disque dur) sans craindre d'épuiser la mémoire de votre ordinateur. Le système d'exploitation (Windows) s'occupe de tous les détails. (En revanche, vous pouvez manquer d'espace disque, mais c'est un autre problème.)

La mémoire d'un ordinateur ne peut pas être "détruite". Même si vous copiez un très gros fichier ou exécutez un programme imposant, votre système contiendra toujours la même quantité de RAM.

La "mémoire" disque n'est qu'un espace de rangement sur disque. Il est possible de stocker un programme gigantesque sur votre disque dur - des centaines de mégaoctets - plus que la mémoire RAM ne pourrait en contenir. Comment cela est-il possible ? Certains disent que c'est de la magie vaudou. D'autres expliquent que Windows ne charge qu'un peu du fichier à la fois en mémoire, uniquement la partie nécessaire à un moment donné, laissant la plus grande partie sur le disque dur. Qui sait qui a raison ?

**Combien de RAM contient mon PC ?**

Cette information est peut-être inconnue de vous actuellement, mais ce n'est pas un secret pour votre PC. Il suffit d'ouvrir la boîte de dialogue Propriétés Système pour connaître la taille exacte de votre RAM. Cette quantité est affichée au-dessous du type de microprocesseur vivant dans votre PC.

- Pour afficher la boîte de dialogue Propriétés Système, reportez-vous à la section "Comment identifier votre microprocesseur", Chapitre 11.

- La Figure 11.1 illustre un exemplaire de cette boîte de dialogue.

- Voyez la section "Bits, octets et autres termes concernant la mémoire", plus loin dans ce chapitre, pour quelques éclaircissements concernant les étranges apparitions de "Mo" (mégaoctet).

# *Ajouter de la mémoire dans votre PC*

Il n'existe aucun dopant pour redonner un peu d'ardeur à votre PC. En revanche, vous pouvez "gonfler" sa mémoire et le rendre plus rapide en lui ajoutant des barrettes de RAM.

Ajouter de la mémoire à un ordinateur est aussi simple que d'assembler des Légos. La seule différence, c'est qu'un jeu de RAM coûte beaucoup plus cher qu'un jeu de Légos.

Augmenter la mémoire d'un ordinateur implique cinq étapes complexes et rébarbatives :

1.  Définissez la quantité de RAM que vous devez ajouter. Par exemple, si votre système est équipé de 4 Mo de RAM, vous devez lui ajouter 4 Mo supplémentaire pour pouvoir exécuter Windows 95, voire même 8. Si vous cassez votre tirelire, pourquoi ne pas passer à 16 Mo ou même 32 !

2.  Définissez la quantité de RAM que vous pouvez installer. Cette deuxième étape est technique. Vous devez savoir comment s'ajoute la RAM et définir une quantité identique pour chaque unité. Il suffit de dire à votre revendeur informatique ou à votre gourou préféré combien de mémoire vous pensez ajouter et il vous dira ce dont vous pouvez disposer.

3.  Achetez les barrettes de RAM ou la carte d'extension sur laquelle la RAM est installée.

4.  Payez quelqu'un pour faire le travail ou, si vous êtes courageux et muni du manuel *Doper et Entretenir le PC pour les Nuls*, installez vous-même votre nouvelle acquisition.

5.  Réjouissez-vous. Dès que la mémoire supplémentaire est installée, vous pouvez vous en vanter auprès de vos amis. Autrefois, pour impressionner votre entourage, il vous fallait 640 K de RAM. Ensuite, pour ne pas perdre la face il fallait au moins 4 Mo sur un 386. Aujourd'hui ? Rien en dessous de 8 Mo n'est capable de faire sortir vos gosses de la honte qui les afflige.

   •  Les barrettes (ou puces) de mémoire RAM sont disponibles en plusieurs tailles différentes : 4, 8, 16 Mo, puis en multiples de 16. Oui, ce sont des dimensions plutôt étranges, mais à peu près tout peut être divisé par 2.

   •  Une autre nouvelle qui pourra vous étonner : vous pensez peut-être que, pour augmenter votre système de 4 Mo de RAM à 16 Mo, il vous suffit d'installer une puce de 12 Mo ? Eh bien non ! Il est possible que vous soyez obligé d'acheter la totalité des 16 Mo (avec un peu de chance, votre revendeur vous fera une reprise sur vos anciennes puces). Tout cela dépend en fait des emplacements de mémoire disponibles dans votre PC et des capacités acceptées.

- Si vous tenez absolument à installer la mémoire vous-même, ne vous gênez pas. De nombreux livres et articles de magazines informatiques populaires expliquent les procédures à suivre de manière claire et assez simple. Mais je vous recommande toutefois de faire appel à votre *gourou* favori.

### Détails "techno-soporifiques" sur la différence entre RAM et ROM

Le terme *RAM* (*Random Access Memory* - mémoire à accès sélectif ou mémoire vive) désigne la mémoire dans laquelle le microprocesseur peut lire et écrire des informations. Lorsque vous copiez une information dans la mémoire, elle est stockée dans la RAM.

Le terme *ROM* (*Read Only Memory* - mémoire pour lecture seulement ou mémoire morte) désigne la mémoire que le microprocesseur peut lire, mais il ne peut ni la modifier ni écrire sur cette mémoire. La ROM est permanente. La plupart du temps, elle contient des informations vitales pour le fonctionnement de votre PC et qui sont ineffaçables.

## *Bits, octets et autres termes concernant la mémoire*

De nombreux termes intéressants gravitent autour de la planète mémoire. Les plus essentiels font référence à sa dimension (voir le Tableau 12.1).

**Tableau 12.1 : Unités de mesure.**

| *Terme* | *Abréviation* | *Environ* | *Exactement* |
|---------|---------------|-----------|--------------|
| Bit | | 1 bit | 1 bit |
| Octet | | 1 octet | 8 bits |
| Kilo-octet | K ou Ko | 1 000 octets | 1 024 octets |
| Mégaoctet | M ou Mo | 1 000 000 d'octets | 1 048 576 octets |
| Gigaoctet | G ou Go | 1 000 000 000 d'octets | 1 073 741 824 octets |

La mémoire est mesurée en octets. Un octet peut être comparé à un caractère, une lettre d'un mot. Par exemple, le mot "spatule" est composé de sept octets.

Une demi-page de texte contient à peu près 1 000 octets. Pour que ce nombre soit plus facile à mémoriser, les accros de la micro remplacent *mille* par *kilo*, ce qui donne 1 *kilo-octet* ou 1K, ou encore 1 Ko.

Un mégaoctet correspond à 1 000 K, ou un million d'octets. L'abréviation Mo (ou M) signifie méga. Aussi 8 Mo est équivalent à huit mégaoctets de mémoire.

Au-dessus du mégaoctet se trouve le *gigaoctet*. Comme vous pouvez le deviner, ce terme désigne un milliard d'octets, ou à peu près 1 000 mégaoctets. Le téraoctet correspond à un million de mégaoctets, ou 10 puissance 12 octets, bref suffisamment de RAM pour affaiblir les lumières de votre appartement lorsque vous démarrez votre PC.

Bavardage supplémentaire à propos de la mémoire :

- Les octets sont composés de huit bits. Le mot bit est une contraction de *binary digit* (unité binaire). Une unité binaire est un nombre exprimé en base deux, ou un système de numérotation acceptant uniquement les zéros et les uns. Le système traditionnel est un système décimal (base 10). Les ordinateurs comptent en binaire ; nous rassemblons leurs bits en groupes de huit pour une digestion plus simple en tant qu'octets.

- Le terme *giga* vient du grec *gigas* qui signifie géant.

- Il n'y a aucune raison de vous soucier de la quantité de ROM que votre ordinateur a dans les veines.

- Un emplacement spécifique dans la mémoire de votre ordinateur est appelé *adresse*.

- Certains composants matériels de votre ordinateur indiquent qu'ils sont logés à une adresse mémoire spécifique. Cette adresse est généralement donnée en nombre *hexadécimal* (base 16). Ces nombres ne ressemblent pas aux nombres décimaux courants puisqu'ils sont constitués de 16 chiffres distincts (contrairement à la base décimale qui n'en contient que 9). Vous pourrez donc trouver des nombres étranges du style C800 ou A400. Qui sait à quoi ils correspondent ? Ce qui est sûr, c'est qu'ils sont importants aux yeux de la personne que vous payez pour installer et configurer votre matériel.

# L'unique terme à connaître

Tout le monde en cœur : mémoire étendue.

Mé-moire é-ten-due !

Les termes concernant la mémoire abondent, mais la substance même de tout ce qui peut constituer la mémoire d'un PC est essentiellement connue sous le terme de *mémoire étendue*. Si vous lisez sur un emballage de logiciel "Salut utilisateur ! J'ai besoin de 4 Mo de mémoire étendue", ignorez le terme "étendue". Cela signifie simplement qu'il a besoin de 4 Mo de mémoire.

- D'autres termes concernant la mémoire sont traités dans la section suivante.

- La mémoire étendue est un type de mémoire, comme le *lobe frontal* est une partie de votre cerveau. Toutefois, pour tous les systèmes vendus aujourd'hui, la mémoire étendue désigne toute la mémoire. Dans les systèmes moins récents, il existait d'autres types de mémoire, tous conçus à des fins spécifiques. Sous Windows 95, toutefois, toute la mémoire est *étendue*.

# *Les termes qui vous rendront fou*

Le monde de l'informatique est un monde en perpétuel mouvement. Et plus il évolue, plus les utilisateurs d'ordinateurs sont exigeants. Une des denrées les plus demandées (et dont le prix ne change pas tous les trois mois) est la mémoire. Dès les premiers PC, "posséder toujours plus de mémoire" s'est vite imposé comme le modus vivendi de tout utilisateur qui se respecte.

Divers menus étranges et variés furent alors concoctés pour servir au mieux l'utilisateur friand de mémoire. Chaque fois qu'un nouveau type de mémoire apparaissait, un nom bizarre lui était aussitôt attribué.

**Mémoire expansée :** Un bonus, un peu de mémoire supplémentaire qui fut offerte aux programmes DOS pour compenser les limites de leur système. Aujourd'hui, quelques jeux sous DOS peuvent encore requérir ce type de mémoire. Le cas échéant, Windows se charge des petites complications. Un terme que vous pouvez ignorer sans scrupule.

**Mémoire conventionnelle :** La mémoire de base pour tous les PC s'appelle *mémoire conventionnelle*, bien que certains l'appellent *mémoire DOS* et d'autres *mémoire basse*. Cette mémoire désigne les premiers 640 Ko de la mémoire RAM de votre PC. Si la mémoire conventionnelle était autrefois importante (parce que le DOS y exécutait ses programmes), elle est devenue aujourd'hui totalement insignifiante, avalée par Windows et digérée sous la forme de mémoire étendue, comme tous les autres types de mémoire de votre ordinateur.

**Mémoire supérieure :** L'espace mémoire directement "au-dessus" de la mémoire conventionnelle s'appelle *mémoire supérieure*. On l'appelle également "mémoire réservée" ou "mémoire haute". Elle avait un rôle important dans l'art ancien de gérer la mémoire DOS - un rôle qui ne fait plus recette aujourd'hui.

**La zone de mémoire haute (ou HMA pour High Memory Area) :** Après la mémoire supérieure, vient un bloc de 64 Ko de mémoire, plus connu sous l'abréviation HMA, une autre relique de la gestion de mémoire DOS. Les utilisateurs DOS en avaient désespérément besoin.

Ne confondez pas mémoire étendue et mémoire expansée. Les termes sont voisins, mais les concepts et utilisations diffèrent. Rappelez-vous seulement que vous avez besoin de mémoire étendue. Vous pouvez laisser la mémoire expansée aux grosses têtes.

## Gestion de la mémoire

Bonne nouvelle : il n'est plus nécessaire de gérer la mémoire sous Windows 95.

- Seuls les anciens PC sous DOS (les malheureux !) sont encore concernés par cette corvée. Si vous êtes curieux, ou si vous avez encore un PC fonctionnant avec DOS et quelques heures à perdre, reportez-vous à l'ouvrage *MS-DOS pour les Nuls*, deuxième édition, pour savoir comment utiliser au mieux votre mémoire.

- Si vous exécutez un programme DOS sous Windows 95, le système se chargera automatiquement de gérer la mémoire de votre ordinateur pour vous. Mais si vous voulez bricoler un peu dans ce domaine, consultez le livre de la même collection *MS-DOS pour les Nuls*, édition Windows 95.

# Chapitre 13
# Le moniteur

Qu'on l'appelle moniteur vidéo, écran, ou CRT, il s'agit toujours de ce même élément indispensable : ce similitéléviseur qui trône sur votre bureau. Aucun ordinateur n'est entier sans son moniteur vidéo. Comment votre ordinateur pourrait-il vous parler, afficher de somptueuses images graphiques et vous envoyer des bordées de messages d'erreur sans son moniteur ? En fait, le moniteur est si important que beaucoup d'utilisateurs oublient qu'il n'est qu'un accessoire qui peut être remplacé par un plus performant.

Ce chapitre aborde les différents aspects des écrans d'ordinateur. A première vue, ils ne semblent pas poser de problèmes, mais gravitent autour de l'affichage d'un grand nombre de termes bizarres (CGA, EGA, VGA, monochrome, pixels, etc.) que nous allons décortiquer ensemble.

## Le guide de base des moniteurs et adaptateurs vidéo

Le moniteur est votre interlocuteur privilégié. Il vous informe de ce qui se passe dans les mémoires de votre PC et du résultat de ses cogitations. Deux composants fondamentalement complémentaires sont à distinguer : le moniteur et la carte graphique.

Le *moniteur* est cette chose qui ressemble à un téléviseur placé au-dessus ou à côté de votre unité centrale. On peut y régler la brillance et le contraste, mais pas le volume. La similitude avec votre téléviseur s'arrête là. Votre moniteur n'est *pas* un téléviseur.

La *carte graphique* fait partie du système vidéo. C'est une carte d'extension qui se trouve sur la carte mère de votre unité centrale (révisez le Chapitre 11). Elle permet aux informations contenues dans votre ordinateur d'être projetées sur l'écran grâce à des circuits spéciaux qui commandent le moniteur et lui transmettent les informations pour les afficher à un endroit précis et dans une couleur donnée.

La carte graphique est plus importante que le moniteur. Elle détermine le nombre de couleurs que vous voyez et la qualité des images graphiques qui apparaissent sur votre moniteur.

- Vous avez besoin à la fois du moniteur et de la carte graphique.

- Dans certains PC, et plus particulièrement les portables, la carte graphique fait partie intégrante de la carte mère.

- Le terme *moniteur* fait référence à l'unité physique placée au-dessus ou à côté de votre unité centrale. Les termes *écran* et *affichage* sont tous deux utilisés pour décrire ce qui apparaît sur la face avant de votre moniteur - les informations que votre ordinateur vous communique.

- La carte graphique peut être appelée *adaptateur graphique*, *interface vidéo*, *interface graphique*, *adaptateur vidéo*, *système vidéo*, ou *Géraldine*.

## Les piliers des adaptateurs graphiques : Couleur et résolution

La plupart des PC sont vendus avec des adaptateurs et moniteurs graphiques standard. En y mettant le prix, vous pouvez toujours obtenir mieux, mais seuls quelques programmes prendront la peine d'exploiter ce "petit extra".

Qu'obtenez-vous avec plus d'argent ? Essentiellement, plus de couleurs et une meilleure résolution.

**Plus de couleurs** ! Votre système graphique ne peut afficher qu'un certain nombre de couleurs à l'écran à un moment donné. Par exemple, la plupart des écrans actuels peuvent afficher entre 256 couleurs et 16 millions (rapprochant votre image de la qualité photo).

**Une meilleure résolution** ! La résolution caractérise la finesse de l'image. Elle se quantifie en nombre de *points* ou de *pixels* dans la largeur et la hauteur d'un écran. Plus il y a de pixels, plus grande est la résolution, plus l'image graphique est fine.

Plus la résolution est faible, plus l'éventail des couleurs est large ; plus elle est forte, plus il est étroit. (Une télévision type a une résolution très faible, mais affiche en revanche un nombre presque infini de couleurs.) Cela vient du rapport résolution/couleurs qui existe pour toute carte graphique et pour une mémoire donnée. Ce rapport est inversement proportionnel ; si vous augmentez l'un de ces deux acteurs, vous diminuez automatiquement l'autre. C'est une règle mathématique.

## Que les systèmes vidéo monochromes reposent en paix

Avant que l'on vous submerge de couleurs, existaient les moniteurs monochromes. Ces derniers fonctionnaient exactement comme n'importe quel moniteur de PC, mais affichaient leurs informations en blanc, vert ou ambre sur fond noir.

Ces moniteurs monochromes présentaient l'avantage d'être mieux adaptés à des applications comme les traitements de texte et les bases de données, parce qu'ils proposaient un meilleur affichage que les premiers écrans couleur (lesquels pouvaient vraiment vous abîmer la vue). Le monochrome était alors une bonne solution. Mais, pour Windows et les applications graphiques d'aujourd'hui, les monochromes ne sont plus vraiment de mise. De toute façon, vous ne risquez plus d'en trouver encore beaucoup sur le marché.

# *Le labyrinthe des cartes graphiques*

Nous faisons ici référence à la manière peu rationnelle qu'a l'industrie informatique de décrire les différentes cartes graphiques. Elles vivent dans le secret de votre ordinateur et sont une partie importante de votre système vidéo. (Consultez le Tableau 13.1 dans ce chapitre.) Mais laissez-moi vous faire gagner du temps.

Votre ordinateur est probablement équipé d'une variante de la carte graphique VGA standard, très certainement la SuperVGA.

Lorsque le PC est apparu, il ne possédait que deux standards, l'un MDA (monochrome) et l'autre CGA. L'adaptateur CGA était le seul moyen d'obtenir du texte et des images couleur. IBM sous-estima l'importance des images en bureautique (pensant que seuls les utilisateurs de jeux vidéo achèteraient la carte CGA) et le CGA décolla, laissant sur place le monochrome. Après quelque temps, il fut remplacé par l'adaptateur EGA, puis VGA, et enfin SuperVGA.

Il existe aujourd'hui d'autres adaptateurs graphiques légèrement plus performants. Mais la carte SuperVGA est largement suffisante et conviendra très bien à tous les systèmes, le vôtre comme celui de Bill Gates.

- Certains systèmes graphiques haute résolution ne s'appliquent qu'à certains types de logiciels. Si vous travaillez dans le domaine du dessin, de la photo, de la vidéo, de l'animation, etc., offrez-vous un écran top niveau. Si vous utilisez uniquement des applications de base, telles qu'un traitement de texte, vous pouvez vous contenter d'un écran standard.

Le Tableau 13.1 donne la liste des standards des différentes cartes graphiques, agrémentés de quelques commentaires.

**Tableau 13.1 : Les cartes graphiques d'hier et d'aujourd'hui.**

| | |
|---|---|
| MDA | (Monochrome Display Adapter - adaptateur d'affichage monochrome). Affichage IBM monochrome d'origine utilisé par les premiers PC. Ce type d'affichage n'offrait pas d'images graphiques, uniquement du texte. |
| CGA | (Color Graphics Adapter - adaptateur graphique couleur). Le premier standard couleur, peu de couleurs et basse résolution. |
| EGA | (Enhanced Graphics Adapter - adaptateur graphique amélioré). Supérieur au CGA et affichant plus de couleurs. Sa popularité fut de courte durée. |
| VGA | (Video Graphics Array - réseau graphique vidéo). L'affichage VGA offre davantage de couleurs, des images haute résolution, et du texte agréable à lire. Le système SVGA est une variante du VGA, aujourd'hui standard graphique sur tous les PC. |
| ETC | Non, ce n'est pas une autre abréviation associée à une carte graphique. Ce petit sigle indique simplement qu'il existe encore d'autres adaptateurs, le 8514, par exemple, qui est pour l'essentiel une version plus coûteuse de la carte SuperVGA, avec plus de couleurs et une plus haute résolution. Le standard XGA est une super-méga SVGA, etc., etc. |

## Texte et images graphiques

L'écran d'un ordinateur affiche deux types d'informations : du texte ou des images graphiques.

Le *texte* englobe les caractères, les lettres, les nombres et les symboles que vous voyez à l'écran lorsque vous lancez votre ordinateur, ou s'il vous arrive d'utiliser ce bon vieux DOS. Il apparaît soigneusement rangé en lignes et en colonnes.

Les *affichages graphiques* (ou *images graphiques*) sont des images, des cercles, des lignes et des carrés, et peuvent également contenir du texte.

Voici quelques infos supplémentaires, à toutes fins utiles :

- Sur un PC, le texte est affiché en lignes et en colonnes, de la même manière que ce que vous êtes en train de lire sur cette page. Si un "A" se trouve en haut et à gauche de votre écran, il est sur la première ligne de la première colonne.

- Le PC classique affiche 25 lignes de 80 colonnes, ce qui représente une demi-page de texte à interligne simple.

- Les programmes DOS peuvent tourner sous Windows en mode texte ou à l'intérieur d'une fenêtre. Pour basculer un programme DOS en mode texte, pressez les touches Alt+Entrée. Pressez de nouveau cette combinaison pour afficher votre programme modèle réduit dans une fenêtre de l'écran.

# Les questions/réponses les plus courantes

Dans la mesure où le moniteur est ce que vous regardez le plus souvent, il est généralement l'objet de vos plus nombreuses questions. On pourrait croire qu'un appareil avec si peu de boutons ne pose aucun problème. Il n'en est rien, mais les sections suivantes devraient répondre aux questions les plus fréquentes.

## Quel est le meilleur système vidéo ?

A question simple, réponse simple : SuperVGA.

- De nombreux fabricants proposent des cartes vidéo SuperVGA. Ils offrent de nombreuses possibilités dans une large gamme de prix. Nous ne pouvons pas recommander une marque ou une autre. La meilleure stratégie est de ne pas choisir la moins chère ni les "sans marque".

- Vous avez besoin d'un moniteur qui puisse afficher les sorties de votre carte SuperVGA. Bien que certains prétendent que les cartes "supervidéo" fonctionnent avec tous les moniteurs (et ça peut être vrai), le meilleur résultat sera obtenu avec un moniteur fait pour le standard SuperVGA.

- Si vous êtes partisan des belles images, payez-vous une carte SuperVGA avec 2 Mo de mémoire vidéo. Elle est un peu plus chère, mais les résultats ne vous décevront pas.

## Qu'est-ce qu'une carte accélératrice vidéo ?

Pour éviter que les utilisateurs ne finissent par s'endormir sur leur clavier en attendant que Windows affiche toutes ses petites images, des fabricants ingénieux ont conçu un circuit intégré qu'ils ont placé sur un type de carte vidéo spécial, appelé *carte accélératrice vidéo*. Ces cartes affichent les fenêtres à l'écran aussi vite que Windows leur en donne l'ordre. Elles explosent l'écran lorsque vous jouez au Solitaire !

- Une carte accélératrice vidéo est, à la base, une carte SuperVGA un peu plus rapide, c'est tout.

# Un peu de terminologie pour vous activer les neurones

Les questions techniques que sous-tend le domaine du moniteur vidéo pour PC peuvent en faire frémir plus d'un. Nous avons rassemblé quelques termes qui tentent de cerner ce domaine rébarbatif. Si vous êtes curieux, lisez sans plus attendre. Dans le cas contraire, si vous êtes pris d'une subite frénésie de bâillement, passez tout de suite votre chemin (et n'ayez aucun scrupule).

**Analogique** : Ce terme décrit un type de moniteur par opposition au moniteur *numérique*. Les cartes VGA doivent être reliées à un moniteur analogique. Toutes les autres cartes graphiques plus anciennes fonctionnent avec un moniteur numérique. Pour simplifier, les moniteurs analogiques sont meilleurs, car ils peuvent reproduire plus de couleurs que les moniteurs numériques.

**Balayage** : On parle généralement de "vitesse de balayage". Il s'agit de la vitesse à laquelle l'électron du canon du tube dessine l'image sur l'écran. Elle se mesure en kilohertz (kHz). Plus cette valeur est élevée, mieux c'est.

**Bande passante** : C'est la vitesse de transmission à laquelle les informations sont envoyées depuis votre ordinateur (plus précisément, la carte graphique) au moniteur. La bande passante est une valeur en mégahertz (MHz). Le moniteur doit être capable d'accepter la bande passante imposée de la carte graphique. Plus la bande passante est élevée, meilleure est la qualité.

**Composite** : Type de moniteur similaire au poste de télévision. Dans les premières années du PC, ses utilisateurs achetaient souvent des moniteurs composites bon marché, lorsqu'ils ne pouvaient s'offrir les moniteurs, plus chers, en RVB. Les composites étaient utilisés en priorité avec les cartes CGA et affichaient leurs images (pas terribles) en vert sur noir.

**Dimension du tube :** C'est la dimension de la diagonale de l'image sur votre écran coin à coin. Plus les écrans sont grands, plus ils sont onéreux. Si les moniteurs de 30 ou 36 cm (14 ou 17 pouces) sont les plus courants, vous pouvez acheter des moniteurs plus grands : 48 cm (21 pouces) et plus, selon la taille de votre ego et vos problèmes de vue.

**Entrelacement** : Cette méthode permet de réduire l'effet de scintillement visible sur tous les moniteurs. Un moniteur "entrelacé" donnera une meilleure résolution verticale.

**Multiscanning ou multibalayage** : C'est la faculté que possèdent certains moniteurs de se commuter automatiquement pour accepter différents types de fonctionnement, soit analogique, soit numérique. Ce genre de moniteur est indispensable pour les cartes qui supportent plusieurs standards d'affichage graphique, et les logiciels qui les exploitent. Certains fabricants l'appellent "Multisync".

**Numérique** : Le moniteur numérique doit être utilisé par les anciennes cartes vidéo, comme les cartes monochromes, Hercules, CGA et EGA. Ces moniteurs reçoivent des signaux numériques en provenance du PC. Ils sont limités dans la gamme de couleurs qu'ils peuvent afficher. Le moniteur le plus répandu est le moniteur RVB.

**RVB (ou RGB)** : Cette abréviation signifie rouge, vert et bleu. Elle décrit les moniteurs que les utilisateurs de cartes CGA préféraient. Un moniteur RVB était un moniteur numérique.

**Taille du point** : C'est l'écart entre deux points, ou *pixels*, sur l'écran. Cette distance est mesurée centre à centre. Plus les points sont proches, meilleure est la qualité de l'image. Une taille de point de 0,28 mm est bonne ; plus les valeurs sont petites, mieux c'est.

**TTL** : Puisque vous êtes arrivé jusque-là, nous allons vous parler du TTL. Le sigle TTL désigne les vieux moniteurs monochromes d'IBM. Vous tenez vraiment à savoir ce que signifient ces trois lettres ? Vous l'aurez voulu : **Transistor to Transistor Logic** ; ce qui donne en français : "Logique transistor à transistor". Satisfait ?

# *Nettoyer et chouchouter votre moniteur*

Rien n'attire plus la poussière que le moniteur. Elle s'accumule sur l'écran comme des mouches sur du miel (?!). A cette satanée poussière viennent s'ajouter des traces de doigts et autres empreintes indésirables ; bref, les écrans affichent souvent mieux la saleté que vos jolies petites images.

Pour nettoyer un écran, projetez du produit à vitres sur un tissu non pelucheux ou du Sopalin et essuyez-le soigneusement. Vous pouvez aussi utiliser du vinaigre si vous voulez que votre écran répande cette petite odeur de sauce aigre-douce.

Ne projetez jamais de produit directement sur l'écran. Le liquide peut s'infiltrer dans le moniteur et produire des effets désastreux.

- Pour nettoyer l'extérieur du moniteur, utilisez de l'eau savonneuse ou des détergents légers. Procédez de la même manière que pour l'écran : imbibez un chiffon non peluchoux avec le liquide et essuyez le moniteur. Cela s'applique également à l'ordinateur si vous vous en sentez le courage (et à votre bureau).

## *Régler votre moniteur*

Vous pouvez non seulement jouer avec les boutons, situés à l'avant (ou à l'arrière) de votre moniteur, pour régler la luminosité et le contraste, mais également modifier toute une panoplie de paramètres d'affichage grâce à Windows et à son Panneau de configuration.

L'icône à utiliser pour personnaliser votre affichage réside dans le Panneau de configuration. Les sections suivantes expliquent ce que vous pouvez y faire. Mais tout d'abord, voici comment y accéder :

1. **Ouvrez le Panneau de configuration.**

   Cliquez sur le bouton Démarrer, puis choisissez Paramètres/Panneau de configuration.

2. **Ouvrez l'icône Affichage.**

Affichage

   Double-cliquez sur l'icône Affichage. La boîte de dialogue Propriétés pour Affichage apparaît (Figure 13.1).

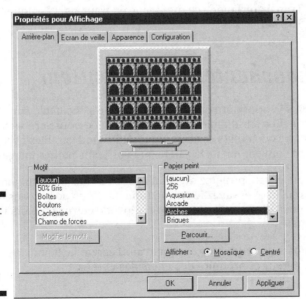

Figure 13.1 :
La boîte de dialogue Propriétés pour Affichage.

3. **Effectuez quelques réglages dans la boîte de dialogue Propriétés pour Affichage.**

   Vous pouvez modifier l'arrière-plan du bureau, utiliser un écran de veille et changer le nombre des couleurs et la résolution via les différents volets de la boîte de dialogue. Les sections suivantes expliquent comment procéder.

4. **Fermez la boîte de dialogue Propriétés pour Affichage.**

   Lorsque vos options sont sélectionnées, cliquez sur le bouton OK pour enregistrer vos modifications, ou sur le bouton Annuler pour restaurer les anciennes valeurs.

La boîte de dialogue Propriétés pour Affichage contient quatre volets différents : Arrière-plan, Ecran de veille, Apparence et Configuration. Chaque volet affiche une panoplie d'options contrôlant un ou plusieurs aspects de l'affichage. Cliquez sur l'onglet correspondant en haut de la boîte de dialogue pour afficher ses options.

## Changer l'arrière-plan (le papier peint)

L'arrière-plan, ou le papier peint, est ce que vous voyez lorsque vous regardez le bureau. Il peut s'agir d'un motif, d'une jolie image ou de tout autre chose que cette ennuyeuse façade grise proposée par Windows.

Ouvrez la boîte de dialogue Propriétés pour Affichage à l'aide des instructions précédentes et cliquez sur l'onglet Arrière-plan pour afficher les options correspondantes (configuration de la Figure 13.1).

Deux solutions vous sont offertes pour placer une image sur le bureau. Vous pouvez soit sélectionner un motif, soit une image graphique (appelée *papier peint*).

Les différents motifs disponibles se trouvent dans la liste déroulante Motifs à gauche de la boîte de dialogue. Ils sont tous plus ennuyeux les uns que les autres.

La liste déroulante Papier peint contient un éventail de fichiers graphiques. Si le dessin est assez grand, il pourra recouvrir la totalité de l'écran. Dans le cas contraire, vous pouvez utiliser l'option Mosaïque (en cliquant sur son bouton radio) pour dupliquer l'image sélectionnée sur toute la surface du bureau.

Chaque fois que vous sélectionnez un nouveau motif ou papier peint, le moniteur miniature, en haut de la boîte de dialogue, vous offre un aperçu miniature de votre choix. Comme il s'agit d'une illustration réduite, l'effet produit ne sera pas des plus renversants. Si vous voulez une illustration grandeur nature de votre sélection, cliquez sur le bouton Appliquer.

Si vous avez créé votre propre fichier graphique, vous pourrez l'utiliser comme papier peint. Ce fichier doit être une image bitmap. Par conséquent, si vous voulez appliquer sur votre bureau un fichier GIF ou JPEG, vous devez le convertir, au préalable, au format BMP. (Désolé, mais cette procédure n'est pas décrite dans ce livre.) Cliquez ensuite sur le bouton Parcourir pour pister votre image sur le disque. Dès que vous ouvrez l'image, celle-ci apparaît dans l'écran miniature.

Cliquez sur OK pour la coller sur le bureau, sur Annuler pour la jeter aux oubliettes.

## Ajuster la résolution et les couleurs

Ouvrez la boîte de dialogue Propriétés pour Affichage en suivant les étapes précédemment décrites. Cliquez sur l'onglet Configuration pour afficher les options correspondantes. Ce qui apparaît sur votre écran doit ressembler à la Figure 13.2. (Cette figure indique probablement une résolution et un nombre de couleurs inférieurs aux vôtres dans la mesure où elle illustre les paramètres d'un petit écran couleur pour ordinateur portatif.)

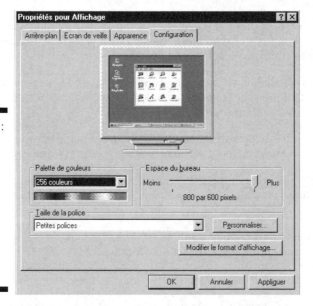

Figure 13.2 : Le volet Configuration de la boîte de dialogue Propriétés pour Affichage (d'un ordinateur portatif).

Le volet Configuration de la boîte de dialogue Propriétés pour Affichage abrite les options définissant le nombre de couleurs et la résolution de votre moniteur. Qu'il s'agisse de l'un ou de l'autre, vos choix sont limités, et cette boîte de dialogue est là pour vous dire exactement à quel point.

Vous devez commencer par sélectionner votre palette de couleurs. *La résolution change en fonction du nombre de couleurs choisi.*

Sélectionnez ensuite la résolution. Le moniteur miniature illustre aussitôt votre choix. Si vous optez pour une résolution plus élevée, ne soyez pas surpris de voir le nombre de couleurs diminuer. Ces deux paramètres sont liés, au cas où vous ne l'auriez pas compris.

Si vous êtes l'heureux propriétaire d'un écran 21 pouces ou plus, faites tourner Windows à une résolution 1 024 x 768. Cette résolution affiche une tonne d'informations à la fois et utilise 256 couleurs ou plus. La plupart des logiciels peuvent ensuite afficher une police plus grande (que vous ajustez généralement via une commande de type *Zoom*) pour équilibrer le tout.

- Le nombre de couleurs et la résolution dépend des capacités de votre adaptateur graphique.

## Utiliser un écran de veille

Si vous laissez votre moniteur allumé trop longtemps, cela peut détériorer le phosphore, cette pellicule intérieure qui recouvre l'écran. A force d'afficher la même image, elle se grave dans le phosphore. Ordinateur éteint, si vous voyez un menu apparaître en permanence, votre moniteur est atteint de "phosphorite aiguë".

Pour éviter ce problème, vous pouvez éteindre votre écran lorsque vous ne l'utilisez pas ou diminuer la luminosité. Mais une meilleure solution consiste à tirer profit des écrans de veille proposés par Windows. Ces programmes spéciaux effacent l'écran après un délai prédéterminé (en général, quand vous n'avez pas touché le clavier pendant plusieurs minutes) et affiche à la place des images mobiles.

Ouvrez la boîte de dialogue Propriétés pour Affichage en suivant les étapes décrites plus tôt dans ce chapitre. Cliquez sur l'onglet Ecran de veille pour afficher les options correspondantes. Votre boîte de dialogue devrait ressembler à celle de la Figure 13.3.

La liste déroulante Ecran de veille contient quelques écrans proposés par Windows. Cliquez sur le bouton Paramètres pour effectuer quelques réglages sur l'écran sélectionné. Cliquez sur le bouton Aperçu pour tester ses effets. (Déplacez la souris pour désactiver l'écran de veille.)

Dans la zone de texte située entre les termes "Attente" et "minutes", entrez le délai d'attente à la suite duquel l'écran de veille devra entrer en action. Par exemple, dans la Figure 13.3, l'écran s'efface après 5 minutes d'inactivité, remplacé par des fenêtres volantes jusqu'à ce que vous pressiez une touche ou déplaciez votre souris.

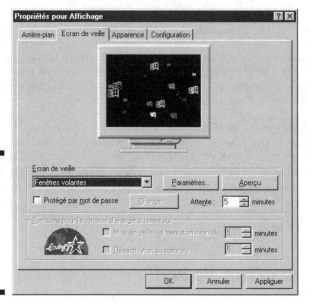

Figure 13.3 :
Le volet
Ecran de
veille de la
boîte de
dialogue
Propriétés
pour
Affichage.

Ne vous encombrez pas les méninges avec un mot de passe. Windows ne vous permettrait pas d'entrer dans son royaume tant que vous ne tapez pas ce mot de passe. Si celui-ci vous sortait de la tête, il faudrait relancer l'ordinateur pour accéder de nouveau à vos applications.

- Pour désactiver l'écran de veille via votre clavier, vous pouvez taper sur n'importe quelle touche, mais utilisez de préférence la touche Ctrl. Cette dernière n'affectera pas l'application qui se cache derrière votre économiseur d'écran.

- Une autre façon de congédier l'écran de veille (plus expéditive et amusante) consiste à taper du poing sur votre bureau. Ce petit geste vous défoulera tout en faisant sursauter votre souris, qui désactivera l'écran de veille. Cool !

# Chapitre 14
# Souris, souriez !

L e PC n'a pas toujours été cette machine dotée d'une interface conviviale et d'une souris. Non, ces souris, considérées comme des gadgets amusants, étaient réservées aux Macintosh et ne pouvaient être associées aux ordinateurs plus sérieux d'IBM.

Aujourd'hui, tous les fabricants livrent leurs ordinateurs avec une souris. Rares sont ceux qui ne possèdent pas encore ce petit "animal" sur leur bureau. Certaines souris sont amusantes, comme les modèles distribués par Logitech. D'autres (comme celles d'IBM) sont exclusivement réservées aux affaires sérieuses. Quelle que soit sa forme, une souris est un outil extrêmement pratique, tout particulièrement si vous utilisez un système d'exploitation graphique tel que Windows.

- Il paraît que le fondateur d'Apple, Steve Jobs, n'avait pas l'intention d'équiper son premier Mac d'un clavier. Apparemment, il pensait que la souris pouvait se charger de tout le travail. (Mais bien sûr : "Cliquez 20 fois pour taper un A, 21 pour un B...")

## *Une souris dans la maison !*

Une souris ressemble à un morceau de savon qui aurait avalé une boule, avec, sur le dessus, au moins deux boutons. Elle est reliée à l'arrière de l'ordinateur par un fil qui peut être pris, par temps de brouillard, pour la queue d'une souris. La Figure 14.1 illustre une souris standard.

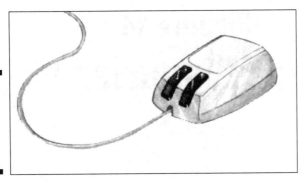

Figure 14.1 :
Un des premiers modèles de souris Microsoft.

- Même si votre ordinateur a été livré avec sa propre souris, ne pensez pas que vous ne pouvez pas la remplacer par une autre. Reportez-vous à la section "Quelques espèces de souris" plus loin dans ce chapitre pour un aperçu des différents modèles.

- Vous avez besoin d'une souris pour utiliser Windows.

- Vous devez réserver, sur votre bureau, une surface propre (un "sourisodrome") pour y déplacer votre souris. Sa dimension devra être plus ou moins équivalente à celle de votre écran.

- Une souris se déplace plus facilement sur un *tapis de souris*, lequel est un petit carré de plastique ou de caoutchouc sur votre bureau. Les plus efficaces ont une surface rugueuse qui donne une meilleure traction et une plus grande précision aux déplacements de votre souris. Il a également la vertu de vous rappeler qu'il faut garder une surface libre pour la souris.

## Quelques espèces de souris

Il existe de nombreuses espèces différentes de souris. Les modèles les plus courants ressemblent à un pain de savon avec deux boutons sur le dessus. J'ai vu un modèle comptant 52 boutons, si bien qu'il était possible de saisir du texte uniquement avec la souris. (Je me demande pourquoi ce modèle n'a jamais marché ?)

Outre le modèle standard, il existe quelques variantes intéressantes. En voici quelques-unes :

### La boule de pointage (ou la souris à l'envers)

Une *boule de pointage* ressemble à une souris ordinaire, mais seulement si vous la regardez la tête en bas. Au lieu de faire rouler la souris sur un tapis, vous utilisez votre pouce ou votre index pour faire tourner directement sa boule. Le reste ne bougeant pas, vous économisez de la place et son fil ne risque pas de s'emmêler avec les différents objets de votre bureau.

Les boules de pointage (*trackball* en anglais) ne conviennent pas à tout le monde. Elles semblent plus adaptées à un environnement graphique où les mouvements doivent être précis (ou est-ce parce que les artistes ne savent pas taper à la machine...). Certaines personnes les détestent (les boules de pointage).

- A l'instar des souris ordinaires, les boules de pointage comportent des boutons (que vous actionnez à l'aide du pouce ou de l'index). En fait, votre logiciel ne saura même pas d'où provient votre pointeur, d'une souris ou d'une boule de pointage.

- Les boules de pointage sont parfaites pour les portables. Vous n'aurez plus, en avion, à prendre les genoux de vos voisins comme tapis de souris.

- Ce n'est pas parce que vous la retournerez que votre souris deviendra une boule de pointage.

- Les boules de pointage sont plus chères que les souris.

## *Et voici les souris sans fil*

La dernière mode en matière d'appareils électroniques semble être les gadgets sans fil. Une souris sans fil ressemble à une souris ordinaire (OK, peut-être un peu plus grosse), mais sans fil. Le signal est envoyé à l'ordinateur par les airs soit par ondes hertziennes, soit par rayons infrarouges. La souris du XXI$^e$ siècle est arrivée.

Dans les deux cas, la souris envoie des signaux à un petit récepteur placé quelque part sur votre bureau. Ce récepteur transmet ensuite ces signaux via un câble qui se branche à l'arrière de l'unité centrale.

- Une souris à ondes coûte généralement plus cher qu'une souris à infrarouge, toutes deux coûtant plus cher que leurs petites cousines "à queue".

- Le récepteur radio peut être situé dans un rayon de 2 mètres de la souris. Il en va de même pour le récepteur infrarouge, mais ce dernier doit être dans la ligne de mire de la souris. Le signal radio peut traverser les objets, pas le signal infrarouge.

- Les deux types de souris sans fil fonctionnent avec des piles. Veillez à toujours en avoir à portée de main pour ne pas en manquer à un moment crucial.

- Si votre souris à infrarouge commence à se comporter bizarrement, vous avez probablement mis quelque chose entre elle et le récepteur.

## *Les plus étranges...*

J'ai écrit, il y a quelques temps, un article pour un magazine informatique populaire présentant 45 souris d'ordinateur des plus étranges. Ils ne l'ont jamais publié, et m'ont demandé de leur renvoyer toutes les souris. Je me souviens de quelques-unes d'entre elles. Elles sont présentées ici pour votre plus grand plaisir.

- Certaines souris ressemblent à des stylos. Vous dessinez avec sur une surface plane. Je me demande qui pourrait préférer un stylo à une souris, dans la mesure où il est moins pratique de saisir un stylo et de le maintenir entre les doigts plutôt que de poser simplement sa main sur une souris.

- Il existe également des tapis de souris jouant eux-mêmes le rôle de souris. Vous dessinez sur le tapis à l'aide de votre doigt (ou de tout autre objet assez fin) et tapotez pour cliquer. Ce type de souris peut être à retenir en tant que solution intermédiaire, mais certainement pas pour les ordinateurs portables.

- Certaines souris font partie du clavier de l'ordinateur. Ces souris de clavier sont généralement représentées par une boule ou une petite touche de couleur différente que vous titillez avec l'index et qui peut être soit isolée, soit placée au centre des touches. Cela pourra vous paraître idiot, mais même si elles vous énervent au début, après quelques temps, vous ne pourrez plus vous en passer. Ces souris sont très populaires auprès de certains modèles d'ordinateurs portables, tels que le Thinkpad d'IBM. Attention, elles peuvent vraiment ressembler à une petite gomme qui se serait glisser entre deux touches, évitez de passer vos nerfs dessus à essayer de la retirer.

- Il arrive parfois à certains utilisateurs novices de saisir une souris et de la déplacer en l'air. Si cela n'a aucun effet avec des souris ordinaires, en revanche, avec une souris 3-D, le pointeur se déplacera à l'écran. Un logiciel spécial est nécessaire pour informer l'ordinateur de la présence d'un tel objet.

- Au début des souris de PC, de nombreux modèles étaient optiques. Ces souris ne comportaient pas de boule pivotante, mais utilisaient à la place une lumière infrarouge et un tapis de souris spécial pour indiquer la direction de la souris. Problème : si vous perdiez le tapis, la souris devenait inutilisable. Evitez donc les souris optiques.

## Souris en série ou souris spéciales ?

Qu'elle soit branchée sur le port série ou sur un connecteur du bus, une souris fonctionne de la même manière : elle transmet des signaux électroniques par l'intermédiaire du fil qui la relie à l'ordinateur. La différence se situe au niveau du branchement, à l'arrière de l'ordinateur justement.

> Une souris série se branche sur un port série à l'arrière de votre unité centrale (généralement, le fameux COM1).

> Une souris "bus" se branche sur un port spécial.

Laquelle choisir ? Comme elles fonctionnent de la même manière, cela n'a pas grande importance. Toutefois, vous pourrez rencontrer certains problèmes si vous êtes équipé d'un modem. Parfois, la souris et le modem entrent en conflit, et seul l'un d'entre eux en ressort vainqueur.

Pour garantir la paix entre votre souris série et votre modem, utilisez les lois des pairs et impairs. Si votre souris est connectée à un port série impair, branchez le modem dans un port série pair. Par exemple, branchez votre souris dans le port COM1 et votre modem dans le COM2. (La plupart des modem internes sont connectés au COM2 de toutes façons. Cela devrait vous épargner quelques tubes d'aspirines à l'avenir.)

# *Brancher votre souris*

Branchez la souris dans le connecteur approprié à l'arrière de l'ordinateur.

Certains PC, tels que ceux pour lesquels vous avez dépensé beaucoup trop d'argent, sont dotés de leur propre *port souris* : un petit trou circulaire qui ressemble au connecteur de clavier. (Ils sont identiques en fait.)

Si votre PC n'est pas équipé d'un port de souris spécifique, vous devez alors brancher votre souris dans un port série (COM1 ou COM3 le plus souvent).

- Pensez à éteindre votre ordinateur avant de brancher ou de débrancher la souris. Voyez le Chapitre 5 pour les instructions de fermeture.

- Les souris sont parfois livrées avec leur propre logiciel, que vous devez installer à l'aide du programme d'installation Windows. Voyez le Chapitre 20 pour cela.

- La queue de la souris doit être tournée vers l'unité centrale.

## *Utiliser votre souris*

La souris d'un PC commande un pointeur (aussi appelé curseur) à l'écran. Lorsque vous déplacez la souris en la faisant rouler sur votre bureau, le pointeur se déplace de la même manière à l'écran. Si vous la dirigez vers la droite, le pointeur se dirigera vers la droite. Si vous la faites tourner en rond, le pointeur fera de même. Faites tomber la souris, et vous entendrez un "Aïe !" en provenance du PC. (Je plaisante, bien sûr !)

Pour utiliser une souris, vous devez commencer par la tenir correctement. Vous la coincez dans votre paume et laissez reposer votre index et votre majeur sur les deux boutons (ou plus) situés au-dessus.

Il n'y a aucune raison de vous crisper ; une prise relâchée mais fiable est largement suffisante.

Vous appuyez sur le bouton de gauche, ou principal, à l'aide de votre index. Le bouton est très sensible, une légère pression suffira. Il en va de même pour le bouton droit, une petite traction de votre majeur le fait cliquer.

Vous utilisez les boutons d'une souris pour manipuler les différents objets affichés à l'écran. Le scénario est le suivant : vous déplacez la souris, qui guide le curseur à l'écran sur ce qui vous intéresse. Vous cliquez sur le bouton de la souris, et survient quelque chose de plus intéressant encore.

- Lorsque vous tenez une souris vivante, vous la placez dans le creux de votre main, paume tournée vers le haut. Pour une souris mécanique, vous devez, à l'inverse, avoir la paume vers le bas pour coincer la souris sur le bureau, queue tournée vers l'unité centrale.

- La plupart des utilisateurs coincent la souris dans leur paume et positionnent leur pouce sur le côté gauche et l'annulaire sur le côté droit, laissant l'index et le majeur libre d'agir sur les boutons situés au-dessus.

- Les souris de gauchers sont identiques à celles des droitiers, le logiciel fait la différence. Pour modifier la configuration des boutons, voyez la section "A lire si vous êtes gaucher" en fin de chapitre.

- La première fois qu'un utilisateur tient une souris, il la déplace généralement en cercles, histoire de voir les jolis ronds qu'elle dessine à l'écran. Cette manie ne disparaît qu'avec le temps (et encore, pas toujours).

- Lorsque le fil de la souris est emmêlé, soulevez-la et faites un mouvement sec du poignet comme un coup de fouet.

- Si le pointeur de votre écran semble ne plus vouloir répondre aux insistances de votre souris, ne vous énervez pas, mais lisez la rubrique technique "Note de service (ou "comment nettoyer sa boule")" que vous trouverez tout à la fin du chapitre.

## Les boutons de la souris

Les boutons qui se trouvent sur le dessus de votre souris émettent un petit "clic" lorsque vous appuyez dessus. Toutes les souris possèdent au moins deux boutons, voire trois ou plus.

Peu importe le nombre de boutons que possède votre souris, vous utiliserez (presque) toujours le bouton de gauche qui "tombe" naturellement sous l'index droit (l'un des rares concepts informatiques qui a l'air d'avoir été bien pensé).

Le bouton droit effectue des opérations spéciales, notamment sous Windows 95. Lorsque l'on vous demande de recourir à ce bouton pour une opération spécifique, les instructions précisent généralement : "cliquer *à l'aide du bouton droit de la souris*". Lorsqu'il s'agit de cliquer sur le bouton principal, aucune spécification n'est ajoutée.

### Pointer

Si l'on vous demande de "pointer" à l'aide de la souris sur un objet précis, cela signifie que vous devez déplacer la souris sur votre bureau pour positionner le curseur à l'écran de sorte qu'il pointe sur cet objet.

Ne pointez pas la souris en l'air en direction de votre écran, comme s'il s'agissait d'une télécommande, cela ne marche pas.

### Cliquer

*Cliquer* est le terme employé par la plupart des programmes. Il signifie pointer sur un objet de l'écran et appuyer sur le bouton de la souris.

Quand votre programme vous demande de "cliquer sur telle option", position-nez le curseur sur cette option en déplaçant la souris sur votre bureau, et appuyez sur le bouton principal avec votre index pour donner l'ordre au programme d'effectuer la commande qui lui correspond. (S'il est tout à fait possible de déplacer la souris sur votre front pour positionner le curseur de l'écran, puis de cliquer sur le bouton, alors que la souris est toujours sur votre front, assurez-vous toutefois que personne ne vous regarde.)

- Lorsque vous appuyez sur le bouton de la souris, celui-ci émet un "clic". C'est pour cela que de nombreux programmes vous demandent de "cliquer sur le bouton de la souris" alors qu'ils veulent que vous appuyiez dessus.

- Pour cliquer, appuyez sur le bouton et relâchez-le. Ne le tenez pas enfoncé en permanence. (En fait cela fait deux clics - le premier lorsque vous "cliquez" et le deuxième lorsque vous relâchez le bouton. Votre oreille est-elle aussi bonne ?)

- Il arrive parfois que l'on vous demande de cliquer tout en appuyant sur une touche spécifique du clavier. La touche Ctrl, par exemple, est une habituée de ce type de combinaison.

## Double-cliquer

*Double-cliquer* signifie appuyer sur le bouton de la souris deux fois de suite. Sous Windows, vous double-cliquez pour ouvrir quelque chose.

- Le temps d'arrêt entre les deux clics peut varier légèrement, mais il est toujours court.

- Essayez de ne pas bouger la souris entre les deux clics ; ceux-ci doivent être effectués au même endroit.

- Cliquer et double-cliquer sont deux opérations différentes. Si l'on vous demande de "cliquer", vous devez appuyer sur le bouton gauche de la souris une fois. Pour double-cliquer, vous devez appuyer sur ce même bouton deux fois.

- Si, en cliquant deux fois, rien ne se passe, il se peut que vous ne cliquiez pas assez vite. Essayez de procéder aussi vite que possible. Si la vitesse exigée est trop rapide pour vous, celle-ci peut être réglée. Voyez la section "Le double-clic ne fonctionne pas !" plus loin dans ce chapitre.

## Cliquer avec le bouton droit de la souris

Le plus souvent, vous devez appuyer sur le bouton gauche de la souris (le bouton principal). Cette opération est simplement désignée par le terme "cliquer". Si vous devez appuyer sur le bouton droit de la souris (le bouton secondaire), on vous demande alors de "cliquer avec - ou sur - le bouton droit de la souris".

Vous utilisez souvent ce bouton sous Windows 95.

## Faire glisser la souris

*Faire glisser* la souris ne signifie pas l'équiper de patins spéciaux, mais la déplacer tout en maintenant enfoncé le bouton gauche pour sélectionner des objets ou les déplacer (cela dépend du programme). Voici exactement comment procéder :

1. **Pointez le curseur de la souris sur l'objet que vous voulez déplacer.**

2. **Pressez et maintenez le bouton de la souris appuyé.**

Il s'agit du bouton gauche. Pressez et maintenez le bouton enfoncé, mais ne cliquez pas ! Cette action a pour effet de "saisir" l'objet visé par le curseur de l'écran.

Dans certains programmes, il faut cliquer une deuxième fois pour pouvoir déplacer l'objet saisi. Pour ceux-là, l'étape suivante de la procédure aura pour effet de *sélectionner* (et non pas de déplacer) les éléments sur lesquels glisse le curseur, en dessinant une marquise de sélection (une bande noire rectangulaire) autour de ces éléments.

3. **Faites glisser la souris vers un nouvel endroit.**

   L'opération *glisse* est en fait une opération *déplacement* ; vous commencez à un endroit de l'écran et déplacez (faites glisser) l'objet visé vers un autre endroit.

4. **Relâchez le bouton de la souris.**

   Soulevez votre index légèrement. La prise est déposée.

- Lorsque vous faites glisser la souris, vous effectuez en fait deux opérations (vous appuyez sur le bouton) et vous déplacez la souris (vous la faites glisser). Lorsque vous relâchez le bouton de la souris, vous relâchez également l'objet que vous faisiez glisser avec le curseur.

- Dans certains programmes (Word par exemple), cette méthode sélectionne un groupe d'objets (mots, paragraphes, images, etc.). Les éléments sélectionnés apparaissent alors en vidéo inversée.

- Dans de nombreux programmes de dessin, faire glisser la souris a pour effet de créer une image à l'écran. Dans ce cas, cette opération peut être comparée à la pression d'une pointe de stylo ou d'un pinceau sur du papier.

- Si l'on vous demande de presser une touche tout en faisant glisser votre souris, par exemple la touche Ctrl ou la touche Maj, vous devez appuyer sur cette touche *avant* de faire glisser la souris.

## *Faire glisser avec le bouton droit de la souris*

En général, lorsque l'on vous demande de faire glisser la souris, vous devez la déplacer en appuyant sur le bouton *gauche*. Toutefois, pour certaines opérations, vous devez appuyer sur le bouton *droit*. Dans ce cas, on précisera toujours de quel bouton il s'agit.

A moins d'une indication contraire, toutes les opérations de glisse s'effectuent à l'aide du bouton gauche de la souris.

## *Sélectionner à l'aide de la souris*

Sélectionner une option, c'est la mettre en relief ou la marquer comme étant la prochaine action à effectuer. Par exemple, vous sélectionnez un fichier que vous voulez copier en commençant par cliquer sur son icône. Vous pouvez sélectionner du texte en faisant glisser le pointeur de la souris sur ce texte. Vous sélectionnez une image en cliquant dessus ou en traçant un rectangle autour en faisant glisser la souris.

Dans la littérature informatique, "choisir" ou "sélectionner" sont souvent synonymes de "cliquer". Lorsqu'on vous demande de choisir ou de sélectionner telle ou telle option, vous devez déplacer le curseur sur cet endroit et cliquer.

# *Effectuer quelques réglages*

Si vous avez déjà étudié de près votre souris, vous avez certainement remarqué qu'elle ne contient aucun bouton de réglage. En effet, Madame La Souris n'offre aucun moyen de contrôler ses mouvements ou sa représentation à l'écran (enfin, à moins d'utiliser l'icône Souris du Panneau de configuration Windows).

Quelque part dans le Panneau de configuration Windows sommeille donc l'icône Souris qui, d'un double clic, ouvre la boîte de dialogue Propriétés pour Souris. Les sections suivantes décrivent quelques petites bricoles que vous pouvez y faire. Voici, pour commencer, la procédure à suivre pour accéder à cet atelier de travail :

1. **Ouvrez le Panneau de configuration.**

   Dans le menu Démarrer, choisissez Paramètres/Panneau de configuration. La fenêtre Panneau de configuration apparaît.

Souris

2. **Ouvrez l'icône Souris.**

   Double-cliquez sur l'icône représentée dans la marge pour afficher la boîte de dialogue Propriétés pour Souris, illustrée Figure 14.2.

3. **Effectuez les réglages désirés dans la boîte de dialogue.**

   Divers réglages subtils sont autorisés dans la boîte de dialogue Propriétés pour Souris. Quelques-unes des tâches les plus populaires sont traitées dans les sections suivantes.

4. **Fermez la boîte de dialogue.**

   Lorsque vous avez terminé de faire joujou, deux choix s'offrent à vous : cliquer sur le bouton OK pour enregistrer vos modifications ou cliquer sur le bouton Annuler pour restaurer la configuration initiale.

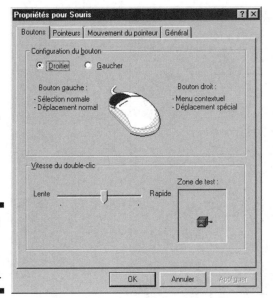

Figure 14.2 :
La boîte de
dialogue
Propriétés
pour Souris.

La boîte de dialogue Propriétés pour Souris contient quatre volets, chacun d'eux contrôlant un aspect différent de votre souris : Boutons, Pointeurs, Mouvement du pointeur, Général. Pour afficher un volet particulier, cliquez sur l'onglet qui lui correspond.

## Modifier la vitesse de déplacement du pointeur

Tout particulièrement si vous êtes l'heureux propriétaire d'un vaste domaine de pixel, vous voudrez régler la vitesse de déplacement du pointeur de votre souris à l'écran. Vous pouvez également réduire ou augmenter cette vitesse en fonction des dimensions de votre tapis de souris. Quelles que soient vos motivations, vous pouvez définir le temps de réponse et la vitesse de votre souris dans la boîte de dialogue Propriétés pour Souris.

Reportez-vous aux instructions présentées dans la section précédente pour afficher la boîte de dialogue Propriétés pour Souris. Cliquez sur l'onglet Mouvement du pointeur pour afficher ses options. Ce que vous obtenez doit ressembler à la Figure 14.3.

Le petit bidule situé entre Lente et Rapide dans la zone Vitesse du pointeur est un *bouton curseur*. Saisissez-le avec la souris et faites-le glisser vers la gauche ou vers la droite pour ralentir ou accélérer la vitesse de déplacement du pointeur.

Cliquez sur le bouton Appliquer et déplacez votre souris pour tester la vitesse choisie. Lorsque celle-ci vous convient, cliquez sur OK pour enregistrer ce nouveau paramètre et fermer la boîte de dialogue.

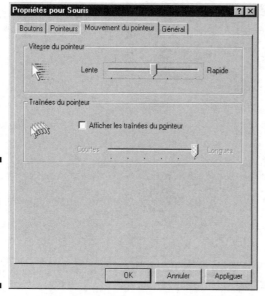

**Figure 14.3 :**
Le volet
Mouvement
du pointeur
de la boîte
de dialogue
Propriétés
pour Souris.

# Le double-clic ne fonctionne pas !

Si rien ne se passe lorsque vous double-cliquez sur un élément, une de ces deux éventualités peut en être la cause : soit vous bougez légèrement la souris entre les deux clics, soit la vitesse du double-clic est trop rapide pour un simple doigt de mortel.

Ouvrez la boîte de dialogue Propriétés pour Souris en suivant la procédure décrite dans ce chapitre. Cliquez sur l'onglet Boutons pour afficher sa panoplie d'options. (Le résultat devrait ressembler à la Figure 14.2.)

Dans la zone Vitesse du double-clic se trouve un bouton curseur que vous devez faire glisser vers la gauche ou vers la droite pour ralentir ou augmenter cette vitesse.

Pour tester la vitesse choisie, commencez par cliquer sur le bouton Appliquer. Cette action enregistre les nouvelles spécifications de votre souris. Double-cliquez ensuite dans la zone de test contenant une boîte à surprise. Si un petit clown en sort, c'est gagné !

Cliquez sur le bouton OK pour fermer la boîte de dialogue.

## Changer l'apparence du pointeur

Si vous cliquez sur l'onglet Pointeurs de la boîte de dialogue Propriétés pour Souris, vous accédez à un volet garni d'options permettant de modifier l'apparence du pointeur de votre souris. Entrer dans les détails serait une perte de temps ; allez voir vous-même.

## Sélectionner un pointeur animé

De nombreux curseurs animés sont disponibles dans la version Microsoft Plus! pour Windows 95. Vous pouvez également en trouver là où vous trouvez généralement vos programmes shareware : en ligne ou via des sociétés de vente par correspondance.

Pour définir un curseur animé, vous devez passer par le volet Pointeurs de la boîte de dialogue Propriétés pour Souris. Je n'entrerai pas dans les détails ici non plus, les intéressés sauront très bien s'en sortir tous seuls.

 Si vous téléchargez des fichiers (ou copiez la disquette d'un ami) contenant des curseurs animés, vous devrez les enregistrer dans le dossier Cursors du dossier principal Windows. (Le chemin d'accès est C:\WINDOWS\CURSORS.) Cette précaution les fera automatiquement apparaître dans la liste disponible lorsque vous double-cliquez sur un pointeur de la boîte de dialogue.

## A lire si vous êtes gaucher

Hé, les gauchers ! N'avez-vous pas l'impression de vivre dans un monde dominé par les droitiers ? Si vous ne supportez pas l'idée de devoir manipuler une souris de la main droite, pas de problème. Vous pouvez renverser la situation et même installer votre souris à gauche du clavier.

Ouvrez la boîte de dialogue Propriétés pour Souris en suivant la procédure décrite dans ce chapitre. Dans le volet Boutons, cliquez sur le bouton radio Gaucher. Cette opération bascule virtuellement les boutons dans la mémoire de Windows : les tâches propres au bouton gauche sont alors réalisées par le bouton droit et vice versa.

- Ce livre, ainsi que tous les autres manuels et ouvrages informatiques, part, du principe que le bouton gauche de la souris est le bouton principal. Si vous adoptez la configuration pour gaucher, vous indiquez à Windows d'inverser les boutons de la souris. Aussi, lorsqu'un manuel vous demandera de cliquer sur le bouton droit, vous ne devrez pas oublier de cliquer sur le gauche.

- Il n'y a aucune configuration spéciale pour ambidextres, désolé.

## Note de service (ou "comment nettoyer sa boule")

Votre bureau accumule poussière, poils de chat et autres "micro moutons". Si votre souris a des "ratés", elle a peut-être besoin d'un nettoyage. C'est facile à faire, vous n'avez pas besoin d'un réparateur professionnel.

En retournant la souris, vous verrez une plaque protectrice ronde qui retient la boule. Appuyez sur cette plaque et faites-la tourner dans le sens indiqué par la flèche à côté de laquelle se trouve, le plus souvent, l'indication "open" (ouvrir). La plaque doit alors se détacher et la boule tomber. Enlevez tout ce qui a pu s'accumuler dans le trou et nettoyez la boule. Remettez-la dans son "nid", replacez la plaque et faites-la pivoter dans le sens inverse de l'ouverture.

Veillez également à la propreté du tapis de souris, brossez-le régulièrement.

# Chapitre 15

# Votre clavier
# (n'est pas un filtre à café)

R ien ne vaut un clavier dont les touches s'enfoncent délicatement sous une légère pression des doigts, peut-être même en renvoyant quelques "clapatap-tap-tap" d'accompagnement. Un clavier qui émet des cliquetis lorsque vous tapotez donne l'impression que vous accomplissez beaucoup de travail. (Si seulement les souris pouvaient être plus bruyantes.)

Ce chapitre examine toutes les touches du clavier, à l'exception de la touche "Impr écran" laquelle est traitée au Chapitre 16, section "Imprimer l'écran".

## Anatomie d'un clavier

Votre clavier est la voie de communication directe entre vous et l'ordinateur. Un PC n'a pas d'oreilles. Vous pouvez toujours essayer de crier, d'agiter vos bras, il ne voit et n'entend rien. Pour communiquer avec lui, vous devez taper ce que vous voulez lui dire sur son clavier. La Figure 15.1 illustre un clavier type de PC, le clavier étendu, qui contient 101 touches. (Vous pouvez vérifier, si vous avez du temps à perdre.)

- Pourquoi donner un nom à un clavier ? Tout simplement parce que les PC utilisaient autrefois divers types de claviers dotés de séries de touches différentes. La plupart de ces modèles croupissent aujourd'hui sous une épaisse couche de poussière.

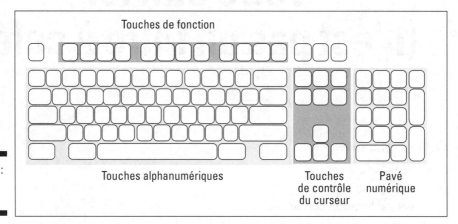

Figure 15.1 : Clavier étendu.

## Composition classique d'un clavier

Un clavier peut être divisé en quatre parties principales (reportez-vous à la Figure 15.1 pour les localiser).

**Les touches alphanumériques :** Ce sont des touches de couleur claire (géné-ralement gris clair) situées au centre du clavier. Elles comprennent les lettres, les nombres et les symboles de ponctuation.

**Les touches de fonction :** Ces touches se trouvent au-dessus du clavier alphabétique et sont identifiées par la lettre F suivie d'un nombre : F1, F2, F3, etc., jusqu'à F12.

**Les touches de déplacement du curseur :** Elles sont divisées en deux parties : les "touches fléchées" (appelées ainsi du fait des flèches qui les décorent et qui sont au nombre de 4) qui permettent de déplacer le curseur sur l'écran dans le sens de la flèche et les touches Inser, Suppr, Pge Préc., Pge Suiv., Origine et Fin qui sont regroupées au-dessus de ces quatre touches.

**Le pavé numérique :** Populaire chez les banquiers maniant la calculatrice avec dextérité, le pavé numérique ressemble aux touches d'une calculatrice.

- Le pavé numérique a une double personnalité. Il peut générer des nombres ou dupliquer les touches de déplacement du curseur. Voyez "Les touches à bascule" plus loin dans ce chapitre pour plus d'informa-tions concernant cette capacité de dédoublement.

- Les touches F1, F2, etc., sont appelées *touches de fonction*. Certains claviers démodés peuvent ne pas être dotés des touches F11 et F12. Si c'est le cas de votre clavier, ne vous sentez pas frustré, peu de logiciels les utilisent.

- Comme leur nom l'indique, les touches de déplacement du curseur permettent de déplacer le curseur (petite barre clignotante verticale) sur l'écran lorsque vous tapez ou éditer du texte sous Windows. Ce curseur est aussi appelé *point d'insertion*.

- Les touches Pge Préc. et Pge Suiv. signifient Page Précédente et Page suivante. Elles peuvent également être signalées par d'autres symboles.

- Les touches Inser et Suppr sont des touches d'édition souvent utilisées en combinaison avec les touches de déplacement.

- La touche Impr écran peut également être désignée par l'abréviation Imp écr ou Print Scrn, ou encore PrtScr.

TRUC

## Quelques caractères à ne pas confondre

Sur une machine à écrire, la lettre minuscule l et le chiffre 1 sont souvent identiques. Pas sur les ordinateurs. Si vous voulez taper 1 001, par exemple, ne tapez pas l 00l par erreur (vous voyez la différence ?), en particulier si vous travaillez avec un tableur.

Il en va de même pour la lettre O majuscule et le chiffre 0 ; ce sont deux caractères différents. Utilisez un zéro pour les chiffres et un gros O pour toute autre histoire d'O.

## Où est passée la touche "Aide" ?

Il n'existe pas de touche "Aide". Oh, il y en a bien une sur les claviers Mac, mais rappelez-vous, cet ouvrage s'intitule *Le PC pour les Nuls*, pas *Le Mac pour les Nuls*. On n'est pas ici pour s'amuser !

Lorsque vous avez besoin d'aide sous Windows, utilisez la touche F1. F1 égale Aide. Si votre mémoire est déjà trop encombrée, écrivez ces quatre lettres sur un petit carré de papier, et collez ce bout de papier sur la touche F1. Ainsi, vous aussi, vous aurez une touche "Aide" comme ces petits rigolos sur Mac.

## Les touches à "bascule"

Plusieurs touches agissent comme une bascule, une sorte de bouton marche/arrêt. Appuyer sur la touche une fois active la fonction, appuyer de nouveau la désactive. Il s'agit des touches Majuscule, Verr Maj, Verr Num et Arrêt Défil.

**Majuscule (Maj) :** Pas de surprise. Elle fonctionne comme sur une machine à écrire. Lorsque vous la pressez, elle permet d'obtenir non seulement les lettres majuscules, mais aussi les chiffres qui se trouvent sur la partie supérieure du clavier. Lorsque vous la relâchez, les lettres apparaissent de nouveau en minuscules, et les chiffres sont remplacés par les lettres accentuées, symboles et autres signes de ponctuation.

**Verr Maj :** Cette touche a la même fonction que Maj, si ce n'est qu'elle évite les crampes de votre petit doigt. Une fois verrouillée, tout ce que vous tapez apparaît en lettres capitales. Pour revenir aux minuscules, appuyez de nouveau sur cette touche.

**Verr Num :** Pressez cette touche et le pavé numérique à droite du clavier produira exclusivement des chiffres. Pressez de nouveau et il permute en touches de déplacement du curseur (pour déplacer le point d'insertion à l'écran).

**Arrêt Défil :** Cette touche n'a aucune raison d'être. J'ai vu autrefois certains tableurs sous DOS l'utiliser, mais plus aucun programme ne s'en sert aujourd'hui. Qu'elle repose en paix !

- Sur la plupart des claviers, les touches Verr Maj et Verr Num possèdent des voyants lumineux. Lorsque le voyant est allumé, la touche est verrouillée (activée).

### Pour matheux seulement

En cherchant bien autour du pavé numérique, vous trouverez les touches /, *, - et +. Elles sont utilisées par l'ordinateur pour diviser, multiplier, soustraire et additionner. Maintenant que vous le savez, n'essayez plus d'utiliser la lettre "x" pour effectuer une multiplication sur votre tableur.

## Les descendantes de la touche Majuscule

Les techniciens de la minuscule, ceux qui nous rendent muets d'admiration devant le concept surréaliste de la touche Majuscule, ont décidé de créer deux touches semblables pour le clavier des ordinateurs : la touche Contrôle (ou Ctrl) et la touche Alternative (Alt).

Comme la touche Majuscule, les touches Alt et Ctrl ne sont, en principe, jamais utilisées seules, leur vocation étant de changer la fonction de la touche avec laquelle on les utilise.

**Alt :** La touche Alt s'utilise comme la touche Maj. Par exemple, si vous pressez la touche Alt en même temps que la touche de fonction F4 (on parle alors de la combinaison de touches Alt+F4), vous fermez une fenêtre du bureau. Vous devez en fait appuyer sur la touche Alt, la maintenir enfoncée, puis appuyer sur la touche F4, et enfin relâcher les deux touches.

**Ctrl :** La touche Ctrl est également utilisée comme la touche Maj. Dans la plupart des programmes Windows, appuyer sur Ctrl et taper S sauvegarde le document en cours, appuyer sur Ctrl et taper P lance l'impression, et ainsi de suite, plus ou moins logiquement, pour toutes les lettres de l'alphabet.

- Même si vous lisez Ctrl+S ou Alt+S avec un S majuscule, cela ne veut pas dire que vous devez taper Ctrl+Maj+S ou Alt+Maj+S. La lettre est écrite en majuscule tout simplement parce que "Ctrl+s" ressemble plus à une erreur de frappe qu'à une combinaison de touches.

- Ces touches spéciales sont parfois elles-mêmes utilisées en combinaisons, telles que Maj+Ctrl+C et Ctrl+Alt. Vous pouvez utiliser Ctrl+Echap pour afficher le menu Démarrer, par exemple. N'oubliez pas d'appuyer sur les touches à bascule en premier, et de taper la lettre ensuite. Relâchez toutes les touches en même temps.

- Pour votre information, certains manuels utilisent l'abréviation ^Y en lieu et place de Ctrl+Y. La manipulation et le résultat sont les mêmes.

- Dans certains programmes, vous pouvez utiliser la touche Alt seule. Sous Windows, par exemple, presser la touche Alt active la barre de menus. Vous pouvez également presser la touche Ctrl pour désactiver l'écran de veille Windows.

## *Entrée et Retour chariot, quelle différence ?*

Pratiquement tous les claviers de PC sont dotés de deux touches Entrée, l'une à la même place que sur une machine à écrire, l'autre sur le pavé numérique. Vous pouvez les utiliser toutes les deux sans distinction, mais votre petit doigt devra être long d'au moins 20 centimètres pour utiliser celle du pavé numérique lorsque vous saisissez du texte.

- Sur les vieilles machines à écrire, vous deviez, à la fin de chaque ligne, faire un retour chariot pour ne pas taper en dehors de votre feuille de papier. Avec votre ordinateur, vous n'avez plus à vous en soucier, il détermine les mots qui risquent de sortir des limites de l'écran et les place automatiquement sur la ligne suivante.

- Vous n'appuyez sur la touche Entrée que lorsque vous avez terminé un paragraphe et souhaitez en commencer un nouveau.

## La touche de tabulation

Comme avec la touche Tab (tabulation) de votre vieille machine à écrire, appuyer sur celle d'un clavier d'ordinateur positionne le curseur sur le taquet de tabulation suivant.

- Histoire de brouiller les cartes, cette touche n'est pas toujours signalée par les lettres TAB, mais par deux flèches (l'une dirigée vers la gauche, l'autre vers la droite). Curieux, non ?

- Votre PC considère la touche Tab comme un seul caractère, appelé, en toute logique, *caractère de tabulation*. Aussi, si vous pressez la touche Suppr devant une tabulation, vous l'effacez d'un coup, non pas espace après espace.

- Il arrive que la tabulation ait une valeur nulle. Cette tabulation vous permet, quand vous remplissez un tableau, de passer d'un champ à un autre. Il est totalement déconseillé d'utiliser la barre d'espacement pour créer l'espace, vous risquez d'obtenir des résultats désastreux à l'impression.

## La barre de fraction inversée (\) et la barre verticale (|)

Ces barres s'emploient avec la touche Alt Gr qui est généralement située à la droite de la barre d'espacement. La barre de fraction inversée (aussi appelée rétrobarre) est située sous le 8 du clavier alphanumérique et la barre verticale sous le 6.

Sur certains claviers, elles seront accessibles avec la combinaison Maj-Ctrl et une autre touche. La barre verticale peut apparaître avec un espace en son milieu.

- La rétrobarre est généralement utilisée pour séparer les différents dossiers d'un *chemin d'accès*, notion complexe traitée uniquement à la fin du Chapitre 8, là où personne ne la trouvera.

- La barre verticale est utilisé par cet ancêtre démodé que l'on nomme DOS et autres utilitaires tout aussi rebutants ; certaines personnes s'en servent simplement pour créer des lignes verticales.

- Ne confondez pas la rétrobarre \ avec la simple barre oblique /. Cette dernière est généralement utilisée pour diviser des chiffres.

## *Les touches panique*

Les gentils ingénieurs qui ont créé le PC ont su admettre qu'il était inéluctable qu'un jour ou l'autre l'ordinateur devînt incontrôlable. C'est pourquoi ils ont inventé les touches "panique". Il en existe trois, la première peut être utilisée sous Windows, les deux autres sont propres au DOS.

**Echap :** La touche Echap ou Esc devrait, en principe, vous permettre d'échapper à la situation dans laquelle vous vous trouvez pour atteindre des terrains plus propices. Par exemple, si vous n'aimez pas la boîte de dialogue Windows, pressez Echap et adieu la vilaine boîte. Commencez toujours par essayer cette touche lorsque quelque chose tourne mal.

**Attn :** Sans effet par elle-même, utilisée avec Ctrl elle arrête les facéties des logiciels en folie. Lorsqu'un programme décide de ne plus répondre à vos sollicitations, essayez ce truc, Ctrl+Attn. Cette combinaison est inutile sous Windows.

**Ctrl+C :** Cette combinaison de touches possède la même fonction que la touche Attn. S'il vous arrive encore d'utiliser le DOS, sachez que c'est sa touche d'échappement de prédilection. Elle vous ramène à son excitant message d'accueil "C:\>".

## *Oubliez la Pause !*

Sous Windows, la touche Pause n'a aucun effet. Sous DOS, appuyer sur cette touche "gelait" l'ordinateur, stoppant toutes les opérations en cours. Par exemple, lorsque vous faisiez défiler un long fichier, la touche Pause vous permettait de bloquer l'écran pour le consulter. Après avoir lu quelques lignes, vous pouviez appuyer de nouveau sur cette touche et reprendre vos activités. Ce procédé n'est plus nécessaire sous Windows.

La combinaison de touches Ctrl+S est une cousine éloignée de la touche Pause. En cas de problème, cette combinaison gèle instantanément toute information affichée à l'écran. Toutefois, cette combinaison n'est valide que lorsqu'un système éloigné vous envoie du texte via un modem. Le cas échéant, vous pourrez alors presser Ctrl+S pour interrompre l'affichage. La combinaison officielle de reprise est Ctrl+Q.

- Je suppose que Bill Gates essaie de nous dire ici qu'il n'y a aucun moyen de stopper Windows.

- La touche Pause est partagée par la touche Attn (voir "Les touches panique" ci-dessus) sur les claviers étendus.

- Ctrl+S interrompt l'affichage du texte en ligne.

- Ctrl+Q relance l'affichage du texte en ligne.

> ### Le mystère de la touche Syst
>
> Nous vous conseillons de faire comme si la touche Syst n'existait pas. Windows ne l'utilise pas. DOS ne l'a jamais utilisée. Ignorez-la sans vergogne.
>
> Syst a été ajoutée par IBM pour une future version de DOS (que tout le monde attend encore). Si vous avez besoin de vous défouler, n'hésitez pas à presser cette touche aussi longtemps que vous voudrez.

## Les touches d'édition classiques

Tout texte sous Windows peut être édité. Pour cette tâche, vous devez connaître une seule série de touches d'édition, celles de Windows évidemment. Elles sont généralement très intuitives. Le Tableau 15.1 dresse la liste des touches d'édition les plus courantes et de leurs fonctions.

**Tableau 15.1 : Les touches d'édition Windows et leurs fonctions.**

| Touche | Fonction |
| --- | --- |
| Flèche à gauche | Déplace le curseur d'un caractère sur la gauche. |
| Flèche à droite | Déplace le curseur d'un caractère sur la droite. |
| Ctrl+Flèche à gauche | Déplace le curseur d'un mot sur la gauche. |
| Ctrl+ Flèche à droite | Déplace le curseur d'un mot sur la droite. |
| Origine | Place le curseur au début de la ligne. |
| Fin | Place le curseur à la fin de la ligne. |
| Suppr (ou Del) | Efface le caractère à droite du curseur. |
| Retour arrière | Efface le caractère à gauche du curseur. |
| Flèche en haut | Déplace le curseur d'une ligne vers le haut. |
| Flèche en bas | Déplace le curseur d'une ligne vers le bas. |
| Pge Préc | Déplace le curseur d'une page (d'un écran) vers le haut. |

| Pge Suiv | Déplace le curseur d'une page (d'un écran) vers le bas. |
| Ctrl+ Flèche en haut | Place le curseur au début du paragraphe précédent. |
| Ctrl+ Flèche en bas | Place le curseur au début du paragraphe suivant. |
| Ctrl+Retour arrière | Efface le mot à gauche du curseur (ou le mot sélectionné). |
| Ctrl+Suppr | Efface le mot à droite du curseur (ou le mot sélectionné). |

# Les bizarreries du clavier

Les trois sections ci-après présentent des scénarios tout aussi courants que gênants.

## "Mon clavier émet des bips étranges !"

Problème courant. Plusieurs causes et remèdes possibles.

**Cause 1 :** Vous ne pouvez plus rien taper ! Le programme que vous utilisez refuse de répondre ou attend que vous pressiez une autre touche. N'oubliez pas que sous Windows, vous ne pouvez utiliser qu'une fenêtre à la fois, même si vous en avez ouvert plusieurs.

**Cause 2 :** Vous tapez trop vite. Le clavier d'un PC ne peut ingurgiter qu'un certain nombre de touches à la fois. Si vous congestionnez son appareil digestif, il "burp", euh "bip".

**Cause 3 :** Votre ordinateur ne sait plus où il en est, et doit reprendre du début ! Reportez-vous au Chapitre 5 pour savoir comment relancer le système.

## Utiliser une grille pour clavier

Il est difficile, surtout en début d'apprentissage, de se rappeler le rôle de toutes les touches du clavier (certaines personnes collent des Post-it près des touches). Des entreprises, flairant la bonne affaire, ont créé les grilles pour clavier. Elles sont constituées d'une feuille de carton ou de plastique qui s'ajuste sur le clavier et sur laquelle se trouve la description de la fonction de chaque touche.

- La fonction des touches étant différente selon chaque logiciel, les grilles doivent être adaptées.

- Les claviers peuvent avoir des formes différentes. Assurez-vous, lors de l'achat de votre grille, qu'elle correspond bien à votre clavier.

- Personne sur cette planète n'a jamais appris à utiliser les 48 étranges combinaisons de touches de WordPerfect sans l'aide d'une de ces grilles.

- Ne devenez pas un "accro" de la grille. Si vous la perdiez malencontreusement, vous perdriez, du même coup, l'utilisation de vos programmes. Un conseil : faites une photocopie de votre grille et conservez-la dans un endroit sûr.

## Comment éliminer le café du clavier ?

Tôt ou tard, et malgré toutes vos précautions, vous renverserez votre café ou votre soda sur votre clavier. Attention, il peut sérieusement l'endommager. Que faire si cela se produit ?

1. **Si le clavier fonctionne toujours, sauvegardez votre travail. Eteignez l'ordinateur et débranchez le clavier.**

2. **Retournez le clavier et secouez-le vigoureusement (loin des claviers des collègues si possible).**

3. **Epongez un maximum de liquide et laissez le clavier sécher environ 24 heures.**

- Votre clavier devrait, normalement, fonctionner de nouveau, surtout si le liquide n'était pas trop sucré.

- Malheureusement, vous venez de réduire l'espérance de vie de votre clavier. La poussière, attirée par le sucre, va s'accumuler deux fois plus vite sous les touches.

- Si vos touches cccccollent lorsque vous essayez de taper, comparez le coût d'un clavier neuf à celui d'un nettoyage professionnel, et prenez une décision.

- Certaines sociétés vendent des protège-claviers. Ces protections sont très utiles, plus particulièrement pour les fumeurs et les distraits. (Un simple morceau de plastique peut également faire l'affaire, mais des études ont prouvé qu'il ne durait généralement pas plus de quelques jours.)

## Le clavier caméléon

Un des atouts majeurs des claviers d'ordinateur est leur côté "caméléon". En effet, impossible de faire apparaître sur un seul clavier les caractères spécifiques à chaque patrimoine linguistique. Pas de problème pour les "é, è, ç, à, ù" et autres "ê, ë" mais cherchez par exemple le "ß" allemand ou le "Æ" scandinave. Windows a donc inventé le clavier multilingue. Si vous tapez régulièrement (ou même occasionnellement) dans plusieurs langues, faites un petit tour dans le Panneau de configuration, et choisissez, parmi sa panoplie de langues, celle dans laquelle vous voulez taper.

Pour sélectionner une configuration de clavier d'une autre langue, procédez comme suit :

1. **Ouvrez le Panneau de configuration.**

   Cliquez sur le bouton Démarrer, puis choisissez Paramètres/Panneau de configuration.

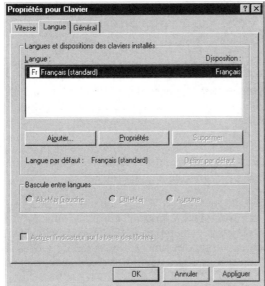

Clavier

2. **Dans le Panneau de configuration, double-cliquez sur l'icône Clavier.**

   Une illustration de cette icône est représentée dans la marge.

3. **Cliquez sur l'onglet Langue pour afficher le volet qui lui correspond.**

   Le volet Langue apparaît en avant-plan comme sur la Figure 15.2.

Figure 15.2 :
Le volet
Langue de la
boîte de
dialogue
Propriétés
pour Clavier.

4. **Cliquez sur le bouton Ajouter.**

   La boîte de dialogue Ajout de langue apparaît.

5. **Choisissez une langue parmi les options proposées dans la liste déroulante.**

De nombreuses langues sont disponibles (et même certains dialectes). Vous pouvez, par exemple, choisir parmi cinq variations de français et neuf d'anglais.

Choisissez votre langue.

Cliquez sur OK.

6. **Pendant ce temps, dans la boîte de dialogue Propriétés pour Clavier...**

La deuxième langue a été ajoutée à la liste. Portez une attention toute particulière à la zone d'option Bascule entre langues. Cette zone indique quelles touches vous devez utiliser pour basculer entre vos différentes configurations de clavier.

Par exemple, pressez Alt+Maj Gauche en même temps pour basculer d'un clavier à l'autre, ou si vous préférez la combinaison Ctrl+Maj, cliquez alors sur ce bouton radio.

7. **Fermez la boîte de dialogue.**

Cliquez sur le bouton OK.

A ce stade, Windows vous demandera peut-être d'insérer le CD-ROM ou une des disquettes d'installation. Obéissez sagement.

Il est possible également que vous ayez à relancer l'ordinateur.

- Hélas, ces étapes ne font que basculer votre clavier français vers une autre *configuration*. Votre texte n'apparaîtra pas magiquement dans une langue étrangère.

- Si vous utilisez plusieurs langues sur différentes dispositions de clavier, un indicateur composé de deux lettres apparaît à droite de la barre des tâches, spécifiant la langue utilisée.

- Je n'ai aucune idée de l'endroit où Microsoft a bien pu ranger sa liste de configurations de clavier. Elle se trouvait, autrefois, quelque part dans le manuel Windows, mais plus maintenant. Ces configurations permettent de situer l'emplacement de chaque touche. Une curiosité si vous vous informez, une nécessité si vous devez vraiment taper dans une langue étrangère.

## Qu'est-ce que le clavier Dvorak ?

Les premières machines à écrire étaient des engins de la taille d'un piano qui devaient faire face à quelques problèmes mécaniques. Si un ou une dactylo zélée tapait plus de dix mots à la minute, les touches se coinçaient.

Pour ralentir ces personnes, les spécialistes mirent au point un clavier très étrange. Les touches les plus souvent utilisées étaient placées sur les bords extérieurs, obligeant l'utilisateur à étendre ses doigts le plus loin possible. Toute cette gymnastique prenait du temps et ralentissait la frappe. Personne ne pouvait bloquer les touches et les réparateurs étaient contents.

Dans les années 30, le problème mécanique d'autrefois fut résolu, plus besoin de ralentir la frappe. Aussi, un homme du nom de August Dvorak inventa une nouvelle configuration des touches. Les touches les plus utilisées étaient à main droite, les autres réparties à main gauche (Figure 15.3). Finis les écartèlements de main ! Avec le clavier Dvorak, on pouvait taper plus vite que son ombre sans avoir mal aux poignets.

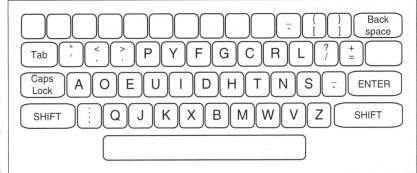

Figure 15.3 :
Présentation
du clavier
Dvorak.

- Non, les premières touches du clavier Dvorak ne sont pas les touches D, V, O, R, A et K.

- Si vous décidez d'apprendre la méthode Dvorak, apprenez également la méthode AZERTY (nom formé des premières lettres de la ligne du haut du clavier) si vous ne voulez pas vous sentir perdu devant le clavier de M. Tout-le-Monde. En France, 99 % des claviers sont des claviers AZERTY, les autres sont des claviers QWERTY (configuration anglo-saxonne).

- Pour essayer un clavier Dvorak, ou toute autre disposition de clavier, ouvrez la boîte de dialogue Propriétés pour Clavier (en vous reportant à la section précédente) et cliquez sur l'option Propriétés. Dans la boîte de dialogue qui apparaît, choisissez la disposition désirée.

# Chapitre 16
# L'imprimante, cette dévoreuse de papier

*"Envoyez ça à l'imprimante"disent-ils, Vous allez voir, c'est pas si facile"*
*Appuyez sur Maj et F7 ici ou "I" par là*
*Clic clac, zip ! la copie sort sans fracas*
*C'est simple et rapide mais pas passionnant*
*Pourtant l'imprimante à l'air sur le flanc*
*Elle éructe de drôles de caractères, un @ et un œ*
*Rien de semblable à ce qu'on vous avait dit*
*Vous vous attendiez à une forte impression ici même*
*Et vous vous retrouvez avec un paquet de problèmes.*

Il y a tant de personnes bien intentionnées qui passent leur temps à rendre les ordinateurs sympathiques et plus faciles à utiliser qu'il n'en reste pratiquement plus pour penser à cet objet rebelle qu'est l'imprimante. Aussi difficile à dompter que Windows et aussi complexe que le matériel de l'ordinateur lui-même, elle est le "parent pauvre", que l'on ignore facilement, mais dont on a du mal à se débarrasser.

Toutefois, la situation n'est plus aussi terrible. Sous DOS, l'imprimante devait être installée pour chaque programme utilisé. Sous Windows, vous ne retrousserez vos manches qu'une seule fois - armé soit de quelques pages de texte, soit d'un gros calibre.

## Bienvenue dans un monde impressionnant

Oublions pour un temps les marques et les détails techniques. Il existe deux grandes catégories d'imprimantes, les _imprimantes à aiguilles_ et les _imprimantes laser_. Leurs différences se situent au niveau de la qualité d'impression et du prix.

Les imprimantes laser sont plus onéreuses mais offrent une qualité supérieure d'impression des textes et des images graphiques.

Les imprimantes à aiguilles ont une qualité d'impression inférieure, mais sont beaucoup moins chères. Elles sont parfaites lorsque ni la qualité ni la rapidité ne comptent (comme pour des utilisations personnelles ou pour les services administratifs).

- Les imprimantes à aiguilles sont également appelées _imprimantes matricielles_, à cause de la matrice formée par les aiguilles pour composer les images.

- L'imprimante laser est très largement utilisée dans toutes les applications professionnelles d'aujourd'hui.

- Il y a d'autres imprimantes spécialisées. La plus populaire est l'imprimante à jet d'encre. Non, ce n'est pas une imprimante pour potache. Bien au contraire, elle produit une qualité proche de la qualité laser, elle est moins rapide, mais plus économique. Certaines peuvent imprimer en couleurs.

- Il existe également des mini-imprimantes pour les portables. Ce sont des imprimantes thermiques ; tout comme les télécopieurs, elles chauffent du papier "ciré". Ces imprimantes ne sont utilisables qu'avec les portables.

L'imprimante produit des tirages, des "sorties papier". Autrement dit, tout ce qui apparaît sur l'écran de votre ordinateur peut éventuellement atterrir sur du papier.

## Seuls les "fêlés" d'informatique liront ces quelques lignes

Les imprimantes pour ordinateur sont comme les voitures aux yeux des adolescents, la vitesse et l'image de marque font l'essentiel. La vitesse décrit le temps mis par une image pour être imprimée. Les imprimantes à aiguilles impriment caractère par caractère, leur vitesse est donc mesurée en caractères par seconde (CPS). Quatre-vingts CPS est une bonne moyenne.

Les imprimantes laser impriment page par page, leur vitesse est calculée en pages par minute (PPM). Une bonne imprimante laser a une vitesse de croisière de 8 PPM.

La qualité d'impression se compare à celle des machines à écrire. Les imprimantes à aiguilles approchent ce que leurs fabricants appellent la *qualité courrier*. La qualité des imprimantes laser est bien supérieure. Elle est mesurée au nombre de points qu'un laser peut imprimer par pouce linéaire. La qualité moyenne des imprimantes laser actuelles est de 300 DPI (Dots per Inch - points par pouce). On peut arriver à une qualité d'impression de 600 DPI avec l'équipement et le porte-monnaie adéquats. On peut aller jusqu'à 1 200 DPI, mais on atteint ici la qualité des photocomposeuses (imprimantes professionnelles).

Aujourd'hui, tout est fait pour produire des documents qui n'ont pas l'air de sortir d'un ordinateur. Vous êtes en droit de vous demander pourquoi vous avez fait tous ces investissements alors que votre vieille machine à écrire faisait, finalement, tout aussi bien l'affaire...

# Qu'est-ce qu'une imprimante compatible ?

Windows peut proclamer haut et fort qu'il accepte des milliers d'imprimantes, il préfère, en secret, travailler avec certaines marques d'imprimantes, que nous appellerons les "Trois Grandes", IBM, Epson et Hewlett-Packard (ou HP). Toutes les autres fonctionnent aussi, bien sûr, mais le taux de complications monte au fur et à mesure que vous vous éloignez des grandes marques.

Une imprimante compatible peut être de n'importe quelle marque ou modèle qui fonctionne avec Windows. Si vous avez une IBM, une Epson ou une HP, tout va très bien. Quant aux autres, tant que vous n'achetez pas de truc étrange dont le nom n'aurait pas une consonance japonaise, vous ne devriez pas avoir de problème.

- Vous pouvez acheter une imprimante d'une marque différente de celle de votre ordinateur. Celle qui convient le mieux à votre ordinateur est celle qui est la plus compatible avec votre *logiciel* (Windows) - et non avec votre *matériel*.

- Toutes les imprimantes, qu'elles soient ou non une des Trois Grandes, se branchent et fonctionnent avec tous les logiciels. Le problème de compatibilité se traduit ici en termes de qualité de tirage. Des impressions sophistiquées ne peuvent s'opérer que s'il y a entente parfaite entre votre logiciel et votre imprimante.

- Même si votre imprimante ne fait pas partie des Trois Grandes, elle peut, malgré tout, être compatible avec une IBM, une Epson ou une HP. Vérifiez sur la notice d'utilisation si le fabricant n'y fait pas mention. Le terme à rechercher est *émulation*, ce qui signifie qu'une imprimante "x" peut se comporter comme une imprimante "y".

- Sur la face avant de l'imprimante, on trouve soit des petits interrupteurs, soit un panneau de contrôle avec des boutons et un afficheur à cristaux liquides (LCD). Ces petites choses sont là pour vous permettre de configurer votre imprimante et lui donner des ordres.

- HP est l'abréviation de Hewlett-Packard. La marque IBM est elle-même une abréviation. Epson, en revanche, n'est pas une abréviation du tout (ni un type de sonnette d'appartement). L'entreprise qui a fondé les imprimantes Epson fabriquait autrefois des petites imprimantes pour calculatrices. Le premier modèle d'imprimantes fut appelé Electrical Printer-1, ou EP-1, le deuxième, EP-2. Vint ensuite le premier modèle d'imprimantes pour ordinateurs, considéré comme le "fils" (ou "son" en anglais) de la série des imprimantes EP, d'où son nom EPson. Amusez vos amis avec cette petite histoire, vous passerez pour un grand connaisseur.

- PostScript est un autre standard de compatibilité d'imprimantes. Si vous êtes intéressé, voyez ce qui suit.

# Que signifie PostScript ?

*PostScript* n'est pas une marque d'imprimante, mais plutôt un type d'imprimante. Quel que soit leur fabricant, les imprimantes PostScript fonctionnent avec toutes les applications supportant l'impression en langage PostScript. Ce langage rend les imprimantes universelles.

- Le langage PostScript est en fait un langage de communication entre l'ordinateur et l'imprimante. Il décrit très précisément les instructions d'impression que doit suivre l'imprimante. C'est pour cette raison que nombre d'imprimantes le supportent et que la plupart des applications peuvent être configurées pour dialoguer avec une imprimante PostScript.

- Toutes les imprimantes Apple (Macintosh) utilisent le langage PostScript (au moins toutes les bonnes).

- Les imprimantes PostScript sont chères.

# Installer l'imprimante (phase matérielle)

C'est la partie la plus facile, il vous suffit de brancher votre imprimante sur la bonne prise. Cette prise, située à l'arrière de votre unité centrale, s'appelle, en général, *port imprimante* ou *LTP1*. Branchez la plus petite des deux prises sur l'unité centrale et l'autre sur l'imprimante.

- Le port imprimante est aussi appelé *port parallèle*.

- Votre PC peut être équipé de plusieurs ports pour imprimantes, auquel cas ils sont désignés par les termes LPT1, LPT2, voire même LPT3.

- Si vous avez plus d'une prise, branchez votre imprimante sur la prise LPT1.

- LPT est un nom inventé par IBM. Il signifie Line PrinTer. Vous êtes content ?

- Un ordinateur est capable de gérer deux imprimantes, mais vous devez avoir un sacré ego pour être aussi possessif.

## Charger le papier

Votre imprimante a besoin de papier comme support d'impression. Le temps des impressions sur de fines couches d'air n'est pas encore arrivé.

Les imprimantes à aiguilles sont alimentées par du papier listing, ou par des feuilles individuelles que vous chargez une à une comme pour une machine à écrire traditionnelle.

Les imprimantes laser possèdent des cassettes de papier semblables à celles des photocopieurs. Les imprimantes à jet d'encre utilisent également des cassettes ou des bacs dans lesquels vous entassez des feuilles de papier qui finissent toujours pas se coincer.

- Assurez-vous d'avoir toujours suffisamment de papier.

- Votre imprimante laser peut être alimentée en papier de qualité supérieure en fonction du tirage que vous souhaitez faire. Toutefois, évitez les papiers exotiques poudrés, talqués, etc., qui encrasseraient votre imprimante.

- Certaines imprimantes couleur demandant du papier spécial pour donner le maximum d'effet aux impressions couleur. Il est très cher ; achetez-le en gros.

- Le papier listing informatique est une feuille continue (avec sur ses côtés une bande perforée) qui serpente dans une imprimante à aiguilles. Ce papier doit être séparé manuellement une fois imprimé. Pour qu'il soit plus présentable, enlevez également les bandes perforées. Ce papier ne passe pas dans une imprimante laser.

## *Charger l'encre*

Les imprimantes à aiguilles ont besoin d'un ruban. Seuls quelques experts se sortent de l'opération sans se tacher.

Les imprimantes laser ont besoin d'une cartouche de toner (aussi appelée *kit toner*), facile à installer quand on suit le mode d'emploi.

Les imprimantes à jet d'encre, quant à elles, utilisent des petites cartouches d'encre, qui bizarrement sont plus faciles à remplacer que n'importe quel autre type de cartouche. Faites simplement attention à ne pas vous mettre de l'encre sur les doigts en manipulant les anciennes cartouches.

- Je vous recommande d'acheter des gants en caoutchouc ou ces petits gants en plastique bon marché qui vous font ressembler à Batman, lorsque vous devez changer un ruban ou une cartouche.

- Même si vous n'êtes pas très concerné par les problèmes écologiques, vous devriez envisager de recycler vos anciennes cartouches de toner. Certaines cartouches sont même accompagnées d'un bon de retour pour encourager le client à les renvoyer au fabricant, après usage, et leur permettre de réintégrer leur écosystème terrestre.

- Les anciennes cartouches d'encre liquide ou de toner peuvent être rechargées. Pour les premières, des petites recharges vous permettent d'injecter de l'encre dans un orifice placé au-dessus de la cartouche (renseignez-vous auprès de votre distributeur). Les cartouches de toner, quant à elles, doivent être rechargées par des professionnels et pas plus d'une fois. Si l'entreprise ne procède pas ainsi, apportez vos anciennes cartouches ailleurs. L'avantage évidemment est qu'une recharge coûte beaucoup moins cher qu'une cartouche.

---

### C'est la dernière fois que vous verrez ces informations sur les imprimantes série (normalement)

Toutes les imprimantes ne peuvent être branchées sur le port imprimante d'un PC. L'exception nous vient des imprimantes série qui, comme vous l'avez deviné, se connectent au port série. Ces imprimantes fonctionnent comme les imprimantes parallèles, mais dans la mesure où elles commencent à se faire vieilles plus personne ne les utilise. Voici donc mes derniers commentaires sur le sujet, pour les deux ou trois rigolos qui utiliseraient encore une imprimante série sous Windows 95.

- Certaines imprimantes possèdent une double interface, parallèle et série. Utilisez de préférence l'interface parallèle à moins que vous n'ayez de sérieuses raisons d'utiliser l'interface série.

- Installer une imprimante série sous Windows est un jeu d'enfant. Procédez comme pour n'importe quelle imprimante et Windows se charge du reste. Normalement.

- Les imprimantes série requièrent des câbles spéciaux, très différents des câbles série standard que vous pouvez utiliser pour relier un modem externe. Lorsque vous en achetez un, assurez-vous qu'il est bien destiné aux imprimantes.

# Installer l'imprimante (phase logicielle)

Windows est peut-être très malin lorsqu'il s'agit d'installer des cartes d'extension compatibles "Plug & Play", mais l'imprimante "Plug & Play" est encore à quelques années-lumière de nos PC. (Au fait, le "Plug & Play" - "branchez et jouez" - est un module d'installation censé détecter et configurer automatiquement les nouveaux arrivants dans un système.)

Branchez votre imprimante au PC (si ce n'est pas déjà fait). Assurez-vous qu'elle est allumée, chargée en papier et prête à imprimer.

Vous êtes maintenant paré pour la phase installation dont voici les étapes :

1. **Ouvrez le Poste de travail.**

   Double-cliquez sur l'icône Poste de travail. Une fenêtre comprenant les unités de lecture de votre PC plus deux dossiers étranges (ou plus) apparaît.

   Un de ces étranges dossiers se nomme Imprimantes.

Imprimantes

2. **Ouvrez le dossier Imprimantes.**

   Double-cliquez sur l'icône Imprimantes. Une autre fenêtre apparaît affichant la liste des imprimantes déjà connectées, des imprimantes de réseau et une icône intitulée Ajout d'imprimante.

Ajout d'imprimante

3. **Ouvrez l'icône Ajout d'imprimante.**

   Double-cliquez sur l'icône Ajout d'imprimante pour l'ouvrir. L'Assistant Ajout d'imprimante apparaît pour vous aider à installer votre matériel.

4. **Cliquez sur le bouton Suivant.**

5. **Sélectionnez la marque et le modèle de votre imprimante.**

   Dans la boîte de dialogue illustrée Figure 16.1, cliquez sur le nom du fabricant de votre imprimante, puis sélectionnez son modèle.

Si votre imprimante ne figure pas dans la liste, vous devrez installer une disquette spéciale qui accompagne (normalement) votre imprimante. Le cas échéant, cliquez sur le bouton Disquette fournie et partez en quête du disque et des fichiers requis à l'aide des techniques de la boîte de dialogue Ouvrir décrites au Chapitre 9.

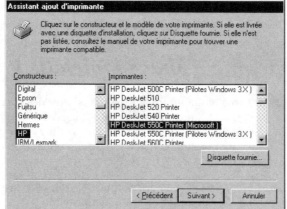

Figure 16.1 : Choisissez la marque et le modèle de votre imprimante dans cette boîte de dialogue.

6.  **Cliquez sur le bouton Suivant.**

7.  **Sélectionnez le port que vous voulez utiliser avec l'imprimante.**

    Ce sera probablement LPT1, votre premier port imprimante.

8.  **Cliquez sur le bouton Suivant.**

9.  **Cliquez (encore) sur le bouton Suivant.**

10. **Cliquez (enfin) sur Terminer.**

    Bien joué !

A la suite de cette installation, vous pourrez imprimer une page test pour vérifier que votre imprimante est bien branchée et que tout fonctionne correctement. A ma grande surprise, cette page ne contenait ni publicité ni bon de commande pour les produits Microsoft.

-   Contrairement au DOS, où vous deviez installer votre imprimante pour chacune de vos applications, Windows ne vous ennuie qu'une seule fois.

-   Les imprimantes de réseau ? Laissez quelqu'un d'autre s'en charger.

# Imprimer (et autres plaisirs à ne pas manquer)

Voici la procédure requise pour allumer votre imprimante :

1. **Appuyez sur l'interrupteur.**

- Pensez toujours à vérifier que votre imprimante est allumée avant de lancer une impression.

- N'allumez votre imprimante qu'au moment de l'impression. Quand l'impression est terminée, éteignez-la (les imprimantes laser sont très gourmandes, elles peuvent avaler jusqu'à 1000 watts/heure d'électricité).

- Les imprimantes Energy Star font exception à la règle. En effet, ces imprimantes se mettent en veille automatiquement lorsqu'elles ne sont pas sollicitées, ce qui vous permet de les laisser allumer tout le temps sans vous soucier d'économie d'énergie.

## En ligne !

Pour fonctionner, votre imprimante doit être allumée et "En ligne" ou "Sélectionnée". Le panneau de contrôle vous renseigne sur l'état de cette fonction (généralement, un voyant s'allume). L'imprimante n'est prête que lorsque ce voyant est allumé.

S'il ne l'est pas (parce que vous avez éjecté une feuille, imprimé une liste de polices ou effectué un test graphique), vous devez appuyer sur le bouton qui lui correspond.

## Imprimer un document

Imprimer sous Windows est une opération extrêmement simple. Il suffit de localiser la commande d'impression, généralement située dans le menu Fichier (Fichier/Imprimer) et, *zip-zip-zip*, vous voilà avec une sortie papier entre les mains. Pratiquement tous les programmes Windows utilisent cette commande pour imprimer. Plus besoin d'apprendre de nouvelles combinaisons de touches, plus de commandes cryptiques, plus d'examens minutieux des notices d'utilisation... La vie est si douce grâce à Bill (entendez Bill Gates, bien sûr).

- Le raccourci clavier de la commande d'impression est généralement Ctrl+P pour tous les programmes Windows 95. Certaines anciennes applications Windows peuvent utiliser d'autres combinaisons.

- Pensez toujours à enregistrer vos données avant de les imprimer. On ne sait jamais.

- De nombreuses applications comportent une icône figurant une imprimante dans leur barre d'outils. Le cas échéant, il suffit de cliquer sur cette petite imprimante pour lancer automatiquement l'impression de votre document actif.

- Il est souhaitable (et le mot est faible) de toujours vérifier ce que vous voulez imprimer à l'écran avant d'ajouter votre contribution à la déforestation planétaire. La plupart des programmes Windows offrent une commande Fichier/Aperçu avant impression, qui vous permet de visualiser votre document à l'écran exactement tel qu'il sera imprimé avant qu'il ne vous soit servi sur quelques tranches d'arbre extra fines.

## Imprimer l'écran

Même si votre clavier comporte une touche marquée "Impr écran", celle-ci ne vous permet pas d'envoyer une copie de votre écran à l'imprimante. Ou du moins, pas directement. Si vous voulez vraiment imprimer votre bureau Windows ou toute autre fenêtre, suivez ces étapes :

1. **Organisez votre écran de sorte qu'il apparaisse exactement comme vous voulez l'imprimer.**

2a. **Si vous voulez une capture de la totalité de l'écran, pressez la touche Impr écran.**

2b. **Si vous voulez uniquement une capture de la fenêtre active de l'écran, pressez Alt+Impr écran.**

3. **Ouvrez le programme Paint.**

   Dans le menu Démarrer, choisissez Programmes/Accessoires/Paint.

   Le programme Paint apparaît à l'écran.

4. **Choisissez Edition/Coller.**

   Cette opération colle l'image dans la fenêtre du programme.

   Si une boîte de dialogue apparaît vous informant que l'image est trop grande, cliquez sur le bouton Oui.

5. **Imprimez l'image.**

   Choisissez Fichier/Imprimer.

   La boîte de dialogue Imprimer apparaît. Cliquez sur OK pour lancer l'impression.

Si l'image est très grande, vous voudrez peut-être tirer profit des qualités de la commande Fichier/Aperçu avant impression. Celle-ci vous montrera l'image finale telle qu'elle apparaîtra à l'impression, ainsi que le nombre de pages nécessaires (si elle est vraiment très grande) pour l'imprimer.

## Les sauts de page

Un *saut de page* décrit la procédure qui consiste à sortir une feuille de papier (ou ce qu'il en reste) hors de l'imprimante dans le but évident de voir ce que vous venez d'imprimer.

Un saut de page s'effectue en deux étapes :

1. **Mettez l'imprimante "Hors ligne" en appuyant sur la touche "En ligne" de l'imprimante.**

   Le voyant correspondant s'éteint (ce qui met l'imprimante en "mode de commande").

2. **Appuyez sur la touche "Saut de page" ou "Avance papier".**

   Ce bouton peut également être signalé par les termes "Form Feed" ou "Eject". Ou vous devrez peut-être sélectionner un de ces termes dans un menu du petit écran à cristaux liquides de l'imprimante.

Sur une imprimante à aiguilles, une page entière sortira. Sur une imprimante laser, elle ronronnera, prendra une feuille de papier, l'imprimera et vous la restituera.

- Lorsque vous avez fini, n'oubliez pas d'appuyer de nouveau sur "En ligne".

- Sur une imprimante laser, faire un saut de page est la seule façon de voir ce que vous venez d'imprimer. Les imprimantes laser n'impriment rien tant que vous ne leur demandez pas d'imprimer une page entière ou d'effectuer un saut de page.

- Un saut de page vous permet également de sortir une page blanche si vous en voulez une.

## Envoyer un fax

Non, cette section n'est pas dans le mauvais chapitre. Si elle se trouve ici, c'est tout simplement parce qu'envoyer un fax et lancer une impression sont deux procédures quasiment identiques. La seule différence réside dans le fait que vous "imprimez" sur un fax/modem branché sur votre PC et que la sortie papier n'apparaîtra pas sur votre imprimante, mais sur la machine fax ou l'imprimante d'une autre personne quelque part de l'autre côté du couloir ou de la planète. C'est un moyen un peu détourné d'imprimer, mais ça marche.

Envoyer un fax sous Windows est différent d'imprimer dans la mesure où vous devez utiliser un programme fax spécial pour procéder. Inutile de préciser que ce n'est pas toujours une partie de plaisir.

Je n'entrerai pas dans les détails de l'opération, essentiellement parce qu'il existe d'autres programmes beaucoup plus simples et efficaces. (Vous en saurez plus là-dessus dans un moment.) Aussi, et d'une manière générale, pour envoyer un fax sous Windows, vous devez respecter ces trois étapes :

1. **Choisissez Programmes/Accessoires/Télécopieur/Composer une nouvelle télécopie.**

   Cette opération déclenche une série de boîtes de dialogue des plus ennuyeuses dans lesquelles vous devez sélectionner ou taper le nom de la personne à qui vous voulez envoyer votre fax et composer la page de couverture.

   Ne croyez pas que le Carnet d'adresses Windows est une invention ingénieuse et pratique. Il est aussi frustrant qu'un formulaire d'impôt.

2. **Attachez un document.**

   Vous devez retrouver sur votre disque le document que vous voulez envoyer. En d'autres termes, vous n'envoyez pas un fax comme ça, "à la volée". Vous devez utiliser un traitement de texte, Word ou WordPad par exemple, pour composer le fax. Ensuite, vous devez l'enregistrer sur disque, le fermer, et enfin l'envoyer. De nombreuses étapes là où il n'en fallait qu'une autrefois !

3. **Envoyez le fax.**

   Abandonnez tout de suite et achetez un programme fax digne de ce nom.

Tout autre programme fax procède comme une simple impression. Le fax/modem est tout simplement considéré comme une autre "imprimante" de votre système. Sous Windows, il suffit donc de choisir la commande Fichier/Imprimer de n'importe quelle application, puis de sélectionner votre fax/modem dans une liste déroulante proposant différentes imprimantes. Ensuite, vous imprimez comme à l'accoutumée.

Au lieu d'envoyer votre document à l'imprimante située à quelques centimètres de votre PC, le logiciel fax/modem prend le relais, vous demande un numéro de téléphone et quelques autres informations ; une fois toutes les cases remplies, vous ne cliquez pas sur un bouton Imprimer, mais sur un bouton Envoyer, et votre document est automatiquement expédié à la bonne adresse via la ligne téléphonique.

Cette "vieille" méthode est *beaucoup* plus simple que le nouveau fax "amé-lioré" de Microsoft.

- De toute évidence, pour envoyer un fax vous avez besoin d'un fax/ modem. L'utilisation de ces petits joujoux est expliquée au Chapitre 17.

- Une fois votre fax envoyé, n'oubliez pas de sélectionner de nouveau votre imprimante habituelle, sinon, vous risquez d'imprimer à l'autre bout de la planète.

# Chapitre 17

# Le modem (ou "comment communiquer avec l'extérieur")

*L*a communication en ligne via un modem est un domaine de l'informatique qui a connu une envolée plus rapide qu'une chaise de jardin attachée à 50 ballons à hydrogène. Personnellement, je suis vraiment épaté. Autrefois, contacter un autre ordinateur via un modem était une opération complexe, sans parler du jargon imposé. Ensuite, lorsque vous parveniez enfin à vous connecter à un autre PC, vous n'aviez au bout de la ligne qu'un accro des réseaux avec qui il était difficile d'avoir des conversations sensées. Tout cela n'était pas vraiment encourageant.

Mais les choses ont bien changé. Aujourd'hui, posséder un modem c'est devenir un membre à part entière de la grande famille des *internautes* (naviga-teurs sur Internet). Sans compter qu'Internet et ses autoroutes de l'information sont devenus une raison suffisante pour acheter un ordinateur. Le jargon est toujours là, et toujours aussi affreusement technique. Et tous les fous de micro et de réseaux que j'ai connus en 1982 sont toujours là également, quelque part sur le Net, à jouer les grands manitous et les cyber gourous. Mais c'est une balade qu'il faut essayer, même si vous n'êtes qu'à peine intéressé. Ce chapitre vous présente donc le nécessaire pour explorateurs en ligne.

- L'utilisation de logiciels de communication est expliquée au Chapitre 21.

- Les modems et communications en ligne peuvent causer de terribles maux de tête. Plutôt que de gâcher cet adorable chapitre avec de telles considérations, j'ai préféré tout reléguer au Chapitre 24, qui offre des remèdes possibles aux ordinateurs à l'agonie.

- Vous devrez également faire face à une montagne de termes spécifiques aux télécommunications. Cette terminologie est soigneusement rangée auprès d'autres termes plus génériques, que vous trouverez dans le Glossaire à la fin du livre.

## Qu'est-ce qu'un modem

Un *modem* fait office de traducteur entre deux ordinateurs. Cet acronyme vient de MOdulateur-DEModulateur, équipement capable d'effectuer l'émission et la réception de données numériques sur lignes téléphoniques ou sur liaisons spécialisées. A l'émission, les signaux numériques émis par un ordinateur sont traduits en sons pouvant être transmis sur une ligne téléphonique. A la réception, un modem récepteur reconvertit ces sons en signaux numériques compréhensibles par l'ordinateur de réception.

Vous contrôlez un modem, et par conséquent lui permettez de dialoguer avec un autre ordinateur, à l'aide d'un logiciel de communication. C'est ce logiciel qui contrôle le modem, contacte les autres ordinateurs, envoie les informations et réalise à peu près tout ce qui est complexe et déroutant.

- Les modems sont fournis avec une prise de téléphone gigogne vous permettant d'utiliser votre ligne téléphonique quand votre ordinateur ne parle pas à ses copains.

- Les modems sont évalués par rapport à leur rapidité - la vitesse à laquelle ils peuvent communiquer entre eux. Si votre ordinateur peut converser avec le modem à des vitesses renversantes, il n'en va pas de même pour le modem qui, lui, est limité (par son prix et sa conception). Vous en saurez plus sur ce problème de vitesse plus loin dans ce chapitre.

## Les différents types de modems

Il existe toutes sortes de modems ; des modems internes et externes, des modèles avec des fonctions et des vitesses différentes, des noms de marques différentes à des prix pouvant aller du super bon marché à l'hypothèque de votre maison (enfin, en exagérant un peu...).

Le type de modem le plus important est le compatible Hayes. Cette compatibilité était autrefois tout aussi primordiale pour un modem que la compatibilité IBM pour un ordinateur. Cela n'a plus guère d'importance aujourd'hui. A l'instar de tous les PC, tous les modems sont désormais compatibles Hayes. Cela signifie simplement qu'ils utilisent et comprennent les mêmes types de commandes que les modems de marque Hayes.

- Faut-il connaître les commandes de modems Hayes ? Non, rassurez-vous. C'est le travail de votre logiciel de communication, puisqu'il doit les utiliser pour contrôler le modem. Les modems qui ne sont pas compatibles Hayes ont tendance à ignorer les logiciels de communication les plus populaires.

- Seuls les modems vraiment très chers ne sont pas toujours compatibles Hayes. Ces modems sont généralement utilisés par des experts qui savent ce qu'ils font et qui peuvent se permettre une telle incompatibilité.

## Modem interne ou modem externe ?

Il existe deux grandes espèces de modems : les internes et les externes.

**Internes :** Ces modems sont logés à l'intérieur de l'unité centrale de votre ordinateur.

**Externes :** Ceux-ci vivent à l'extérieur, dans un boîtier spécial (Figure 17.1).

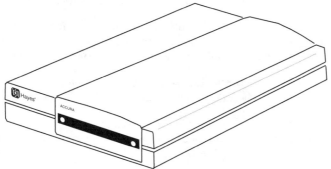

Figure 17.1 : Un modem externe type.

Tous deux fonctionnent exactement de la même manière ; le modem externe a simplement un petit boîtier en plastique pour abriter le mécanisme, auquel s'ajoutent une prise d'alimentation et un câble qui le relie au port série.

- Le modem interne est moins cher que le modem externe. Il est monté sur une carte qui se branche sur une prise d'extension de la carte mère. L'arrière de la carte est visible à l'arrière de votre PC, c'est là que se trouvent les connecteurs téléphoniques.

- Le modem externe est plus cher (il faut bien payer ce petit boîtier en plastique). Vous devrez également acheter un câble de liaison pour le relier au port série de l'unité centrale (comme pour une souris série).

Bien que les modems externes coûtent un peu plus cher et prennent plus de place, ils présentent un certain nombre d'avantages :

- Une rangée de voyants sur leur face avant vous informe de leur état. Par exemple, un voyant s'allume lorsque votre modem entre en liaison avec un autre ordinateur.

- La plupart des haut-parleurs des modems externes sont de meilleure qualité et, de plus, l'intensité du son peut être réglée à l'aide d'un bouton extérieur pratique.

- Ils sont transportables ; vous pouvez, par exemple, les utiliser avec d'autres ordinateurs.

- Enfin, tout le monde peut installer un modem externe : vous devez le sortir de la boîte, déchirer son emballage, le poser sur votre bureau, brancher sa prise d'alimentation au mur, brancher sa prise téléphonique au mur (éventuellement débrancher le téléphone du mur pour le relier au modem), brancher une extrémité du câble du modem au modem et l'autre au PC. Vous avez dit brancher ?

Les modems internes présentent les avantages suivants :

- Ils n'encombrent pas votre bureau et n'utilisent qu'un seul câble - celui qui les relie à la prise murale (et parfois un autre qui les relie au téléphone). Pas besoin de câble d'alimentation ou de câble série.

- Ils sont toujours prêts. Alors qu'il faut se rappeler d'activer un modem externe, un modem interne est toujours prêt à entrer en action.

- Ils sont généralement fournis avec des super-logiciels tels que des programmes de communication, des programmes fax, et parfois même des paquets surprise Internet.

## Limites de vitesse

Certains modems fonctionnent plus vite que d'autres, tout comme les ordinateurs. Mais tous les modems sont à peu près compatibles : les modems plus rapides peuvent toujours parler aux plus lents.

La vitesse des modems se mesure en bits par seconde (nombre de bits pouvant être transmis par la ligne téléphonique en une seconde). J'ai concentré toutes ces futilités dans le Tableau 17.1, où vous pourrez les ignorer plus facilement.

- Quelle est la meilleure vitesse de modem ? Eh bien, la plus rapide, bien sûr ! Aujourd'hui, un modem à 14,4 Kbps est considéré comme un modèle moyen. Un modem à 28,8 Kbps est rapide. J'imagine que d'autres modems plus rapides existent, mais ils sont probablement hors de prix.

- Ne perdez pas votre temps (et c'est le cas de le dire) avec quoi que ce soit en dessous de 9600 bps.

- Certains utilisent le mot *baud* pour décrire la vitesse du modem. C'est faux, ils devraient dire *bps*. Corrigez-les, vous aurez l'air d'un expert.

**Tableau 17.1 : Vitesse de modem.**

| Vitesse | Informations utiles |
|---------|---------------------|
| 300 bps | Pratiquement tous les modems peuvent communiquer à cette allure de tortue (mais, heureusement, c'est rarement le cas). |
| 1 200 bps | Bien que cette vitesse soit quatre fois supérieure à celle d'un 300 bps, elle est considérée comme lente par rapport aux normes d'aujourd'hui. |
| 2 400 bps | De nombreux services en ligne permettent encore des connexions à cette vitesse, mais ils ne sont pas très marrants à ce rythme. |
| 9 600 bps | Le champion d'hier et la seconde vitesse la plus populaire. De nombreux services en ligne autorisent cette vitesse de transmission. |
| 14 400 bps | Le champion d'aujourd'hui. On ne le trouve pas encore partout. C'est toutefois la vitesse minimale si vous voulez vous connecter à Internet. |
| 19 600 bps | Un vieux standard rapide, utilisé par certains serveurs Internet, mais qui n'a jamais réussi à percer. |
| 28 800 bps | Le dernier-né des standards. Un "must" sur Internet, bien que rien d'autre ne le supporte encore. |

## Comment gonfler un modem

Sous Windows, vous pouvez augmenter la vitesse de votre modem 14,4 K ou 28,8 K. Je ne sais pas pourquoi ça marche, mais pour appeler Internet, ces réglages pas très catholiques sont une vraie merveille.

Ouvrez le Panneau de configuration, puis double-cliquez sur l'icône Modems. Choisissez ensuite votre modem et cliquez sur le bouton Propriétés.

Si vous avez un modem 28,8 Kbps, choisissez l'option 57600 dans la liste déroulante Vitesse maximale. Pour un modem 14,4 Kps, choisissez 38400.

Ces vitesses seront utilisées lorsque votre logiciel de communication appellera l'extérieur. Pensez bien à configurer ce logiciel de sorte qu'il utilise la plus grande vitesse.

## *Utiliser un fax/modem*

Une carte fax/modem permet d'envoyer et de recevoir des informations en provenance de télécopieurs et/ou d'autres ordinateurs. Vous indiquez au logiciel quel fichier vous voulez envoyer, ainsi que le numéro de téléphone du télécopieur que vous voulez contacter. Le logiciel convertit votre fichier en données graphiques et les transmet à la carte fax/modem qui appelle un télécopieur et lui envoie le fichier.

Cette carte vous permet également de recevoir des fax. Elle répond au téléphone lorsqu'un télécopieur appelle, reçoit l'image et la stocke sur le disque pour une consultation ou impression ultérieure.

- Reportez-vous au Chapitre 16 pour savoir comment envoyer un fax à partir de votre ordinateur doté d'une carte fax/modem. (Cette section se trouve dans le chapitre concernant les imprimantes, car envoyer un fax et imprimer un document sont deux tâches quasiment identiques pour un ordinateur.

- Les fax sont des images graphiques. Lorsque vous recevez un fax, vous ne pouvez pas le transférer dans votre traitement de texte, à moins que vous ne possédiez un programme de reconnaissance de caractères (OCR).

- Si vous devez recevoir de nombreux fax, il est recommandé d'attribuer à votre fax une ligne spéciale afin qu'il puisse les réceptionner en permanence (ça vous évitera de vous lever à trois heures du matin lorsque le téléphone sonne pour finalement entendre ce bruit grinçant à l'autre bout de la ligne).

# Installer un modem

Utiliser un modem est un jeu d'enfant. Utiliser un logiciel de communication est un "tantinet" plus compliqué.

Installer un modem est si simple qu'une personne de 45 ans pourrait y parvenir. Les sections suivantes vous expliquent comment procéder.

- Pour utiliser un logiciel de communication et composer un numéro avec un modem, voyez le Chapitre 21.

- Si vous voulez vous lancer dans le cybermonde d'Internet, voyez le Chapitre 22.

- La meilleure façon d'utiliser un modem consiste à lui octroyer sa propre ligne. Tous les logements peuvent être équipés d'une deuxième prise téléphonique sans que vous ayez à payer un supplément. Réservez une prise pour votre téléphone et une pour votre modem. Pourquoi ? Parce que...

- Vous ne pouvez pas utiliser votre ligne téléphonique quand votre modem l'utilise. En fait, si quelqu'un tentait de prendre la ligne sur un autre poste, cela enverrait des parasites qui risqueraient de couper la communication, sans parler de ces horribles petits bruits stridents dans son oreille.

---

## Mais, au fait, à quoi sert un modem ?

L'utilisation d'un modem est essentiellement traitée au Chapitre 21. On utilise en fait un modem pour deux raisons principales : pour appeler des services télématiques et pour appeler Internet. Autrefois, appeler un BBS était très populaire. Aujourd'hui, et même si ces systèmes ont un goût local que vous ne trouvez nulle part ailleurs, ils ont été mis au placard par le gargantuesque Internet.

Services télématiques : le procédé est simple, ces services sont équipés d'un ordinateur central relié à une batterie de lignes téléphoniques. Lorsque vous appelez un de ces services, votre modem entre en contact avec le modem de l'ordinateur central qui va afficher un certain nombre d'informations sur votre écran. Un service télématique s'utilise comme n'importe quel autre logiciel, à la différence près que les logiciels *attendent* des informations et que, les services télématiques en *donnent*.

A l'instar des magazines, les services en ligne ne sont pas gratuits. Attendez-vous à payer entre quelques dizaines de francs par mois à une centaine par heure.

Internet : Voyez le Chapitre 22.

> BBS : Abréviation de Bulletin Board Services. On peut les comparer à des services en ligne miniatures. Il s'agit généralement de serveurs créés par des individus ou des associations à partir de leur micro-ordinateur permettant à d'autres utilisateurs connectés de lire, stocker, ou récupérer des informations. En France, les frais de connexion se limitent aux tarifs de France Télécom, auxquels s'ajoute parfois une cotisation annuelle.

## Modems internes

Avec un peu de chance, votre modem était déjà installé dans votre PC lorsque vous l'avez acheté. Dans le cas contraire, laissez quelqu'un d'autre l'installer pour vous. Votre tâche devrait se résumer à : brancher la prise téléphonique du modem au mur.

La Figure 17.2 illustre l'arête extérieure d'un modem interne. La carte (que vous ne pouvez pas voir sur la figure) se glisse dans un emplacement spécifique de la carte mère, laissant sortir par une petite fente de votre UC cette arête contenant deux petites prises téléphoniques. Branchez une extrémité de la ligne téléphonique dans le trou marqué Line, et l'autre dans la prise téléphonique murale.

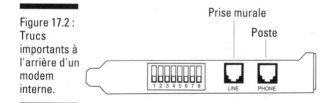

Figure 17.2 :
Trucs
importants à
l'arrière d'un
modem
interne.

Lorsque vous enfoncez un connecteur téléphonique dans une prise, un petit clic devrait vous informer qu'il est bien enclenché.

Peu importe le sens dans lequel vous branchez les câbles ; leurs petits connecteurs sont absolument identiques aux deux extrémités. Si un téléphone est déjà branché, débranchez-le ; ensuite enfoncez son petit connecteur dans le trou marqué Phone à l'arrière de votre modem.

Le Tableau 17.2 offre un résumé express des différents branchements. Des symboles internationaux sont parfois utilisés à la place des termes anglais pour les divers emplacements de la face arrière du modem.

**Tableau 17.2 : Où va quoi.**

| *Emplacement* | *Ce que vous y branchez* |
|---|---|
| Line | Branchez un câble téléphonique dans ce petit trou de votre modem à la prise téléphonique du mur. |
| Line in | Pareil que pour le précédent. |
| Phone | Branchez votre téléphone ici. |
| Line out | Pareil que pour le précédent. |
| DTE | Branchez l'extrémité d'un câble série dans cet emplacement à l'arrière de votre modem et l'autre extrémité dans un port série de votre PC. |
| Power | Branchez le cordon d'alimentation dans cet emplacement pour les modems externes. L'autre extrémité se branche dans la prise murale directement ou via un boîtier multiprise. |

## Modems externes

Contrairement aux modems internes, n'importe qui peut installer un modem externe. Vous n'avez même pas besoin de tournevis. Il y a bien quelques câbles en plus à relier, mais cela n'a rien d'inquiétant. De plus, une fois l'installation terminée, vous n'aurez plus à y revenir.

Quatre branchements sont à effectuer. La Figure 17.3 illustre les différentes prises d'un modem externe (celles de votre modem seront peut-être légèrement différentes).

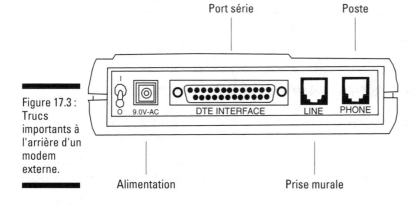

Figure 17.3 : Trucs importants à l'arrière d'un modem externe.

Commencez par brancher une extrémité du câble série à l'arrière de votre PC. Reliez-la au port COM1 ou COM2. Branchez l'autre extrémité à l'arrière du modem. Ces câbles n'ont qu'un seul sens. Vous ne pouvez pas vous tromper.

Ensuite, reliez le modem à la prise téléphonique du mur. Enfoncez une extrémité du câble dans la prise murale, l'autre dans le petit trou marqué Line à l'arrière du modem. Les connecteurs s'enclenchent en émettant un petit clic.

Si un téléphone était relié à la prise murale, branchez-le dans le trou marqué Phone du modem. Sinon, inutile de brancher quoi que ce soit dans cet emplacement.

Assurez-vous que le modem est bien allumé. (L'interrupteur se trouve soit à l'arrière, soit sur le côté.) Reliez le cordon d'alimentation au modem et à la prise secteur ou à un boîtier multiprise.

- Reportez-vous au Tableau 17.2 pour un rapide tour d'horizon des différents branchements.

- Vous remarquerez que le port série à l'arrière de votre PC contient 9 broches, mais que la prise à l'arrière du modem en utilise 25. (Ne vous fatiguez pas à les compter, je l'ai fait pour vous.) Le modem n'a besoin que de 9 petites pointes. Il est doté d'un connecteur à 25 trous par tradition.

- Certains modems utilisent des symboles internationaux (à la place des noms anglais) pour identifier les différents emplacements des connecteurs.

- Ces noms ou symboles se situent parfois au bas du modem plutôt qu'à l'arrière.

- Familiarisez-vous avec l'interrupteur marche/arrêt de votre modem. Localisez également le bouton de réglage du volume qui peut se trouver à l'arrière du modem ou sur un de ses côtés.

- Il n'y a pas de problème à laisser votre modem allumé en permanence. Vous pouvez aussi l'éteindre pour économiser de l'énergie, mais n'oubliez pas de le rallumer chaque fois que vous voulez l'utiliser. Si vous n'y pensez pas, votre logiciel de communication en sera tout retourné.

## *Configurer un modem sous Windows*

Après avoir installé votre modem, vous devez informer Windows de la présence de ce nouveau locataire. Cette tâche n'est pas aussi pénible qu'autrefois, grâce au nouvel Assistant d'installation Windows.

Ce sujet est traité au Chapitre 18. Continuez donc votre lecture pour en savoir plus.

# Chapitre 18

## Les périphériques
## (ou tout ce qui tourne autour...)

*L*es composantes d'un ordinateur n'ont, en elles-mêmes, rien de bien excitant : un moniteur, un boîtier et un clavier. En revanche, les gadgets que l'on peut y adjoindre rendent le tout nettement plus amusant ou plus utile, et certainement plus cher.

Si vous vous y prenez bien, votre PC peut devenir un télécopieur, un juke-box, un jeu d'arcade ou les trois (et en même temps). Ce chapitre jette un regard sur les périphériques les plus populaires qui tournent autour des PC.

- Même si tout ce qui se trouve à l'extérieur de votre unité centrale peut être considéré comme un composant périphérique, ce chapitre ne traite que de ceux qui n'ont pas été abordés dans les autres chapitres.

## Qu'est-ce qu'un périphérique ?

Le terme *périphérique* signifie "qui est en dehors du centre". Pour mémoriser cette appellation, pensez au boulevard périphérique d'une ville. En ce qui concerne les ordinateurs, un périphérique est un équipement accessoire ou auxiliaire que vous pouvez acheter et brancher sur votre ordinateur.

Les périphériques vous permettent d'étendre les capacités de votre ordinateur sans avoir à en acheter un autre. Vous pouvez ajouter ces accessoires vous-même, ou demander à un gourou de la micro d'opérer à votre place.

Il existe une profusion de périphériques prêts à équiper votre ordinateur. Le plus classique est l'*imprimante*, bien qu'elle soit souvent considérée comme partie intégrante de l'ordinateur. On trouve aussi le *modem*, qui sert à communiquer avec d'autres ordinateurs en utilisant les lignes téléphoniques standard, le *scanner*, pour lire du texte ou des images graphiques, le *fax*, un appareil qui permet d'envoyer une photocopie d'un document à un correspondant, et de nombreux autres gadgets sophistiqués et chers.

- Si vous étiez un ordinateur, vos bras et vos jambes seraient considérés comme des périphériques. Toutefois, votre évolution serait limitée puisque vous ne pouvez avoir (en principe) plus de deux bras et deux jambes.

- Tous les périphériques sont des éléments matériels.

- Bien que le terme périphérique désigne tout élément qui se trouve à l'extérieur d'un ordinateur, vous pouvez également ajouter des périphériques internes - à l'intérieur de l'unité centrale. On considère comme périphérique tout ce qui n'est pas livré *en standard* avec l'ordinateur.

### Périphérite : une "maladie" que vous n'attraperez probablement jamais

Beaucoup de propriétaires d'ordinateurs attrapent la *périphérite* ; soit l'envie irrésistible de dépenser de plus en plus d'argent pour son ordinateur et plus spécifiquement pour l'achat de périphériques. Les débutants sont relativement immunisés contre cette maladie, la plupart n'aspirant qu'à utiliser le moins possible cette sacrée machine et à l'éteindre au plus vite (après une ou deux parties de Solitaire). Malgré tout, il est étonnant de voir ce qu'un ordinateur peut faire avec tous ces périphériques (en supposant que l'utilisateur possède un compte suffisamment bien approvisionné pour pouvoir se les offrir).

# Le miracle du "plug & play" (branchez et jouez)

Brancher une carte d'extension semble une tâche relativement simple. Brancher un scanner de bureau est un jeu d'enfant. Et, croyez-le, ça l'est vraiment. Il suffit d'éteindre votre PC, de dévisser çà et là quelques vis, puis de relier l'objet en question. Et le tour est joué !

Malheureusement, si la partie physique ne requiert qu'un peu de matière grise, la partie logicielle est une autre histoire. Vous devez présenter aux autres cartes et au logiciel votre nouvelle carte d'extension, et faire en sorte qu'ils puissent cohabiter.

Afin de soulager l'utilisateur de la procédure d'installation lorsqu'il ajoute des composants matériels, l'industrie informatique a mis au point un tout nouveau concept d'installation automatisée : le *plug and play*. Ce module est censé détecter automatiquement les cartes d'extension, périphériques et autres éléments de votre système, et effectuer les réglages en conséquence.

Si l'on y réfléchit un instant, est-ce que les ordinateurs ne devraient pas se charger de cela de toute façon ?

Enfin, quoi qu'il en soit, le grand jour du *plug and play* est arrivé ! De plus en plus de cartes d'extension et d'options offrent ces possibilités, et Windows 95 offre le *plug and play* en tant que fonction.

Chaque fois que vous ajoutez un composant matériel à Windows, le système le reconnaît dès que vous allumez votre PC. Ce matériel est alors configuré par un assistant approprié qui est en fait un programme d'installation matérielle.

Ajout de
périphérique

Dans certains cas, il faudra peut-être lancer l'assistant vous-même. Par exemple, lorsque vous ajoutez un modem externe, vous devez demander à Windows de le rechercher. Vous devez alors ouvrir le Panneau de configuration via la commande Paramètres/Panneau de configuration du menu Démarrer, puis double-cliquer sur l'icône Ajout de périphérique pour lancer l'assistant approprié. En quelques petites minutes, votre nouveau périphérique est reconnu et installé confortablement auprès de ses nouveaux amis.

Et dire que les ordinateurs existent depuis plus de 40 ans !

- Achetez de préférence des périphériques *plug and play*. La plupart des nouveaux PC sont compatibles *plug and play*, et dans quelques petites années à peu près tous les joujoux que vous pourrez acheter le seront également.

- En fait, le *plug and play* n'est pas une technologie toute récente. Le Mac propose ce module depuis déjà plusieurs années. C'est seulement le PC avec son architecture de type "je colle à l'ancien PC IBM" qui en a fait une telle explosion.

- Selon Microsoft, Windows 95 peut identifier et configurer correctement 90 % des cartes d'extension et périphériques ; 9 % des ajouts sont "devinés", et 1 % ignorés.

- Oui, vous vous retrouverez probablement dans ce dernier 1 %.

- Le *plug and play* n'est pas à l'abri d'imperfections ou d'erreurs. C'est pour cela que nos amis américains y font souvent référence par les termes *plug and pray* (branchez et priez).

# Copier des images et du texte avec un scanner

Si vous travaillez beaucoup avec des images, vous et votre PC serez heureux d'acquérir un scanner. Ce périphérique fonctionne comme un photocopieur. Mais, au lieu de générer une copie papier, il convertit l'original en bits et octets qu'il stocke dans un fichier sur un disque de votre ordinateur.

Les scanners ont deux fonctions essentielles. La première est de transformer des dessins en fichiers numériques pour les inclure dans des documents grâce à des logiciels de PAO (publication assistée par ordinateur). La seconde est de convertir l'image copiée en texte compréhensible par les traitements de texte de votre ordinateur. Un truc absolument fascinant !

Il existe deux types de scanners : le *scanner à main* et le *scanner de bureau*.

Le scanner à main ressemble à un aspirateur de table. Vous déplacez le scanner sur une image pour la faire apparaître sur l'écran. Une fois scannée, l'image peut être utilisée dans n'importe quel document (invitation, fax, bulletin, livres, etc.).

Les gros scanners de bureau (appelés aussi *scanners à plat*) fonctionnent plutôt comme des photocopieurs. On place l'image sur le dessus du scanner, on referme le couvercle et on appuie sur un bouton. L'image apparaît sur l'écran, prête à être sauvegardée sur votre disque.

- Les scanners à main sont plus appropriés aux petites images (logos, signatures, etc.).

- Si votre main ne se déplace pas régulièrement lorsque vous faites glisser le scanner sur l'image, le résultat risque d'être, pour le moins, original.

- Les scanners de bureau (plus coûteux) peuvent importer des images d'une plus grande définition.

- Vous ne trouverez pas de "port scanner" sur votre unité centrale. Les scanners sont tous livrés avec des cartes spéciales. Consultez votre gourou favori pour l'installation qui s'annonce difficile.

Les scanners ne "comprennent" que l'image qu'ils scannent. Ils ont besoin d'un logiciel de reconnaissance de texte (*OCR* ou *Optical Character Recognition*) pour convertir cette image en texte. Il est rare qu'une page soit lue du premier coup, car ce logiciel ne peut lire que certains types de caractères. Il est prudent d'utiliser un correcteur d'orthographe après cette opération.

# *Faites chanter votre PC !*

Bien que les ordinateurs IBM et compatibles aient toujours traité le son avec dédain, certains fabricants ont, quand même, mis sur le marché des cartes sonores (appelées *cartes son*) plus particulièrement conçues pour les joueurs (afin qu'ils puissent entendre soit de la musique, soit les sons étranges de l'espace galactique).

Aujourd'hui, ces cartes sont devenues l'un des ajouts les plus branchés de la planète PC. Nombre d'utilisateurs prétendent qu'ils les achètent à des fins éducatives, ou pour réaliser des présentations professionnelles. Mais tout le monde sait que ce qu'ils veulent vraiment c'est entendre le son d'un club de golf en action dans le célèbre jeu de golf de Microsoft.

- Pour que vous puissiez entendre le swing d'un club de golf, votre carte son doit être capable d'émettre des sons numériques. Un son numérique est un son analysé par un ordinateur, traduit en une suite de nombres stockés sur un disque. Vos disques CD audio, par exemple, contiennent des signaux numériques.

- La plupart des cartes peuvent synthétiser de la musique grâce à un synthétiseur intégré. Elles "jouent" alors à la manière d'un orgue électronique.

- Les cartes son ne sont livrées ni avec les haut-parleurs, ni avec les câbles qui vous permettraient de les relier à votre chaîne stéréo.

- Deux standards dominent ce marché : AdLib, celui des cartes à musique synthétisée, et Sound Blaster, celui des sons numériques. Si vous achetez une carte son, assurez-vous qu'elle est compatible avec l'un de ces deux standards, sinon elle risque de ne pas être reconnue par vos logiciels.

- Même si votre lecteur de CD-ROM est capable de lire les sons numériques, vous aurez probablement aussi besoin d'une carte son. Les données sont stockées sur CD-ROM, mais sont traitées par une carte sonore pour ne pas mobiliser complètement le lecteur.

- Si vous posez des haut-parleurs sur votre bureau, rappelez-vous qu'ils possèdent un fort champ magnétique qui peut détruire vos disquettes.

- Les sons numériques occupent énormément d'espace sur un disque. C'est pourquoi la plupart sont limités à des petits cris, grognements et autres balancements de club de golf.

# Ajouter des sons sous Windows

Si vous avez du temps à perdre, vous pouvez convertir votre ordinateur professionnel "chicos" en un ordinateur professionnel "craignos". Je n'entrerai pas dans les détails, mais si vous voulez vraiment ajouter des sons à votre PC, suivez ces grandes étapes :

1. **Ouvrez le Panneau de configuration.**

   Dans le menu Démarrer, choisissez Paramètres/Panneau de configuration.

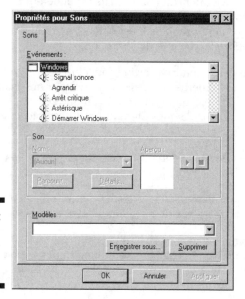

Sons

2. **Ouvrez l'icône Sons.**

   Double-cliquez sur l'icône Sons pour l'ouvrir. La boîte de dialogue Propriétés pour Sons apparaît (Figure 18.1).

Figure 18.1 :
La boîte de dialogue Propriétés pour Sons.

3. **Amusez-vous !**

   La liste Evénements énumère plusieurs opérations majeures qui peuvent avoir lieu sous Windows ou certaines de vos autres applications. Vous pouvez attribuer à chacune de ces opérations un son particulier. Par exemple, l'ouverture d'une fenêtre sous Windows peut être annoncée par le zip d'une fermeture éclair.

   Ah, oui, très amusant.

Les sons disponibles se trouvent dans la zone Son de la boîte de dialogue. Une zone très riche en petites bricoles.

Vous pouvez sélectionner un modèle de son dans la zone Modèles. Ces modèles sont des collections de sons fournis avec Windows ou Windows Plus!

4.  **Cliquez sur le bouton OK pour retourner à des tâches plus sérieuses.**

Vous pouvez créer vos propres sons à l'aide d'un microphone et de votre carte son. Si vous voulez enregistrer des effets sonores d'un CD ou de votre stéréo, utilisez le connecteur de votre carte marqué Line In et non pas Microphone.

# Les manettes de jeu

Les manettes de jeu ne sont pas très respectées dans le monde des ordinateurs. IBM a publié quelques spécifications dans son manuel de référence pour PC XT, et cette antique manette ne possédait qu'un seul bouton. Les fabricants de compatibles durent se grouper pour établir une sorte de standard.

- IBM a été très rusé lorsqu'il a conçu sa première carte d'extension pour manettes de jeu. Il a fait référence à cette carte par le terme *carte analogique-numérique*, puis a marmonné quelque chose à propos d'expérimentations scientifiques. Ouais. En attendant, tous ces gars en blouse blanche étaient très affairés à tuer des aliens.

- Une manette de jeu Atari ou Commodore ne fonctionnera pas sur un compatible IBM. Leurs fabricants utilisent des standards et des prises différents.

- Une manette Apple fonctionnera sur un compatible IBM mais, n'étant pas calibrée de la même manière, elle risque d'avoir quelques hoquets.

- Pour pouvoir brancher une manette de jeu, il faut une prise appelée "port pour jeux" ou "pour manette de jeu". Ces prises sont situées sur des cartes d'extension qui se branchent sur le connecteur d'extension.

- La plupart des cartes son contiennent un port pour jeux intégré si bien que vous n'avez pas à acheter de carte de jeu séparée.

- Certaines cartes d'extension pour manettes de jeu possèdent deux prises, une pour chaque manette. D'autres n'en ont qu'une. Il est possible de brancher deux manettes dans la même prise en utilisant un adaptateur en Y. N'essayez pas d'installer une deuxième carte de jeu sur votre ordinateur, il s'embrouillerait les octets.

- Si vos jeux vous le permettent, n'oubliez pas de calibrer vos manettes avant de jouer ; les manettes sont différentes les unes des autres.

## Les lecteurs de disques optiques

Les lecteurs optiques les plus courants sur PC sont les lecteurs de CD-ROM. Toutefois, il existe d'autres types de supports optiques. Le plus connu est le lecteur *magnéto-optique (MO)*, lequel s'apparente à un lecteur de CD-ROM, mais avec des disques plus petits, tournant plus lentement et sur lesquels il est possible d'enregistrer des informations.

Les lecteurs MO sont disponibles en plusieurs parfums, tout dépend de vos besoins et de votre budget. Les lecteurs *WORM* (*Write Once Read Many*) par exemple, vous permettent d'écrire des informations une seule fois - *Write Once* - et de les lire autant de fois que vous voulez - *Read Many*. Les informations stockées ne peuvent être ni écrasées, ni effacées. Ces lecteurs constituent une solution idéale pour toute personne désirant effectuer des copies d'informations qui ne changent jamais.

Tout en haut de l'échelle se trouvent les lecteurs de CD-ROM inscriptibles. Ces lecteurs permettent à la fois l'écriture et la lecture. Mais, attention, vous ne pouvez les utiliser comme vous utilisez votre disque dur. Les données ne peuvent être copiées qu'en un seul bloc et non pas petit à petit. En outre, ils sont excessivement chers.

- Dans l'idéal, si vous recherchez un lecteur optique inscriptible, que vous pouvez utiliser comme un lecteur de disquettes ou de disque dur, optez pour le lecteur MO, sur lequel vous pourrez lire, écrire et supprimer des informations.

## Les lecteurs de bande (ou Comment sauvegarder vos données)

Si les disquettes ont remplacé les bandes, ces bandes ont encore une utilité : la sauvegarde des données. Une unité de sauvegarde à bande se branche à l'arrière de l'unité centrale (comme le reste) et copie les données du disque dur sur une bande.

Pourquoi ? Pour protéger vos données. S'il arrive n'importe quoi à votre disque dur - quelqu'un lui tire dessus ou le neveu de Fred a effacé tous vos fichiers - vous pouvez restaurer vos données à partir de ces copies de sauvegarde. Une excellente idée, rarement appliquée dans la vie.

- Les unités de sauvegarde à bande sont en option sur tous les PC. Certaines ont besoin d'une carte d'extension, d'autres pas. Ces derniè-res utilisent alors la carte d'extension de votre lecteur de disquettes.

- Certaines unités sont internes, d'autres externes. Les externes sont plus chères, mais présentent l'avantage d'être suffisamment mobiles pour être charriées et utilisées par plusieurs PC.

- La sauvegarde sur bande n'est pas plus rapide que la sauvegarde sur disquette, mais elle prend quand même moins de temps. Si la longueur de la bande est importante, vous n'aurez pas à la changer aussi sou-vent que vous changez de disquette.

- Vous trouverez souvent des unités de sauvegarde à bande sur les réseaux. De cette manière, tous les fichiers d'une société peuvent être sauvegardés par une seule unité.

# Faut-il changer d'ordinateur ou le mettre à jour ?

La plupart des gens ne changent pas de voiture tous les ans. Les téléviseurs, magnétoscopes et réfrigérateurs sont rarement mis au placard avant de tomber en panne. Même les machines à écrire électroniques de bureau ont des durées de vie très longues. Pourquoi vouloir changer un appareil qui fonctionne très bien ?

Le monde des ordinateurs, comme nous le savons, est un monde à part avec des bizarreries du type "mise à jour" (*upgrade*) mensuelle quand ce n'est pas hebdomadaire. Vive la technologie ! Quelque chose de nouveau et de mieux est sorti ! Et vous avez encore 8 000 F de crédit sur votre carte bleue !

## Que faut-il acheter en premier ?

Il est plus facile d'augmenter la puissance de votre vieil ordinateur (*upgrading*) que d'en changer. Mais par quoi commencer ? Différents éléments peuvent être changés ou ajoutés et différentes considérations peuvent vous barrer la route d'une saine décision. Laissez-moi vous aider :

**Mémoire :** Votre première priorité dans ce domaine devrait être la mémoire. Elle coûte cher, mais elle reste le composant le plus abordable. Pratiquement tous vos logiciels seront heureux de disposer d'une plus grande quantité de mémoire.

- Une augmentation de la mémoire peut accélérer ces programmes et leur faire manipuler des données plus importantes. Cela permet aussi à l'ordinateur de manipuler plus d'images et de sons.

- Offrir de la mémoire supplémentaire à un ordinateur est le plus beau cadeau que vous puissiez lui faire.

- Pour en savoir plus sur la mémoire, consultez le Chapitre 12.

**Disque dur :** Achetez un deuxième disque dur. Un plus gros de préférence. La plupart des PC peuvent contenir deux disques durs. Un deuxième disque dur vous permettra de stocker un plus grand nombre de programmes et de données, facilitant ainsi l'utilisation de votre ordinateur et accélérant ses capacités.

- Si vous n'avez plus de place pour accueillir un autre disque dur, vous pouvez toujours remplacer un de vos disques actuels. La procédure est assez complexe car il vous faudra sauvegarder tous les programmes et autres données de l'ancien disque sur disquettes et les recopier sur le nouveau disque. Personnellement, je préfère procéder comme suit :

- Si vous êtes équipé d'un système de disque SCSI, achetez un disque dur externe. Vous pouvez avoir jusqu'à six disques durs avec un système SCSI. Il y a de fortes chances pour que votre lecteur de CD-ROM et peut-être même vos disques durs actuels soient des unités SCSI, aussi l'ajout d'un disque dur externe ne devrait pas vous poser de problème.

**Moniteur :** Achetez un plus grand moniteur. Sur l'écran, les images seront plus nettes, les informations plus nombreuses et les fenêtres ne se chevaucheront plus. Changer de moniteur ne présente aucune difficulté, il suffit d'avoir les reins solides.

- Pour plus d'informations, reportez-vous au Chapitre 13.

## Quand faut-il changer d'ordinateur ?

Au bout de quatre ou cinq ans. A ce moment-là, le coût d'un nouveau système sera moins élevé que la somme de tous les ajouts que vous pourriez effectuer.

Il faut savoir qu'un ordinateur est obsolète pratiquement le jour où vous l'achetez. Dès qu'un ordinateur quitte le stock de son fabricant, les ingénieurs en terminent une nouvelle version plus puissante et moins chère, que vous ne trouverez sur le marché, c'est vrai, que trois mois après votre achat.

Mais, avez-vous réellement besoin d'un nouvel ordinateur plus puissant ? Peut-être pas. Examinez les raisons qui vous ont fait acheter le PC dont vous voulez tant vous débarrasser. Répond-il toujours à vos besoins ? Si oui, résistez à la tentation.

- La rapidité est l'un des facteurs qui poussent les utilisateurs à acheter de nouveaux ordinateurs plus puissants. Mais rapidité ne veut pas toujours dire productivité. Par exemple, lorsque vous travaillez avec un logiciel de traitement de texte, votre préoccupation n'est pas la rapidité de votre ordinateur mais votre rapidité propre à trouver le mot juste. En revanche, dans un environnement graphique utilisant les programmes de dessin, d'animation ou de PAO, c'est un vrai critère de sélection.

- Evitez de vous laisser séduire par ces magazines informatiques qui vous pressent d'acheter le tout dernier PC. N'oubliez pas *qui* sont leurs principaux annonceurs.

# Acheter ou vendre d'occasion

Nos vieux complices, une fois remplacés, atterrissent le plus souvent dans la chambre de nos enfants. Quant à ceux qui n'ont pas d'enfants, ils font fleurir le marché des petites annonces. On y trouve également les "déstockages" des fabricants de matériel. C'est là que vous pouvez trouver *la* bonne affaire, à condition qu'elle corresponde exactement à vos besoins.

- Si vous trouvez *exactement* ce que vous recherchez sur le marché de l'occasion, n'hésitez pas à l'essayer pour vous assurer que ce que vous emportez fonctionne. (Vous saurez, au moins, qu'il a fonctionné une fois.)

- Si vous achetez un matériel d'occasion, vous ne pourrez pas toujours profiter de la documentation, du support technique ou de la garantie. Pensez-y.

- Abandonnez tout espoir de vendre votre PC à plus de 10 % de son prix d'achat. Les nouveaux ordinateurs sont non seulement meilleurs mais moins chers.

- Optez plutôt pour la bonne action. Donnez vos vieux ordinateurs à des oeuvres de charité ou à des écoles.

- La mémoire RAM est un des composants dont la valeur d'origine ne décroît jamais.

# Cinquième partie

# Visite guidée de votre environnement logiciel

*"Ecoute vieux ! Ce programme de protection réagira à trois choses : un mauvais mot de passe, un accès illégal à un fichier ou à toute intention douteuse envers cette machine"*

## Dans cette partie...

Si les logiciels sont si importants, alors pourquoi cette partie du livre vient *après* celle concernant le matériel ? Facile : parce que vous avez besoin de l'un avant de pouvoir utiliser les autres. Les logiciels ont besoin du matériel comme une symphonie a besoin d'un orchestre, une piscine d'eau et une fleur de soleil.

Cette partie du livre aborde l'utilisation d'un PC du côté logiciel. Ces petits et gros programmes sont inévitables. Au cas où vous ne l'auriez pas compris, vous en avez besoin. Votre ordinateur en a besoin. L'environnement tout entier en a besoin ! Autre chose traitée ici : les communications en ligne. Domaine complexe qui nécessite *deux* chapitres à lui seul.

# Chapitre 19
# Le logiciel, cerveau de votre ordinateur

*V*otre ordinateur a besoin de logiciels comme la créature de Frankenstein a besoin d'un éclair. Ils donnent vie à cette énorme bête affreuse qu'est l'ordinateur ! Sans eux, il ne serait rien de plus qu'un ensemble de, euh, *composants*.

Ce chapitre dresse un tableau des tendances et caractéristiques de tous les logiciels disponibles. Après tout, il existe bien plus d'une façon d'éveiller la bête qui sommeille dans cette boîte de métal.

- Le logiciel a besoin du matériel comme le matériel a besoin du logiciel, un peu à la manière du yin et du yang. Mais je vous promets que nous n'entrerons ici dans aucune considération philosophique.

- Au fait, Mary Shelly a écrit *Frankenstein* à l'âge de 19 ans. C'était son premier roman.

# Traitements de texte

Presque tout le monde utilise son ordinateur pour écrire quelque chose. Qu'il s'agisse d'un mot de remerciement à votre tante, d'une lettre à votre inspecteur des impôts ou d'un roman de 500 000 mots racontant les tribulations de deux entomologistes au Paraguay, les ordinateurs font de l'écriture un exercice beaucoup plus simple.

- Dans le domaine de l'informatique, *écriture* est synonyme de *traitement de texte*.

- Les logiciels de traitement de texte, les logiciels de PAO (Publication Assistée par Ordinateur) et les éditeurs de texte sont trois types de logiciels qui vous permettent d'écrire un texte et de l'imprimer à partir d'un ordinateur.

- Les études montrent qu'aujourd'hui environ 70 % des ordinateurs sont utilisés pour le traitement de texte.

- Un logiciel de traitement de texte vous permet d'obtenir une copie presque parfaite de votre œuvre. Vous pouvez en permanence modifier le texte affiché à l'écran, le résultat final sera impeccable (ou presque, cela dépend aussi de vous et de votre ordinateur).

## Editeurs de texte

Les éditeurs de texte sont les plus rustiques des traitements de texte. Ils ne vous permettront probablement pas de définir des marges, et encore moins de formater du texte ou d'utiliser différentes polices. Alors pourquoi s'encombrer d'un éditeur de texte ?

Parce qu'ils sont simples, rapides et suffisamment petits pour se glisser dans une disquette. En outre, nombre d'entre eux sauvegardent leur texte sous forme *ASCII*, format de base que la plupart des programmes et traitements de texte peuvent lire.

- Les éditeurs de texte sauvegardent leurs documents sous forme de fichiers texte ordinaire, sans fioritures, appelé *ASCII*.

- Sous Windows 95, l'éditeur de texte se nomme WordPad. Si vous êtes passé d'une des anciennes versions de Windows à Windows 95, l'ancien éditeur NotePad est également disponible.

- En fait, tout traitement de texte peut être utilisé comme éditeur de texte. Il suffit d'enregistrer votre document au format *ASCII* ou *texte seulement*. Voyez le Chapitre 8 pour en savoir plus sur la sauvegarde de fichiers dans un format particulier.

## Logiciels de traitement de texte

Les logiciels de traitement de texte, ou simplement *traitements de texte*, sont les descendants évolués de la machine à écrire. Les mots ne sont plus directement imprimés sur la feuille, ils sont *informatisés*. Vous pouvez les éditer, les organiser, les formater, vérifier leur orthographe à l'écran, bref vous pouvez les (mal)traiter autant que vous voulez avant de les imprimer.

- Les fichiers sauvegardés par un traitement de texte sont appelés *documents*.

- Certains traitements de texte vous permettent de créer des *lettres types*. Le procédé est simple : vous tapez une lettre, l'enregistrez, puis vous tapez une liste de toutes les personnes censées recevoir ce courrier. Le logiciel mélange ensuite le tout pour produire des lettres personnalisées comprenant les nom et adresse de chaque destinataire. Ce procédé est connu sous le nom de *Fusion et publipostage*.

## Logiciels de PAO (Publication Assistée par Ordinateur)

La génération suivante de logiciels de traitement de texte ne s'est plus contentée de manipuler du texte. Elle a ajouté, à sa panoplie de fonctions, les images, les textes en colonnes, les titres, et toutes sortes d'agréments typographiques. Bientôt, ces traitements de texte professionnels constituèrent leur propre nouvelle catégorie de logiciels : les *logiciels de publication*.

Ce sont ces logiciels qui produisent ces pages supersophistiquées que vous trouvez dans les journaux, magazines et autres prospectus utiles que vous recevez avec vos factures EDF.

Lorsque l'ordinateur est associé à une imprimante de haut de gamme, les logiciels de publication permettent d'effectuer des travaux qui étaient autrefois réservés aux imprimantes professionnelles (photocomposeuses). Ce phénomène est décrit par certains comme étant la démocratisation des programmes de publication.

- Si vous voulez passer pour un branché, dites *logiciel de PAO* et non logiciel de publication.

- Le texte est généralement créé dans un logiciel de traitement de texte puis placé dans un programme de PAO. Ces programmes sont essentiellement utilisés pour marier le plus harmonieusement possible les mots et les images. Les textes et les illustrations sont réalisés au préalable par d'autres programmes.

- Les traitements de texte actuels offrent de nombreuses fonctions de PAO. A moins d'être un professionnel de l'édition, votre traitement de texte saura parfaitement répondre à vos besoins dans ce domaine.

# Tableurs

D'un côté les forts en thème, de l'autre les forts en math. Pour les uns les traitements de texte, pour les autres les *tableurs*.

Un tableur utilise une grande grille formant des "cellules" sur l'écran. Dans ces cellules, vous pouvez taper du texte, des nombres ou des formules. Ce sont ces formules qui font des tableurs des logiciels si puissants : vous pouvez additionner diverses cellules, comparer des valeurs et effectuer des opérations mathématiques extrêmement complexes. Le tout est instantanément mis à jour ; modifiez une valeur et ce changement se répercute aussitôt sur toutes les autres.

- Les fichiers sauvegardés par un tableur sont appelés *feuilles de calcul.*

- La plupart des tableurs peuvent transposer les nombres en graphiques permettant, par exemple, de mieux visualiser la diminution de votre pouvoir d'achat.

- Chaque fois que vous créez une nouvelle feuille de calcul, celle-ci apparaît vierge à l'écran. Certaines feuilles contiennent déjà des informations. Il s'agit de *modèles* prédéfinis et personnalisés qui vous permettent de réaliser des tâches spécifiques.

# Bases de données

Les mots et les nombres sont pris en charge par les logiciels de traitement de texte et les tableurs, les bases de données s'occupent du reste.

Les bases de données ont deux fonctions essentielles : trier des données et créer des rapports. Elles manipulent toutes les formes d'expression (mots, chiffres et autres). Par exemple, pratiquement toutes les bibliothèques utilisent des bases de données pour gérer leurs livres ; elles leur permettent, entre autres, de savoir si un livre a déjà été prêté. Le programme qui les gère a pour nom *SGBD (Système de Gestion de Base de Données)*.

- Les bases de données sont constituées de trois parties essentielles : les *champs*, les *enregistrements* et les *fichiers*. Un champ est une donnée unique (le nom de famille d'une personne, par exemple) ; un enregistrement est une suite de champs (nom, prénom, adresse et numéro de téléphone) ; un fichier rassemble tous les enregistrements sur disque.

- Pour aller d'un champ à l'autre, appuyez sur la touche de tabulation et sur Maj Tab pour revenir en arrière.

- A l'instar des feuilles de calcul, les bases de données peuvent être personnalisées pour répondre à des besoins spécifiques. Plutôt que de bûcher seul de votre côté, utilisez les services d'un programmeur pour créer une base de données parfaitement adaptée à votre domaine d'activité.

- Les programmes de base de données et les tableurs peuvent parfois se substituer l'un l'autre. Préférez un tableur lorsque les champs d'une base de données contiennent principalement des nombres et une base de données lorsque les cellules de votre feuille de calcul contiennent surtout du texte et des titres.

---

### Il existe trois catégories de bases de données

Base de données libre : C'est la base de données dans sa plus simple expression, elle est idéale pour l'organisation de grands fichiers avec de nombreux accès aléatoires. Lorsque vous tapez "oeuf", la base de données vous sort tous les textes contenant le mot "oeuf", qu'il s'agisse d'une recette de cuisine ou d'un traité d'histoire naturelle.

Base de données non relationnelle : Une base de données non relationnelle sera utilisée pour la gestion de données organisées en champs. Un champ peut contenir le nom d'un individu (Thomas), le champ suivant, le type de voiture qu'il conduit (Renault) et le troisième, le nom de son chien. Vous pourrez alors faire des recherches sur toutes les personnes qui s'appellent Thomas et conduisent une Renault. Cette base est plus puissante que la base de données libre mais le succès de vos recherches dépendra de l'organisation initiale.

Base de données relationnelle : La plus puissante des bases de données. Elle recherche des informations dans plusieurs fichiers à la fois, vous pourrez ainsi tout savoir sur les Thomas qui conduisent une Renault, mangent des oeufs le matin et possèdent un portable.

---

# Logiciels graphiques

Comme tous les parents d'enfants en bas âge, vous savez que rien n'est plus facile que de faire des pâtés et des taches partout avec les mêmes instruments qui, d'ordinaire, servent à faire des oeuvres d'art. Avec un PC, les taches restent à l'écran, elles ne coulent pas sur la moquette. De nombreux artistes, en fait, ont déjà troqué leurs pinceaux pour la table graphique de l'ordinateur. La gamme des programmes graphiques disponibles est très variée :

**Programmes graphiques simples de type Paint** : Le programme Paint, livré avec Windows, fait partie des programmes graphiques les plus simples. Vous pouvez l'utiliser pour créer des dessins intéressants et souvent utiles, mais ses possibilités sont limitées et peu variées.

**Programmes de dessin :** Ces programmes considèrent les images comme des objets, si bien que vous pouvez créer un objet rectangle, un objet cercle ou un objet texte. Ces objets peuvent être édités et modifiés, contrairement aux programmes de type Paint dans lesquels vous ne pouvez qu'étaler des pixels à l'écran.

**Programmes graphiques évolués :** Ces programmes offrent une grande variété d'outils de dessin permettant de réaliser toutes sortes d'effets intéressants.

**Programmes de DAO :** Les PC s'accommodent de dessins très détaillés et très techniques. Les programmes de *DAO (Dessin Assisté par Ordinateur)*, par exemple, permettent aux ingénieurs de concevoir des oeuvres comme Beaubourg !

- Nombre d'artistes utilisent des programmes de dessin combinés avec des programmes de PAO pour assembler des pages illustrant leurs oeuvres.

- La plupart des meilleurs programmes dans le domaine de l'image sont conçus pour Macintosh, c'est pourquoi il est l'ordinateur préféré des artistes.

# Multimédia

Le terme *multimédia* décrit tout ce qui produit de jolies images graphiques avec du son. Certaines des applications Windows multimédias les plus récentes font de votre ordinateur un véritable téléviseur en matière d'image et de son. L'industrie informatique y voit un grand avenir ; l'industrie de la télévision, un grand danger.

- Le *multimédia* en informatique couvre essentiellement deux médias : le son et l'image.

- Les applications multimédias requièrent généralement un ordinateur puissant, un moniteur de haute qualité, un disque dur spacieux, une carte son et un lecteur de CD-ROM (voir le Chapitre 7).

- Le multimédia, à quoi ça sert ? Principalement à tirer profit des jeux sophistiqués, mais il permet aussi de créer des programmes de formation intéressants et complets. Certaines sociétés l'utilisent également pour réaliser des présentations professionnelles.

# Utilitaires

Si la plupart des programmes sont faits pour *vous* aider, les utilitaires, eux, sont faits pour aider l'ordinateur. En principe, un utilitaire assiste un ordinateur dans l'accomplissement de certaines tâches domestiques, comme l'organisation du disque dur ou sa réparation. En fait, il s'occupe principalement du disque.

Windows est livré avec trois outils système. Pour y accéder, cliquez avec le bouton droit de la souris sur un disque et choisissez Propriétés. Cliquez ensuite sur l'onglet Outils pour afficher les commandes de ces utilitaires (Figure 19.1).

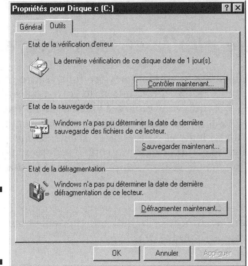

Figure 19.1 :
Les outils
système de
Windows.

- Même si Windows est livré avec quelques outils pratiques, cela ne veut pas dire pour autant que vous devez vous abstenir d'en acheter d'autres. Les utilitaires vendus séparément sont bien plus performants que les outils système proposés par Windows.

- La petite panoplie de Windows ne comporte pas de détecteur de virus. Ces programmes analysent votre disque dur pour détecter et effacer tout virus avant qu'il ne cause des dégâts. Voyez le Chapitre 24.

- Même si Windows est censé être capable de "désinstaller" des programmes, il est préférable d'acheter un logiciel spécialement conçu à cet effet. Ce programme réalisera un bien meilleur travail que Windows, libérant une plus grande quantité d'espace disque au cours de la procédure.

## Progiciels intégrés : les couteaux suisses de l'informatique

Les progiciels intégrés prétendent tout faire. Ils contiennent généralement un traitement de texte, une base de données, un tableur et, parfois même, un logiciel de communication, tous vendus comme un seul produit. Le coût d'un tel lot est ainsi inférieur à la somme des prix de chaque programme.

Un progiciel intégré est idéal lorsque vous démarrez, mais tout à fait inutile si une seule part du gâteau vous intéresse. Par exemple, si vous envisagez d'acheter Microsoft Office uniquement pour faire tourner Excel ou Word, il vaut mieux les acheter séparément. Il n'y a aucun intérêt à encombrer un disque dur de trucs que vous n'utiliserez jamais.

## Logiciels du domaine public et "shareware"

Certains concepteurs de logiciels envoient leurs produits contre remboursement (généralement une toute petite contribution de votre part *si* vous appréciez le programme). Lorsque vous envoyez votre chèque (entre 20 et 200 F), le programmeur vous fait parvenir la dernière version accompagnée d'un manuel. On appelle un tel logiciel "shareware". D'autres, plus philanthropes, abandonnent leurs droits d'auteur et font profiter la communauté informatique de leur talents. Ce logiciel gratuit s'appelle "logiciel en domaine public" ou "freeware".

Pour plus de détails sur ces logiciels, contactez votre gourou préféré ou, si vous vous sentez d'humeur aventureuse, achetez un modem et inscrivez-vous à un service en ligne (voyez le Chapitre 21).

# Chapitre 20

# Apprivoiser vos logiciels

Apprendre à utiliser un ordinateur, c'est se familiariser avec ses logiciels. Vous avez beau appuyer sur la touche Entrée du clavier, cette action n'a de sens que si un logiciel l'interprète et déclenche l'opération adéquate, qu'il s'agisse du lancement de votre traitement de texte ou de celui d'un missile interplanétaire.

Des tonnes d'ouvrages expliquant comment se familiariser avec un logiciel ont déjà été écrits. De plus, il serait stupide de tenter une approche dans ce domaine, armé d'un seul petit chapitre. Aussi, ces quelques pages traitent plus particulièrement de l'aspect "prise en main" : comment acheter un logiciel, l'installer, en prendre connaissance, et le "désinstaller" s'il ne vous convient pas.

## Bien acheter ses logiciels

Les logiciels font partie de l'achat d'un ordinateur. Vous choisissez votre logiciel *d'abord*, le matériel qui va avec *ensuite*. Mais, il y a tellement de logiciels disponibles, comment savoir si l'on a fait le bon choix ?

La meilleure approche consiste à comparer les produits proposés ; mieux encore, à voir ce que les autres utilisent. Qu'est-ce que vos collègues utilisent au bureau ? Qu'est-ce que vos amis calés en informatique adorent utiliser ou recommandent ? Mais, achetez bien ce qui, selon vous, répondra le mieux à vos besoins, et non pas seulement le produit le moins cher et le plus populaire.

- Dans la mesure du possible, essayez avant d'acheter.

- Demandez qu'un vendeur fasse une démonstration du logiciel.

- Votre logiciel doit pouvoir fonctionner correctement sur votre ordinateur. Vérifiez ses exigences matérielles et comparez-les avec ce que vous avez.

## Contenu d'un emballage type

Le coffret dans lequel se trouve votre logiciel est rempli de mille petites choses dont nous vous donnons ci-après une liste exhaustive.

**CD-ROM ou disquettes** : Le CD-ROM constitue la pièce maîtresse du coffret. Si votre ordinateur n'est pas équipé d'un lecteur de CD-ROM, vous aurez opté pour la version disquettes, dont le nombre peut varier entre 2 et 36 000. Ne jetez jamais ces disques, gardez-les précieusement dans leur emballage d'origine !

**Manuel** : La plupart des logiciels sont accompagnés d'un manuel d'utilisation. S'il y a plusieurs documents, cherchez en priorité le manuel (ou chapitre du manuel) intitulé "Pour démarrer..." ou "Installation".

**Carte d'enregistrement :** Elle ressemble à une banale carte postale, générale-ment placée en évidence à l'ouverture du coffret. Remplissez-la soigneusement avec votre nom et votre adresse et répondez aux quelques questions concer-nant votre logiciel. Envoyez-la à la société éditrice qui, après vous avoir enre-gistré sur sa liste de circulation, sera à même de vous prévenir des défauts éventuels ou de vous communiquer toutes les informations sur les nouveaux développements de votre logiciel. L'assistance téléphonique de certaines sociétés ne sera pas accessible si vous ne leur renvoyez pas cette carte.

**Guide résumé** : Le manuel est parfait pour expliquer en détail le fonctionne-ment du logiciel. Le guide résumé, quant à lui, donne les commandes les plus utilisées. Il peut être placé à proximité du clavier pour de rapides coups d'oeil. Les éditeurs de logiciels n'en fournissent pas tous.

**Carte d'installation rapide** : Les utilisateurs de PC sont, par nature, impa-tients. Le travail doit se faire instantanément après avoir, éventuellement, appuyé sur un bouton. Pour installer rapidement votre logiciel sans avoir à dépenser votre énergie à lire un épais manuel d'utilisation, des éditeurs bien-pensants mettent à votre disposition une petite carte contenant la version abrégée de la procédure d'installation du manuel. Tapez ces quelques com-mandes et le tour est joué sans avoir lu une seule page du manuel. Super !

**Contrat de licence** : Ce texte juridique, à peine lisible mais d'une moyenne de 3 346 mots, dit essentiellement quatre choses : 1) Ne donnez pas de copies de ce programme à vos amis, faites-le leur acheter. 2) Si vous perdez accidentellement des données, ce n'est pas de notre faute. 3) Si ce logiciel ne fonctionne pas, ce n'est pas non plus de notre faute. 4) En fait, ce logiciel ne vous appartient même pas. Vous possédez simplement une licence d'utilisation. Nous sommes les dépositaires de ce logiciel. Nous sommes démoniaques. Nous serons bientôt les maîtres du monde.

Quelquefois ces contrats sont écrits sur des étiquettes collées sur une enveloppe qu'il faut déchirer pour pouvoir utiliser les disquettes qui y sont enfermées. Est-ce que cela est une preuve que vous êtes d'accord avec ce qui est écrit ? Là est la question.

**"Lisez-moi"** : Lorsque la société d'édition découvre une erreur dans son manuel fraîchement imprimé, elle ne réimprime pas tous les manuels. Elle note simplement les corrections sur une feuille volante intitulée généralement "Lisez-moi". Agrafez cette feuille à l'intérieur de la couverture de votre manuel par mesure de précaution.

## Quelques mots d'un parano sur l'envoi de cartes d'enregistrement

Vous ne trouverez cela dans aucun manuel informatique : méfiez-vous des cartes d'enregistrement. Je ne suis pas complètement contre, mais je ne pense pas qu'elles soient absolument nécessaires. Vous penserez peut-être que je suis parano, mais je trouve étrange qu'après avoir renvoyé une de ces cartes, ma boîte aux lettres soit régulièrement envahie de prospectus publicitaires sur le produit en question. De plus, et malgré leurs promesses, je n'ai jamais reçu de courrier m'informant de l'arrivée d'une nouvelle version. J'ai enregistré six copies d'un même programme au bureau et je n'ai jamais rien reçu concernant la dernière version. Je suis de plus en plus perplexe.

Toutefois, je vous recommande d'envoyer vos cartes d'enregistrement lorsqu'elles concernent des produits livrés avec un numéro de série unique. Tous les logiciels Adobe (PageMaker, Illustrator, etc.) entrent dans cette catégorie. Tant que vous n'envoyez pas cette carte, vous ne pouvez prétendre à aucune assistance technique ou profiter des ristournes spéciales sur les mises à jour. Pour ces éditeurs et quelques autres qui vous avertissent vraiment lorsque de nouvelles mises à jour sortent, l'envoi de carte d'enregistrement est un must. Pour tous les autres, c'est une invitation au harcèlement postal.

Voici quelques conseils et suggestions :

- Si vous n'enregistrez pas votre logiciel, rangez soigneusement votre carte et numéro de série. Vous en aurez peut-être besoin plus tard.

- Ne donnez jamais à un éditeur de logiciels les noms des autres programmes que vous possédez. Par exemple, si vous venez d'acheter un utilitaire, ne faites pas la liste de vos autres programmes utilitaires sur la carte d'enregistrement. C'est une tactique de marketing. Si vous tombez dans le panneau, vous serez vite bombardé d'offres concurrentielles.

- N'enregistrez jamais votre produit par modem. Tout programme vous enregistrant via un modem peut entrer dans votre ordinateur, trouver tous les logiciels que vous utilisez, et exploiter ces informations. Ce qui se trouve dans votre PC ne regarde que vous. Aucune autre société ne doit y mettre le nez.

- Vous pouvez accepter un enregistrement par fax, mais imprimez d'abord le fax sur votre ordinateur pour pouvoir l'éditer avant de le renvoyer. Utilisez un marqueur pour masquer toutes les informations qui ne regardent personne.

# Installer un logiciel

La première étape de toute procédure d'installation est très simple :

1. **Demandez à quelqu'un d'autre de s'en charger pour vous.**

   Peut-être avez-vous un gourou attitré (voir le Chapitre 23). Peut-être votre entreprise emploie-t-elle un technicien en informatique. Dans le cas contraire, les instructions suivantes devraient vous aider. Les détails de la procédure pourront différer en fonction du logiciel.

   Ou :

1. **Lisez le baratin du "Lisez-moi".**

   Dès l'ouverture de l'emballage, cherchez la feuille intitulée "Lisez-moi" (ou un titre approchant) et tâchez de suivre la première instruction : lisez-la. Si vous n'y comprenez rien, ne la jetez pas, vous la comprendrez peut-être plus tard lorsque vous aurez commencé à utiliser le programme.

2. **Mettez le manuel de côté.**

   Installez-le confortablement au fond de votre armoire.

3. **Introduisez le CD ou la première disquette dans le lecteur.**

   Cherchez la disquette "Installation" ou "Disquette n° 1" et introduisez-la dans le lecteur approprié. (C'est la première d'une longue série.) S'il s'agit d'une disquette 5 pouces 1/4, n'oubliez pas d'abaisser le petit levier.

   Avec un peu de chance, votre logiciel est sur CD.

Si votre logiciel est fourni sur disquettes, placez chacune de ces disquettes dans l'ordre et en pile sur votre bureau pour pouvoir alimenter rapidement votre lecteur, disquette après disquette, sans constamment avoir à chercher le bon numéro.

4. **Lancez le programme d'installation.**

   Lancez le Panneau de configuration ; choisissez Paramètres/Panneau de configuration dans le menu Démarrer.

   Double-cliquez sur l'icône Ajout/Suppression de programmes. La boîte de dialogue Propriétés de Ajout/Suppression de programmes apparaît (Figure 20.1).

Figure 20.1 :
La boîte de dialogue Propriétés pour Ajout/ Suppression de program- mes.

   Cliquez sur le bouton Installer.

   Windows consulte vos lecteurs à la recherche du disque ou de la disquette d'installation, puis lance le programme adéquat.

   C'est tout pour l'icône Ajout/Suppression de programmes. Elle ne fait que chercher et lancer le programme d'installation. Après cela, c'est lui qui prend la main.

5. **Lisez les informations affichées à l'écran ; cliquez sur le bouton Suivant chaque fois que le programme vous le demande.**

   Le programme d'installation commence à afficher ses instructions à l'intérieur de boîtes de dialogue.

   Lisez-les attentivement ; des avertissements très importants s'y glis- sent parfois. Mon ami Jerry s'est contenté de cliquer sur le bouton Suivant sans lire l'écran, si bien qu'il a raté un message l'avertissant qu'une ancienne version du logiciel allait être effacée. Pauvre Jerry, il n'a jamais récupéré son programme.

6. **Faites vos choix.**

Le logiciel vous demandera votre nom et celui de votre entreprise, peut-être même un numéro de série. Entrez toutes ces informations.

Ne prenez pas peur si le programme sait déjà qui vous êtes. Windows a certains dons de clairvoyance.

Lorsque vous devez prendre une décision, l'option déjà sélectionnée (l'option *par défaut*) est généralement la meilleure. Vous ne devez modifier ces choix que si vous savez *vraiment* ce que vous faites.

7. **Les fichiers sont copiés.**

Après ces premières démarches, le programme installera les fichiers des disquettes ou du CD-ROM dans sa nouvelle résidence, sur votre disque dur.

Si vous n'avez pas la chance de posséder un lecteur de CD-ROM, vous devrez donner à votre ordinateur sa ration de disquettes en vous assurant de le faire dans le bon ordre.

8. **Et le tour et joué !**

Le programme d'installation se termine. L'ordinateur se relancera peut-être automatiquement pour que Windows puisse prendre note de ses nouveaux locataires.

Vous pouvez commencer à jouer, heu, travailler, avec votre nouveau programme !

- Ces étapes sont vagues et générales. Avec un peu de chance, votre nouveau logiciel vous fournira des instructions plus détaillées.

- Après avoir installé le logiciel, gardez à portée de la main le guide résumé, il sera plus utile que le manuel.

- Faut-il garder l'ancienne version du logiciel que vous installez ? Peut-être. C'est ce que je fais en tous les cas. Mais, je colle ensuite une petite note sur mon moniteur pour ne pas oublier de la supprimer dans un mois ou deux.

### Pourquoi les manuels informatiques sont-ils si horribles ?

Les manuels informatiques ont une mauvaise réputation. Toutefois, la situation n'est plus tout à fait la même qu'il y a quinze ans. A cette époque, tout le monde était accro de la micro. La plupart des manuels commençaient par: "Basculez ces switches pour entrer vos adresses IPL en hexadécimal." Et, *ça,* c'était censé être convivial.

Pourquoi les manuels informatiques sont-ils si mauvais ? Attendez-vous à un choc : il y a des raisons *légitimes.*

La première est que les manuels informatiques ne sont pas toujours écrits par les bonnes personnes. Le concepteur du logiciel passe tellement de temps à réaliser le produit, que la réalisation du manuel est souvent confiée à quelqu'un d'autre : un chef de produit ou un programmeur peu disposé à l'écrire. En outre, ils sont bien trop familiers avec le produit pour pouvoir écrire un manuel utile, en supposant même qu'ils essaient.

Un autre problème provient du fait que les manuels doivent être terminés avant la réalisation des logiciels correspondants. L'impression de 10 000 manuels est un procédé bien plus long que la copie de 10 000 disquettes. Par conséquent, les manuels sont souvent incorrects ou vagues.

La taille est aussi un problème. La plupart des manuels ne sont pas très épais car leur poids viendrait alourdir les frais d'envoi. Certaines sociétés ne s'encombrent même pas d'un manuel et copient toutes leurs instructions sur disque, dans un fichier de type "lisez-moi" ou "aide".

Les auteurs de manuels informatiques sont payés à l'heure. Personne, dans une telle situation, ne mettrait tout ce cœur à réaliser le meilleur travail possible. C'est pourquoi les livres informatiques sont souvent mieux écrits que les manuels ; l'auteur cherche à faire de l'argent en écrivant un livre à succès. Les rédacteurs des sociétés informatiques lèvent leur nez et regardent l'horloge.

## *Désinstaller un logiciel*

Pour effacer la totalité d'un programme correctement, vous devez utiliser un programme de désinstallation. Il ne s'agit pas vraiment d'une fonction de Windows, bien que Windows facilite cette tâche. Apparemment, le programme que vous voulez supprimer doit être doté de sa propre fonction pour que celle de Windows puisse fonctionner.

N'essayez pas d'effacer un logiciel vous-même en le supprimant de votre disque dur. Seuls les fichiers (ou les raccourcis) que vous avez créés peuvent être supprimés ainsi.

Pour désinstaller un programme, vous devez procéder comme pour l'installation : ouvrez l'icône Ajout/Suppression de programmes dans le Panneau de configuration. La boîte de dialogue illustrée Figure 20.1 apparaît.

La liste des programmes recensés par Windows, et qu'il est capable de supprimer, apparaît au bas de la boîte de dialogue. Pour le sélectionner, cliquez sur le programme que vous voulez supprimer, puis sur le bouton Ajouter/Supprimer.

Une boîte de dialogue vous avertit que vous êtes sur le point de détruire votre programme. Cliquez sur Oui pour le zapper à tout jamais.

- Est-il nécessaire de préciser que vous devez avancer très prudemment ici ?

- Il existe d'autres programmes de désinstallation qui font généralement un meilleur travail que Windows. Vous aurez peut-être remarqué que certaines de vos applications n'apparaissent pas dans la boîte de dialogue Propriétés de Ajout/Suppression de programmes. Ces programmes de désinstallation sont capables de les pister et d'éliminer en toute sécurité ces fichiers fripons sans oublier chacune de leurs petites miettes répandues sur votre disque dur.

- Vous voyez Windows 95 dans la liste ? Eh oui, vous pouvez vous en débarrasser aussi, mais je ne le ferais pas à votre place.

- L'option intitulée Anciens fichiers système MS-DOS et Windows 3.x (ou quelque chose d'approchant) apparaît si vous avez installé Windows 95 à partir d'une ancienne version de DOS ou Windows. Vous pouvez supprimer ces fichiers pour libérer quelques méga octets sur votre disque dur.

- Le bouton Ajouter/Supprimer permet également d'ajouter des composants individuels à vos programmes. Par exemple, vous pouvez cliquer sur Microsoft Office, puis sur ce bouton pour ajouter un accessoire, un programme ou tout composant que vous n'auriez pas retenu lors de l'installation initiale.

- Pour ajouter des éléments manquants de Windows, cliquez sur l'onglet Installation de Windows de la boîte de dialogue Propriétés de Ajout/ Suppression de programmes.

## Mettre à jour un logiciel

Par définition, un logiciel n'est jamais fini. On peut toujours l'améliorer (corriger certaines erreurs ou *bugs*) et lui apporter des fonctionnalités supplémentaires. D'où ces nouvelles versions bisannuelles (appelées *mises à jour*).

Mon conseil : achetez une mise à jour uniquement si vous avez désespérément besoin de ses nouvelles fonctions. Dans le cas contraire, si votre version actuelle est toujours satisfaisante, inutile de la changer.

- Evaluez chaque mise à jour. Utiliserez-vous les nouvelles fonctionnalités, avez-vous besoin d'un traitement de texte qui imprime les titres à la verticale et des graphiques qui comptent le nombre de mots ? Avez-vous réellement besoin de cette version réseau si vous êtes le seul à l'utiliser ?

- Autre chose à prendre en compte : si vous utilisez encore Bidule 4.2 alors que tout le monde travaille sur Bidule 6.1, vous aurez quelques difficultés à échanger vos documents. Après un certain temps, les nouvelles versions d'un programme deviennent incompatibles avec les anciennes.

- Tous les employés d'un même service devraient utiliser la même version de logiciel, non pas la *dernière*, mais simplement la *même*.

## Que faut-il penser des mises à jour de Windows ?

A l'image de tous les autres logiciels de votre ordinateur, Windows fait régulièrement l'objet de mises à jour. Elles sont moins fréquentes, mais lorsqu'elles se produisent, c'est un changement radical. Pourquoi ? Parce que tous les autres programmes de votre PC dépendent de Windows. Par conséquent, mettre à jour Windows est une décision qui doit être mûrement réfléchie.

La plupart du temps, une nouvelle version de Windows est créée pour proposer de nouvelles fonctionnalités. Avez-vous réellement besoin de ces nouvelles fonctions ? Dans le cas contraire, conservez votre version actuelle.

Si vous choisissez de mettre à jour Windows, vos anciens programmes risquent de ne plus fonctionner correctement. Aucune de mes applications Adobe ne fonctionnait lorsque j'ai installé Windows 95 au moment de sa sortie. J'ai dû attendre des mois et acheter de nombreuses mises à jour avant que tout redevienne normal.

En outre, au bout de quelque temps, des logiciels spécialement conçus pour fonctionner sur cette toute nouvelle version de Windows commencent à sortir. Ces logiciels sont généralement beaucoup mieux que vos programmes actuels, ce qui signifie que vous devrez encore modifier votre configuration si vous voulez en profiter.

Alors que faire ? Attendez au moins six mois avant d'agir. C'est le temps qu'il faut à Windows pour mater tous les bugs, et aux grands éditeurs pour sortir des mises à jour parfaitement adaptées. Attendez même un an si vous pouvez. Votre ancienne version fonctionnera toujours. Bill Gates lui-même a (ou avait) l'habitude de dire : "Un logiciel n'est jamais obsolète." Je me permettrai d'ajouter : tant que vous l'utilisez.

# Quelques conseils entre amis

La maîtrise d'un logiciel passe souvent par la connaissance de ses petites bizarreries et facéties. Mais il faut du temps pour cela. Aussi, mon premier conseil pour bien vous familiariser avec un logiciel est le suivant : passez le plus de temps possible avec lui.

Malheureusement, notre vie trépidante ne nous le permet pas toujours. Le plus souvent, votre patron vous demandera d'installer ce tout nouveau logiciel et de l'utiliser aussitôt pour créer quelque chose de sublime avant la fin de la journée. Dans la réalité, c'est absolument impossible (même pour un "expert").

Nombre de logiciels sont livrés avec un manuel ou logiciel d'apprentissage contenant une série de leçons présentant les fonctions de base du produit et expliquant comment les utiliser. Je vous recommande vivement de suivre ce guide d'apprentissage, surtout dans sa version "didacticiel".

Certains didacticiels (programmes d'apprentissage) sont malheureusement mal conçus. N'hésitez pas à en supprimer un s'il vous ennuie ou s'il vous embrouille davantage. Vous pouvez également suivre des formations, mais ces cours peuvent être tout aussi rébarbatifs. Toutefois, il faut parfois savoir faire preuve de patience, on comprend souvent mieux un programme après quelques leçons.

Après avoir suivi une formation ou lancé le didacticiel, amusez-vous avec votre logiciel. Essayez d'imprimer. Ensuite quittez le programme. Ce sont les opérations de base les plus fréquentes. Apprenez à utiliser les fonctions de base de votre programme ; après quoi, et avec un peu de pratique, vous pourrez élargir vos connaissances et maîtriser le produit.

- Certaines entreprises proposent des stages de formation en interne, dans lesquels vous apprenez les rudiments du programme de la maison. Prenez beaucoup de notes. Faites-vous un petit cahier des différentes étapes à suivre pour toutes les opérations que l'on vous aura expliquées. Si quelqu'un vous montre une procédure, notez-la. N'essayez pas de la retenir par cœur, notez-la simplement de sorte que vous pourrez vous débrouiller seul si cette situation se reproduit.

- Ne jetez jamais votre manuel. En fait, je vous recommande de le sortir du fond de votre armoire après quelques semaines d'utilisation du programme. Après quoi, il commencera à vous paraître intelligible (quant à son côté "barbant", il ne faut pas rêver...).

- Les livres informatiques sont aussi un bon moyen pour apprendre à utiliser un programme. Il en existe deux sortes : les livres didactiques et les livres de référence. Les premiers sont parfaits pour tout apprendre à partir du début. Les seconds conviendront mieux si vous savez ce que vous voulez faire mais ne savez plus *comment* le faire.

- Ce livre est une référence. Tous les livres ... *Pour les Nuls* sont des références !

# Chapitre 21
# Communiquer en ligne

L orsque le reporter demanda au vieil ermite pourquoi il n'avait pas de téléphone, ce dernier lui répondit : "Pourquoi voudrais-je une clochette dans ma maison que tout le monde pourrait sonner ?" Eh bien, lorsque vous avez un modem, vous pouvez utiliser votre ordinateur pour sonner dans toutes les maisons du monde. Bien sûr, c'est plus facile si la sonnette est reliée à un autre ordinateur capable de répondre au téléphone et de parler aimablement avec votre PC. C'est là toute l'essence des communications en ligne.

Ce chapitre explique à grands traits comment utiliser un modem. Vous composez un numéro, vous faites quelque chose et vous raccrochez. La procédure est toujours la même, mais avec beaucoup plus de détails compliqués et d'affreux termes énigmatiques.

- Ce chapitre traite de l'utilisation d'un modem pour appeler un BBS ou un service en ligne. Il n'explique pas comment utiliser Internet. Voyez le Chapitre 22 pour des informations à ce sujet.

## Qu'est-ce qu'un logiciel de communication ?

Un logiciel de communication est un programme qui contrôle la connexion entre votre ordinateur et un système informatique éloigné quelconque, un service en ligne par exemple (tel que AOL, WorldNet, etc.), ou un BBS local (comme les autres services, mais gratuit et mis au point par des petits jeunes passionnés du fond de leur garage).

Les logiciels de communication s'occupent de tout, c'est probablement la raison pour laquelle ils sont aussi compliqués. Ils gèrent, pour l'essentiel, ces différents éléments :

- Le port série de votre ordinateur.

- Le modem.

- La procédure d'appel.

- La procédure de communication.

- Toutes les opérations spécifiques au cours de la session de communication.

- Une étrange terminologie.

La bonne nouvelle, c'est que dès que les paramètres ont été spécifiés, l'utilisation d'un logiciel de communication est un jeu d'enfant. La mauvaise, c'est que la plupart des opérations en ligne n'ont pas changé en vingt ans. Lorsque vous utiliserez un système éloigné, il y a fort à parier que vous vous trouverez en présence d'une interface en mode texte. Pas d'image graphique ! Pas de souris !

Et ne croyez pas que l'aspect "terminologie extra-terrestre" ne soit qu'un détail. Dans le domaine de la communication en ligne règne un affreux jargon malheureusement incontournable. Tout y est décrit d'une manière ésotérique. Les utilisateurs patentés de ces étranges voies ont tendance à adopter un ton condescendant lorsqu'il s'agit d'aider un débutant, ce qui peut être très intimidant. Mais que cela ne vous arrête surtout pas. Au début, tout le monde est confronté aux mêmes difficultés.

- Certains services en ligne sont tatillons et exigent que vous utilisiez leur propre logiciel, auquel cas vous ne pourrez utiliser HyperTerminal, le programme fourni avec Windows ou tout autre logiciel de communication.

- Un logiciel de communication vous permet d'appeler un autre ordinateur. Le modem de cet ordinateur répond au téléphone, parle à votre modem, puis les deux ordinateurs peuvent alors commencer à s'échanger des informations. Pendant toute la durée de la connexion, vous exécutez en fait un programme sur cet autre ordinateur. C'est l'aspect étonnant de ce mode de communication qui fait que des personnes restent assises sur leur chaise pendant des heures sans bouger.

# Appeler un autre ordinateur via un modem

Pour utiliser votre modem, vous avez besoin de deux choses :

- **Un logiciel de communication.**

- **Le numéro de l'ordinateur que vous voulez appeler.**

Un logiciel de communication est un programme spécial pilotant votre modem. Windows 95 a son propre programme de communication, HyperTerminal. Mais vous pouvez préférer utiliser le programme fourni (gratuitement) avec votre modem, ou celui déjà installé sur votre PC, ou encore celui qui traîne quelque part sur votre bureau. Vous pouvez aussi vous procurer un de ces logiciels séparément dans les magasins spécialisés.

Vous avez également besoin d'un numéro de téléphone. Votre modem utilise le téléphone exactement comme vous. Vous ne pouvez contacter quelqu'un si vous ignorez son numéro.

Le meilleur endroit pour trouver des numéros de téléphone d'ordinateurs est le magasin où vous avez acheté votre PC ou votre modem. Mais vous pourrez également en trouver dans les magazines informatiques.

- Windows est fourni avec un programme de communication décent appelé HyperTerminal.

- Certaines informations techniques concernant le modem de l'ordinateur éloigné sont souvent incluses avec le numéro de téléphone. Ces informations ne sont pas requises par HyperTerminal, mais peuvent être demandées par d'autres logiciels de communication. Il s'agit en fait de détails sur la vitesse de transmission de l'ordinateur et sur son format de données, ce qui veut dire encore plus de tracasseries techniques ! Le programme HyperTerminal de Windows a la délicatesse de ne pas vous ennuyer avec de telles trivialités.

## Lancer HyperTerminal

Windows est livré avec un programme de communication acceptable, appelé HyperTerminal. Conformément à la tradition originale des programmes de communication, HyperTerminal fonctionne comme aucun autre programme Windows. La démonstration suivante en preuvefait :

1. **Dans le menu Démarrer, choisissez Programmes/Accessoires/HyperTerminal.**

Vous remarquerez qu'en regard de l'option HyperTerminal figure une petite icône de *dossier* et non de programme. Lorsque vous choisissez cette option, une fenêtre ressemblant à celle de la Figure 21.1 apparaît.

Figure 21.1 : Le dossier HyperTerminal de Windows.

Le programme HyperTerminal est l'icône intitulée Hypertrm ou Hypertrm.exe.

Les autres icônes du dossier HyperTerminal sont des *fichiers de session*.

2. **Pour exécuter un fichier de session, ouvrez son icône.**

Les icônes qui apparaissent dans le dossier HyperTerminal représentent d'autres modems et ordinateurs que vous pouvez contacter. Elles ont été configurées de sorte que pour appeler un système éloigné vous n'ayez plus qu'à ouvrir l'icône appropriée. Cette opération lance aussitôt HyperTerminal qui suit alors les instructions du fichier pour appeler l'ordinateur demandé.

Par exemple, dans la Figure 21.1, vous pourriez cliquer sur l'icône WorldNet pour composer automatiquement son numéro.

Si l'icône du système que vous voulez contacter n'apparaît pas, vous devez la créer. Suivez pour cela les explications de la section suivante.

Si cette icône est présente, ouvrez-la. Le modem compose alors le numéro demandé. Si tout va bien, les deux modems commencent à communiquer ; vous êtes rapidement connecté et "en ligne". Dans ce cas, inutile de lire la section "Décliner votre identité".

3. **Vous êtes en ligne !**

L'éventail de vos possibilités une fois en ligne est vaste. Le reste de ce chapitre vous en donne quelques exemples.

4. **Dites "au revoir".**

Reportez-vous à la dernière section de ce chapitre pour tirer votre révérence suivant les règles.

## *Créer une nouvelle session de fichier avec HyperTerminal*

Pour pouvoir contacter un ordinateur éloigné, votre logiciel de communication doit donner à votre modem toutes les informations nécessaires concernant cet autre ordinateur. Et ce, pour chaque ordinateur que vous appelez. Par chance, cela ne doit être fait qu'une seule fois.

Sous HyperTerminal, vous placez toutes les informations requises dans un fichier spécial appelé *fichier de session*. Vous devez connaître deux ou trois choses sur cet autre ordinateur que vous voulez appeler :

- Le nom du système.

- Le numéro de téléphone du système.

D'autres informations techniques seront peut-être requises par d'autres logiciels de communication. Il n'en est rien avec HyperTerminal.

Hypertrm

Dans la fenêtre du dossier HyperTerminal, double-cliquez sur l'icône HyperTerminal. Cette opération affiche la boîte de dialogue Description de la connexion (Figure 21.2) dans la fenêtre Nouvelle connexion du programme. Il est temps de répondre à quelques questions.

Figure 21.2 : La boîte de dialogue Description de la connexion.

Vous devez commencer par attribuer un nom et une icône à la session que vous voulez créer. Drôle de pratique, mais il faut en passer par là.

Dans la zone de texte Nom, tapez un nom qui vous permettra de reconnaître le système que vous appelez. Essayez tout simplement le nom du système.

Appuyez sur la touche de tabulation.

Choisissez une icône. Faites glisser le curseur de défilement sur la droite et cliquez sur l'icône sélectionnée.

Cliquez sur le bouton OK. La boîte de dialogue Numéro de téléphone apparaît (Figure 21.3).

Figure 21.3 : La boîte de dialogue Numéro de téléphone.

Trois champs de la boîte de dialogue Numéro de téléphone sont déjà remplis pour vous. Windows connaît déjà votre pays, l'indicatif et le type de modem installé. Ces informations lui ont été données lors de l'installation du modem (par vous, votre gourou préféré ou à l'usine même).

Il ne vous reste plus qu'à entrer le numéro de téléphone.

Cliquez sur le bouton OK. La boîte de dialogue Connexion apparaît.

Si vous utilisez un modem externe, assurez-vous qu'il est allumé. Les petits voyants sur la face avant de l'appareil devraient être éclairés, et le modem avoir l'air en vie et content.

Cliquez sur le bouton Composer un n°.

Dépêchez-vous de lire la section suivante pour découvrir la suite des événements.

- Les modems fonctionnent exactement comme les téléphones : Ils composent un numéro. Un autre modem répond, après quoi tous deux commencent à échanger des politesses, et la connexion est établie.

- Les appels téléphoniques via un modem sont soumis aux tarifs en vigueur. Autrement dit, vous ne payez pas plus cher si vous utilisez un modem.

- Lorsque vous utilisez votre modem, personne d'autre ne peut vous appeler. Je sais que cela à l'air stupide, mais certaines personnes ne comprennent pas qu'elles utilisent un téléphone si elles n'ont pas un combiné collé à l'oreille. Par ailleurs, si vous décrochez le téléphone alors qu'un modem est en cours de communication, vous entendrez l'horrible voix stridente d'un modem en action. Si vous parlez, d'étranges caractères apparaîtront à l'écran et/ou la connexion s'interrompra. (C'est, le plus souvent, d'autres personnes que vous qui décrocheront le téléphone.) Pour ces raisons, je vous recommande d'attribuer à votre modem sa propre ligne.

## *Que se passe-t-il après la connexion ?*

Votre modem compose le numéro. Et soudain... vous vivez l'une des cinq expériences suivantes :

La première, et la moins excitante : la ligne est occupée. Les modems sont plus souvent occupés que nos téléphones. Tentez votre chance un peu plus tard.

La deuxième : il n'y a pas de réponse. Rappelez aussitôt. L'ordinateur est allé faire un tour. (Certains systèmes ne répondent au téléphone qu'à des heures précises.)

La troisième, qui n'est pas aussi terrible qu'elle en a l'air : une suite de caractères cryptés apparaît à l'écran. Le cas échéant, attendez. Votre programme de communication raccrochera peut-être ou vous verrez après quelques instants du texte intelligible. Vous pouvez essayer de nouveau plus tard. (Les modems sont parfois caractériels.)

La quatrième, et la plus effrayante : un être humain vous répond. Si cela vous arrive, soyez gentil, ne rappelez pas. Les magazines informatiques et autres sources de numéros de téléphone de modems font parfois des erreurs. N'ennuyez pas cette pauvre Mme Planchon en recomposant son numéro toutes les 30 secondes de minuit à 2 heures ; elle déteste probablement encore plus que vous les ordinateurs.

La cinquième et dernière situation est la plus intéressante : l'ordinateur distant répond, et c'est exactement ce que vous recherchiez au départ. Passez alors à la section suivante.

- Parfois, l'autre système ne répond pas illico. Le cas échéant, pressez la touche Entrée pour le "réveiller".

- Suite de caractères cryptés :

```
} }4} " }&} } } } }%}&cJ}-}'} ( }"%} > ~~
```

Des caractères cryptés répétés ou de brèves apparitions de caractères étranges au milieu d'un texte normal sont les signes d'une mauvaise connexion et devraient vous inciter à rappeler.

## Décliner votre identité

Lorsque le modem que vous appelez répond, il réveille son ordinateur qui lance alors un logiciel spécial, logiciel que vous allez utiliser à distance. Mais tout commence par un *login*. Traduisez en langage "anglo-informatique" : une procédure d'entrée en communication, dans laquelle vous devez décliner votre identité.

Il faudra alors taper votre nom d'utilisateur, généralement vos nom et prénom, à une invite de type Nom et Prénom ou "Login".

Si vous appelez le système pour la première fois, celui-ci affichera peut-être des informations vous indiquant comment vous pouvez devenir un membre du service et obtenir votre propre compte.

Après avoir entré votre login, vous devez taper un mot de passe garantissant que vous êtes bien celui que vous prétendez être. Une fois ces informations entrées et vérifiées, vous pouvez continuer à utiliser le système.

- Que se passe-t-il ensuite ? Eh bien, vous êtes en ligne. Vous êtes dans le cyberespace ! Reportez-vous à la section "Transférer des fichiers (et autres amusements en ligne)" pour savoir ce que vous pouvez y faire.

- Lorsque vous avez terminé, vous devez sortir du système selon l'usage, opération expliquée à la fin de ce chapitre.

- Tous les systèmes n'ouvrent pas leurs portes de la même façon. Certains exigent d'abord que vous pressiez la touche Entrée. d'autres vous demandent un *login* ou un *user name* ou encore un *nom d'utilisateur*. Tout dépend des règles en vigueur et de la langue utilisée par le programme.

- Autrefois, pour vous connecter à CompuServe, vous deviez d'abord presser les touches Ctrl+C et ensuite taper votre nom et votre mot de passe. Mais, ne vous inquiétez pas, qu'elle soit particulière ou non, simple ou compliquée, vous êtes toujours informé de la procédure à suivre.

- Lisez l'écran ! Il vous dit généralement ce que vous devez faire.

## Quitter HyperTerminal

Cette étape devrait être hyperfacile. Mais elle ne l'est pas complètement. Pour quitter HyperTerminal (après avoir dit "au revoir" et raccroché), vous devez choisir Fichier/Quitter. Pas de problème.

Mais ce n'est pas fini ! Le dossier HyperTerminal est toujours ouvert sur le bureau. Pour procéder vraiment comme il se doit, vous devez fermer ce dossier en cliquant sur son bouton de fermeture figurant un X dans le coin supérieur droit de la fenêtre. Voilà. Maintenant seulement, vous pouvez aller vous coucher.

# Transférer des fichiers (et autres amusements en ligne)

*En ligne* signifie que quelque chose est connectée. Votre imprimante est en ligne lorsqu'elle prête activement son attention à votre ordinateur et qu'elle imprime ce qu'il lui demande. Avec un modem, vous êtes en ligne lorsque vous conversez activement avec un autre ordinateur.

La plupart de vos activités en ligne sont dictées par l'ordinateur distant. Vous pouvez lire des messages, consulter votre courrier, bavarder, etc. L'ordinateur fait tout le travail, vous n'avez plus qu'à lire votre écran et à taper de temps à autre. Toutefois, il arrive que votre participation soit plus importante, lorsque *vous* demandez à l'ordinateur distant de faire quelque chose. Les deux opérations les plus courantes sont les suivantes :

**Recevoir des fichiers (downloading) :** Vous demandez à l'ordinateur auquel vous êtes connecté de vous envoyer quelque chose, un curseur animé avec lequel vous allez pouvoir vous amuser par exemple.

**Envoyer des fichiers (uploading) :** Vous transférez des documents de votre ordinateur à l'ordinateur éloigné. Par exemple, tous les chapitres de ce livre ont été envoyés à l'ordinateur central d'IDG depuis le petit PC de l'auteur.

- Vous ne passez pas tout votre temps à télécharger (envoyer et recevoir) des fichiers en ligne. Le plus souvent vous lisez des informations.

- La première chose que la plupart des utilisateurs se dépêchent de faire dès qu'ils sont en ligne, c'est voir s'ils ont reçu du courrier électronique (e-mail).

- Un BBS est un lieu public en ligne où de nombreuses personnes envoient des messages. Le principe est le même que pour le courrier électronique, mais c'est gratuit.

- Certains programmes vous permettent de bavarder en ligne. Deux utilisateurs ou plus bavardent en "direct live" via leur clavier. Un véritable chaos silencieux !

- Il paraît que la plupart des endroits chauds de type "cybersexe" se cachent dans ces sessions où l'on communique en direct. Mais je ne suis jamais allé vérifier, bien sûr.

- Une autre activité en ligne consiste à "capturer" un fichier. C'est là que vous demandez à votre programme de communication de commencer à enregistrer tout ce que l'ordinateur éloigné vous envoie. Vous pouvez alors envoyer ces informations sur un fichier de votre disque ou vers l'imprimante.

## Recevoir des fichiers

Recevoir ou télécharger des logiciels est une des activités en ligne très populaires (après celle qui consiste à envoyer des bordées d'injures à vos ennemis cybernétiques). Vous demandez en fait à l'ordinateur éloigné de vous faire parvenir quelques trésors cachés dans un de ses disques durs.

Télécharger des fichiers peut être une opération déroutante, si vous n'en connaissez pas les grands principes qui suivent :

1. **Cherchez un fichier qui vous intéresse.**

   La plupart des endroits que vous appelez contiennent tout un éventail de fichiers ou de bibliothèques. Utilisez les diverses commandes nécessaires pour y accéder et cherchez le fichier particulier que vous voulez télécharger.

   Notez le nom du fichier afin de pouvoir l'indiquer au système.

2. **Indiquez à l'autre ordinateur quel fichier envoyer.**

   Utilisez la commande appropriée pour transférer le fichier, puis tapez le nom de fichier que vous aviez soigneusement noté.

3. **Indiquez-lui comment l'envoyer (quel protocole utiliser).**

   L'autre ordinateur vous demande maintenant comment envoyer le fichier, quel *protocole* il doit utiliser. Sujet qui paraît compliqué, mais qui en fait est très simple.

   Un protocole est une façon d'envoyer un fichier entre deux ordinateurs. Il permet de garantir que le fichier arrivera à destination exactement comme il a été envoyé.

   Si vous utilisez HyperTerminal, choisissez toujours Z-Modem ou ZMODEM. Facile.

   Si vous utilisez un autre programme de communication, vérifiez quel protocole il reconnaît. S'il s'agit de Z-Modem, alors, choisissez ce protocole. Autrement, choisissez un protocole commun à votre logiciel et à celui de l'ordinateur éloigné.

Le protocole X-Modem, aussi appelé *binaire*, est le plus populaire. Il n'est pas aussi sophistiqué ou rapide que le Z-Modem, mais il a le mérite d'être reconnu par la majorité des ordinateurs et logiciels de communication.

4. **Dites-lui de commencer à envoyer le fichier.**

C'est là l'un des points les plus importants à retenir : demandez toujours à l'autre système de commencer à envoyer le fichier *le premier*.

Il attendra patiemment que votre programme soit prêt à le recevoir.

5. **Dites à votre logiciel de communication de réceptionner un fichier.**

De votre côté, indiquez à votre programme de communication de s'apprêter à recevoir un fichier.

Si vous utilisez HyperTerminal, choisissez Transfert/Recevoir un fichier. La boîte de dialogue Réception d'un fichier apparaît. Cliquez sur le bouton Réception.

Dans d'autres programmes de communication, vous devrez peut-être presser la touche Pge Préc. (consultez l'aide de votre programme pour connaître la commande spécifique à votre logiciel). Vous devrez ensuite indiquer un nom sous lequel le fichier sera enregistré dans votre ordinateur.

Si vous utilisez le protocole Z-Modem, inutile de spécifier un nom de fichier. Z-Modem sauvegarde automatiquement le fichier transféré comme il faut ; c'est, entre autres, une des raisons pour lesquelles il est si populaire.

6. **C'est parti !**

La procédure prendra un certain temps. Un indicateur à l'écran vous tiendra au courant du déroulement de l'opération. Installez-vous confortablement et attendez. Ou, si la procédure doit être longue, levez-vous et faites les exercices d'étirement que vous devriez faire tous les jours.

- Lorsque vous avez récupéré l'objet de votre quête, vous pouvez continuer votre expédition en ligne ou vous déconnecter, quitter votre programme de communication et vous empresser d'ouvrir vos nouveaux "fichiers-cadeaux".

- Télécharger des données est une opération rarement immédiate. Plus le fichier est grand, plus son transfert est long. A 2 400 bps, un fichier de 100 Ko peut prendre 7 minutes pour parvenir jusqu'à vous. A 9 600 bps, il prendra à peu près une minute et demie ; et à 28 800 bps (la vitesse la plus rapide à l'heure actuelle), cela ne sera qu'une affaire de secondes.

- Techniquement, l'ordinateur que nous avons appelé "l'autre ordinateur" ou "l'ordinateur distant" est un *hôte*.

- Vous pouvez vous procurer des logiciels spéciaux vous permettant de détecter d'éventuels virus sur les fichiers que vous téléchargez. Toutefois, il est rare qu'un programme récupéré soit infecté. Tous les grands services en ligne et la plupart des BBS réputés "préscannent" leurs fichiers pour s'assurer qu'ils ne comportent aucun virus.

- Si, après avoir crié victoire et levé les bras au ciel parce que vous venez de télécharger votre premier logiciel, vous vous apercevez que vous ne pouvez pas ouvrir le fichier, n'avalez pas votre souris. Mais reportez-vous plutôt à l'encadré "Zip, zip, zip, fichier ouvre-toi !".

## Zip, zip, zip, fichier ouvre-toi !

La plupart des fichiers que vous téléchargez sont des fichiers d'archivage. Il s'agit de fichiers uniques dans lesquels se trouvent d'autres fichiers. Pour pouvoir accéder à ces fichiers, vous devez les extraire de leur emballage.

Heureusement, la plupart des fichiers d'archivage (ou fichiers d'archives) contiennent un *autoextracteur*. (Non ce n'est pas un instrument de torture, style ustensile de dentiste.) Imaginons, par exemple, que vous ayez téléchargé le jeu NINJA.EXE. Lorsque vous allez le lancer, l'autoextracteur prendra automatiquement le relais, déballant les divers fichiers de l'archive (comme vous déballeriez vos paquets après un déménagement). Ainsi, là où vous aviez au départ un seul fichier, vous en avez maintenant plusieurs (des dizaines parfois), tous nécessaires au bon fonctionnement de votre jeu préféré.

A quoi servent ces archives ? Dans la mesure où il s'agit ici d'une note technique, je me permets de vous encombrer de quelques détails retraçant l'historique de cette ingénieuse invention. En fait, il fallait autrefois des heures pour télécharger un seul fichier. La première solution fut de compresser un fichier à une taille plus petite, lui permettant ainsi d'être véhiculé plus rapidement. Ensuite, lorsque les programmes informatiques évoluèrent, les programmes de compression furent capables d'emballer et de compresser plusieurs fichiers à la fois. Le résultat final fut l'archivage.

Le terme ZIP vient d'un des programmes d'archivage. Les fichiers d'archivage ZIP sont estampillés de l'extension ZIP ; le programme UNZIP est alors nécessaire pour les déballer. En revanche, si le fichier se termine par l'extension EXE, il se déballera tout seul.

# Envoyer des fichiers

Dans la section précédente, nous avons vu le transfert de fichiers dans le sens ordinateur éloigné/ordinateur local, passons maintenant au transfert ordinateur local/ordinateur éloigné. Le terme officiel anglais est *uploading* ; le terme officiel français est toujours *télécharger*.

Pour envoyer un fichier vers un autre ordinateur, vous devez suivre à peu près la même procédure que pour recevoir un fichier, seuls les rôles sont inversés : Vous dites à l'autre ordinateur de se préparer à recevoir un fichier, ensuite vous indiquez à votre programme de communication le nom du fichier que vous voulez envoyer. Vous donnez toutes les instructions à l'autre ordinateur, puis vous ordonnez à votre programme d'ouvrir les vannes.

Voici brièvement les étapes à suivre :

1. **Indiquez à l'autre ordinateur de se préparer à recevoir un fichier.**

   Vous trouverez la commande appropriée à l'intérieur d'un de ses menus. Vous devrez peut-être attribuer un nom au fichier et le décrire succinctement.

2. **Indiquez-lui comment le réceptionner (quel protocole utiliser).**

   Entendez-vous sur un protocole d'envoi.

   Comme pour la réception, le meilleur protocole, et le plus populaire, est le protocole Z-Modem. Sélectionnez bien un protocole que les ordinateurs en présence seront tous deux capables de comprendre.

3. **Tout est paré.**

   L'ordinateur distant attend sagement que vous lui fassiez parvenir le fichier. Même si vous n'êtes pas encore prêt, il patientera sagement jusqu'à ce que vous fassiez le premier pas.

4. **Localisez le fichier que vous voulez envoyer.**

   Si vous utilisez HyperTerminal, choisissez Transfert/Envoyer le fichier. La boîte de dialogue Envoi d'un fichier apparaît.

   Utilisez le bouton Parcourir pour trouver le fichier que vous voulez envoyer, puis cliquez sur le bouton Ouvrir. (Reportez-vous au Chapitre 8 pour en savoir plus sur les commandes Ouvrir et Parcourir.)

   Dans certains autres programmes de communication, vous devrez peut-être presser la touche Pge Suiv. pour envoyer un fichier. (Consultez l'aide de votre programme pour connaître la commande spécifique dans votre cas, ou parcourez ses menus.)

5. **Choisissez un protocole.**

   Sélectionnez le protocole spécifié à l'étape 2. Utilisez Z-Modem si possible.

   Parfois, cette étape et la précédente sont combinées. Vous pouvez, par exemple, choisir l'option Z-Modem d'un menu Envoyer.

6. **Dites à votre logiciel de communication d'envoyer le fichier.**

   Si vous utilisez HyperTerminal, cliquez sur le bouton Envoi.

   Pour tout autre programme, utilisez la commande appropriée.

   Dans la mesure où l'autre ordinateur est prêt et attend le fichier, l'opération devrait se dérouler en douceur.

- Ne téléchargez que des logiciels en shareware ou du domaine public. N'envoyez aucun logiciel que vous avez acheté (c'est illégal).

- Vous pouvez envoyer tout fichier que vous avez créé vous-même.

- Pensez à archiver ou compresser les gros fichiers avant de les envoyer. Ainsi, l'opération s'effectuera plus rapidement et les fichiers occuperont moins d'espace sur l'ordinateur hôte.

# Quelques règles à respecter

La communication en ligne est un nouveau mode de communication passionnant qui vous ouvre les portes d'un monde totalement différent (le *cybermonde*). Ce nouveau monde a ses propres règles que vous devez connaître. Certaines sont amusantes (la plupart), d'autres plus sérieuses.

- Les utilisateurs heureux "modemisent".

- Vous ne pouvez pas "voir" les gens que vous "rencontrez" en ligne, aussi ne présumez rien à leur sujet. Les "modem-maniaques" sont vieux, jeunes et sont issus de toutes les couches sociales. Même s'il est prouvé que la plupart d'entre eux sont des cadres moyennement dynamiques de sexe masculin, ne les affublez pas tous de cette étiquette.

- Evitez de taper vos messages en MAJUSCULES. Saisissez vos lettres et commentaires en minuscules et majuscules combinées, comme si vous écriviez une lettre ordinaire. Si vous écrivez un texte en majuscules uniquement, la plupart de vos lecteurs penseront que VOUS LEUR CRIEZ APRES !

- Ne "suppliez" pas que l'on vous envoie du courrier électronique. Participez aux discussions ou soyez ignoble, et votre boîte aux lettres sera toujours pleine.

- L'art de l'expression écrite n'est plus aussi répandu au sein de la génération de la TV. Aujourd'hui, tout le monde utilise le téléphone où les inflexions de voix permettent de nuancer facilement ses propos et de communiquer un message sans équivoque. De telles nuances ne sont pas si simples en ligne. Ce qui peut vous sembler comique ou raisonnable en paroles pourra apparaître agressif, abrupt, voire grossier. Soignez votre prose, et supprimez tout ce qui pourrait être mal interprété, en ajoutant des ah-ah par-ci par-là pour ponctuer une plaisanterie.

- Les *emoticons* (icônes exprimant une émotion) réalisés généralement à l'aide de trois caractères peuvent également vous aider à préciser un point ou à souligner le ton humoristique de vos propos. Le "smiley" :-) est le plus connu (inclinez votre tête légèrement sur la droite pour voir un petit visage souriant), mais vous trouverez d'autres exemples dans l'encadré "Sourires et clins d'œil".

## Sourires et clins d'oeil

Les petits *smileys* suivants, universellement reconnus et très officiels (ah-ah), vous aideront à souligner le ton d'une remarque :

| | |
|---|---|
| :-) | Sourire (même effet que : ah-ah) |
| ;-) | Clin d'œil |
| :-( | Mécontentement |
| :-I | Hmmm |
| :-t | L'utilisateur est vexé |
| :-\ | Indécis |
| :-0 | Choqué |
| =:-) | Un punk |
| *:o) | Un clown |
| *<|:-) | Le Père Noël |

- Un dernier point important : il est très mal vu de s'emporter en ligne. Certes, de nombreux rigolos mal intentionnés se promènent sur les voies numériques. Si vous en croisez un, ignorez-le, quels que soient ses propos. Evitez de répondre à un message "à chaud" et de vous "enflammer".

## Raccrocher poliment

Lorsque vous avez terminé d'utiliser l'ordinateur éloigné, vous devez lui dire "au revoir". C'est la moindre des choses lorsque l'on est poli. Utilisez sa commande de fermeture de session pour raccrocher.

N'oubliez pas : vous dites au revoir à l'autre ordinateur. Vous n'ordonnez pas à votre logiciel de raccrocher. Par exemple, l'ordinateur distant peut arborer un système de menu aussi affreux que :

```
(ABDFGIJKLMPQRSTVWZ?)
Commande :
```

Tapez un ? (point d'interrogation) pour afficher une plus longue description des options de commande. Vous pourrez découvrir que la commande de fermeture est un simple **X**. Tapez alors **X** à l'invite du système :

```
Commande : X
```

Appuyez ensuite sur la touche Entrée. L'autre ordinateur ajoutera peut-être :

```
Pourquoi partez-vous ? Vous ne m'aimez pas ? Voulez-vous vraiment
raccrocher ? (Oui/Non) ?
```

Tapez alors O pour Oui. Vous voulez *vraiment* raccrocher.

Salut. Tchiao. Bye-bye.

- Laissez toujours l'autre ordinateur raccrocher en premier pour lui permettre d'effectuer correctement les différentes étapes de la ferme- ture (mise à disposition de la ligne, fin de la connexion et de votre addition, etc.).

- D'autres variantes de commandes de fermeture de session incluent **EXIT**, **QUIT** et **LOGOUT**. Dans l'ignorance, tapez **?**, **HELP** ou **AIDE**.

- Ce n'est que lorsque l'autre ordinateur vous semble parti, mort ou complètement perdu que vous pouvez raccrocher. Dites alors à votre logiciel de communication de raccrocher le téléphone. Sous HyperTerminal, choisissez Appel/Se déconnecter.

# Chapitre 22
# Le cyber chapitre

*Dans ce chapitre...*

Comment se connecter à Internet

Les différentes régions du cybermonde

Petit lexique pour cyberbranchés

***V**ous voulez impressionner vos amis ? Alors, offrez-vous une île privée. Vous voulez participer au dernier truc branché dans le domaine de l'informatique ? Alors, connectez-vous à Internet.*

Internet, tout le monde en parle. Mais qui sait vraiment ce que c'est ? Derrière tout ce battage, se cache en fait un réseau international d'ordinateurs provenant de divers domaines tels que l'éducation, le gouvernement ou l'industrie informatique de pointe. Cet ensemble de systèmes reliés les uns aux autres s'appelle *Internet*. Vous y trouverez des millions de choses à faire et à voir, vous pourrez même y rencontrer certains des plus grossiers personnages de la planète. Pas étonnant que tout le monde en soit dingue !

- Effectuer des recherches sur Internet est un jeu d'enfant, une promenade dans une caverne d'Ali Baba virtuelle.

- Ce vaste sujet dépasse évidemment l'étendu de ce chapitre. Vous avez besoin d'un livre entier pour comprendre vraiment de quoi il s'agit.

## Une petite histoire pour s'endormir

Internet a commencé comme un moyen permettant la communication entre des ordinateurs UNIX, d'abord au niveau local, ensuite via les lignes téléphoniques. Ses racines remontent au temps d'ARPAnet, un réseau d'ordinateurs militaires et civils des années 70. Adopté par les universitaires et les scientifiques, Internet s'est ensuite développé librement, pénétrant dans les foyers grâce à la puissance accrue des PC pouvant exécuter UNIX. Aussi, n'oubliez jamais, lorsque vous parcourez les autoroutes de l'information, qu'Internet est le résultat d'une évolution et non pas une création. En tant que tel, il a toutes les caractéristiques de quelque chose qui évolue et peu de l'élégance d'une création.

# Comment se connecter à Internet

Les accros de la micro sont toujours à la recherche des dernières tendances, de la dernière évolution technologique à la mode. Cela a été 1-2-3, puis la PAO (publication assistée par ordinateur), Windows et enfin Internet. C'est cool. C'est bath. Réveillez-vous ! Achetez un modem ! Signez tout de suite !

*Hum, hum.*

Si vous mourez d'envie de devenir un membre du cyberespace, vous allez avoir besoin de deux choses essentielles :

- **Un fournisseur d'accès**, ou toute personne ou entreprise offrant un accès à Internet ou au World Wide Web (WWW). Il peut s'agir d'un prestataire privé régional, d'un service en ligne national, ou peut-être même d'une connexion via votre lieu de travail.

- **Un logiciel de communication spécial**. Contrairement au programme HyperTerminal de Windows, vous avez besoin d'une demie-douzaine de programmes pour naviguer sur le Net. Un programme compose les numéros, un autre lit le courrier, un autre se charge du Web, un autre encore affiche les news et forums, et ainsi de suite. C'est dans l'ensemble très déroutant, alors attendez-vous à quelques difficultés.

## Choisir le meilleur fournisseur d'accès

Pour surfer sur la haute vague d'Internet, vous avez besoin d'un fournisseur d'accès. Dans la mesure où Internet est un ensemble d'ordinateurs, vous avez besoin d'accéder à l'un de ces ordinateurs ou, plus vraisemblablement, d'accéder à un ordinateur qui communique avec l'un de ces ordinateurs - un fournisseur.

Certains de ces fournisseurs sont des ordinateurs ou systèmes locaux. Les ordinateurs de votre travail ou de votre université, par exemple, sont peut-être directement reliés à Internet. Mais vous vous connecterez probablement via un des fournisseurs d'accès privés dont le nombre ne cesse de croître. Si vous habitez une grande ville, vous n'aurez aucun mal à en trouver. Sinon, choisissez n'importe quel fournisseur offrant des tarifs raisonnables *et un numéro d'accès local.*

Pour profiter des services d'un fournisseur privé, vous devrez payer un droit d'accès, un abonnement, en plus des communications entre vous et ce fournisseur. En revanche, vous pouvez - mais ce n'est pas toujours le cas - avoir le privilège d'accéder à Internet gratuitement via votre université ou votre entreprise.

- Un bon fournisseur d'accès devrait toujours vous fournir un kit de connexion constitué des disquettes des programmes nécessaires et éventuellement d'un petit manuel expliquant comment vous connecter.

La connexion et la configuration initiale impliquent beaucoup de travail. Vous devrez copier une quantité de nombres et autre charabia technique. Aussi, plus vous aurez d'informations, mieux ce sera.

- Aucun fournisseur n'est *le* fournisseur. En fait, rien ni personne n'est à la tête d'Internet. Certaines personnes et associations supervisent plus ou moins le tout, mais il n'y a pas de grand manitou, ni de grand building moderne abritant le QG d'Internet.

- Si l'accès à Internet est payant, en revanche, Internet lui-même - la masse d'informations mise à la disposition de chacun - est gratuit. Vous payez en fait le droit d'accéder à un service gratuit.

## Les logiciels de communication

Au début, tout ce dont vous aviez besoin pour communiquer avec le Net était un simple programme terminal. J'ai même utilisé un programme que j'avais écrit moi-même dans les années 80 pour accéder à Internet. Aujourd'hui, le Net est bien plus sophistiqué. Pour naviguer dans toutes ses différentes régions, vous avez besoin de logiciels spécialisés.

Vous obtiendrez les logiciels requis par votre fournisseur, qui devrait vous proposer un kit de connexion au moment de votre abonnement avec toutes les instructions nécessaires. Vous pouvez également demander conseil à votre revendeur informatique local.

Le logiciel le plus populaire actuellement s'appelle Netscape. Il vous permet de vous promener sur le Web, de lire votre courrier électronique (e-mail), de participer à des forums et "newsgroups" et d'effectuer des transferts de fichiers (via FTP). La seule chose que Netscape n'est pas encore en mesure de vous offrir se nomme *telnet*, mais c'est de toutes façons bien trop compliqué pour un simple mortel.

## Votre adresse Internet

Une fois connecté, vous serez gratifié d'une adresse Internet. Il s'agit d'une adresse unique sur terre où tous les utilisateurs de l'univers pourront vous envoyer du courrier. Votre adresse pourra ressembler à :

```
president@whitehouse.gov
```

mais c'est peu probable. En fait, la plupart des adresses ont la forme suivante :

```
vous, à, fournisseur, point, domaine
```

En premier vient le nom, votre supergénial cybersobriquet, ensuite le signe @, puis le nom du fournisseur ou du système que vous appelez, un point, et enfin le nom du domaine. Ce dernier est un code indiquant au reste d'Internet quel type d'organisme vous utilisez ou de quel pays vous provenez. Ainsi, `president@whitehouse.gov` est l'adresse du Président des Etats-Unis, qui a un compte sur l'ordinateur `whitehouse`, qui est un site Internet d'Etat. Si vous vous connectez à partir d'un serveur français, votre adresse Internet ressemblera plutôt à :

> `Veronique.Levy@wanadoo.fr`

A toutes fins utiles, voici l'adresse de Bill Gates :

> `billg@microsoft.com`

- Ajouter une adresse Internet sur une carte de visite est, aujourd'hui, ce que l'on fait de plus branché.

- Le domaine indique, pour les Etats-Unis, quel type de système informatique est utilisé, par exemple `com` pour "company", `gov` pour "government", `mil` pour "military", `edu` pour "educational".

- Pour les autres pays, le domaine est tout simplement le code officiel du pays, par exemple `fr` pour la France ou `uk` pour la Grande-Bretagne.

- Oui, `president@whitehouse.gov` est véritablement l'adresse électronique du Président des Etats-Unis. Au fait, vous pouvez acheter un livre intitulé *E-Mail Addresses of the Rich & Famous* de Seth Godin (Addison-Wesley) qui dresse la liste des noms de toutes les personnalités du cinéma, de la politique et autres célébrités internationales.

- Dans la mesure où je ne suis ni riche ni célèbre, mon adresse Internet ne figure pas dans ce livre. Si vous voulez m'écrire pour me poser une question ou simplement me dire bonjour, vous pouvez me contacter à l'adresse suivante : `dgookin@wambooli.com` (c'est *dgookin*, moi, Dan Gookin, à Wambooli, mon fournisseur d'accès).

## Les différentes régions du cybermonde

Internet est constitué d'une myriade de systèmes et d'ordinateurs offrant tout autant de services et d'informations les plus divers. Les rubriques suivantes en présentent quelques-uns, les plus populaires. Oui, il y en a bien davantage, mais ce chapitre est trop petit.

# *Le courrier électronique*

Dès que vous disposez d'une adresse Internet, vous pouvez recevoir du courrier. Une des premières initiatives de tout utilisateur d'Internet dès qu'il est "branché" est de vérifier s'il a reçu du courrier.

- Vous utilisez un programme unique pour lire et envoyer votre courrier. Eudora est très populaire, mais je ne comprends pas pourquoi. Netscape vous permet également de lire et d'envoyer du courrier.

- La plupart des services en ligne vous permettent d'envoyer et de lire du courrier électronique sur Internet.

- Beaucoup d'utilisateurs insèrent, à la fin de leur courrier, une *signature*. Il s'agit d'un petit (de préférence petit) bout de texte vous présentant.

# *Le World Wide Web*

Le World Wide Web (toile d'araignée mondiale), Web, ou encore WWW, est une autre façon de naviguer sur Internet et de traiter les informations qui s'y trouvent. D'ici quelques années, je suis convaincu que le Web aura envahi la totalité d'Internet. Toutes les autres régions d'Internet font déjà l'objet d'une *webisation* soutenue.

Le Web utilise une technologie connue sous le nom d'*hypermédia* ; les données (texte, images, son, vidéo) sont traitées comme des *hypertextes*. Le principe est le suivant : chaque page WWW contient des liens hypertextes (un peu à la manière d'un menu d'aide sous Windows) sur lesquels vous pouvez cliquer pour afficher la page qui leur est associée quel que soit l'endroit où elle se trouve. Cela peut entraîner, de façon transparente, la connexion à un autre serveur. Ces liens permettent ainsi une recherche interactive tous azimuts, complexe en termes de structure et extrêmement simple en termes d'utilisation.

Pour tirer parti du Web, vous avez besoin d'un type de programme particulier appelé *Web browser*. Il en existe plusieurs, mais Netscape est le meilleur.

- Pour "surfer" sur le Net, rien ne vaut le Web.

- Les adresses des pages Web commencent généralement par le laconique `http://` et se terminent par un code tout aussi cryptique : `html`. Ce n'est, pour l'essentiel, rien de plus qu'une autre adresse Internet, contenant un document sur une page Web. Consultez un véritable livre sur Internet pour comprendre ce que tout ce jargon signifie.

- La meilleure façon d'accéder au Web consiste à utiliser un modem très, très rapide. Dans la mesure où il propose un visage graphique du Net, le Web a tendance à être plutôt lent lorsque vous utilisez un modem de moins de 28 000 bps. Désolé.

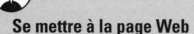

## Se mettre à la page Web

Une des gâteries de WWW dont tout le monde raffole est sa *page d'accueil* (ou *home page*). Apparemment, cela n'a rien d'exceptionnel, il s'agit simplement de la page que vous voyez en premier lorsque vous utilisez le Web. Toutefois, vous pouvez personnaliser cette page si vous le souhaitez. Vous pouvez, par exemple, créer votre propre page contenant des informations à votre sujet, des liens hypertextes pointant sur vos sites préférés, et pourquoi pas un bouton sur lequel ceux équipés en conséquence pourront cliquer et entendre votre chien aboyer. Vous pouvez alors inviter tout utilisateur à visiter votre page Web, si bien qu'eux aussi pourront entendre votre chien aboyer à toute heure.

# *Les news*

Les "news" d'Internet ne sont pas des informations de type "Infos de 20 heures" présentées par PPDA. Sur Internet, ces "news" ne sont pas proposées par une personne en particulier, mais par tout le monde en général. Ce que vous obtenez, en fait, lorsque vous voulez des "news" sur Internet, est une collection de forums publics traitant de thèmes divers et variés. Vous y trouverez, par exemple, des groupes discutant politique, science-fiction, généalogie, histoire, etc. ; tout y a sa place.

D'une certaine façon, les "news" constituent une sous-culture du cyberespace. C'est un lieu où transitent tous types d'idées. Chaque thème donne lieu à un *groupe* spécifique et, à l'intérieur de chaque groupe, se trouvent des *participants* provenant de milieux les plus divers, mais ayant tous le même centre d'intérêt.

- Les "news" sont divisées en groupes de news. Par exemple, rec.arts.startrek est un groupe dans lequel vous trouverez tous types d'informations sur l'univers de *Star Trek*.

- Pour lire les "news", vous avez besoin d'un logiciel de lecture de news. Avec un peu de chance, cet outil fera partie de votre kit de connexion.

- Netscape et quelques autres *browsers* Web sont capables de lire les "news".

- Les groupes de news peuvent recevoir des centaines d'envois (aussi appelés *articles*) quotidiennement. N'espérez pas être à jour dans vos lectures, ce qui, en fait, n'est qu'un moindre mal dans la mesure où *tout* n'est pas à lire. Heureusement, certains groupes sont *modérés*, c'est-à-dire supervisés par des personnes qui se chargent de jeter à la poubelle les messages indésirés pour ne pas gaspiller le temps des lecteurs.

# FTP

*FTP* est l'abréviation de *File Transfer Protocol* (protocole de transfert de fichiers), un programme permettant de déplacer des fichiers entre ordinateurs UNIX sur Internet. Ce protocole permet également de déplacer des fichiers entre certains sites éloignés et votre propre PC. Une des dernières tendances à la mode consiste à dire que tel ou tel fichier est disponible via FTP depuis telle adresse Internet. Vous pouvez alors utiliser votre fournisseur d'accès pour télécharger ce fichier via FTP depuis ce site jusqu'à votre PC.

- Vous pouvez utiliser FTP pour *entrer* dans le système d'un ordinateur UNIX, un de ceux qui contiennent de vastes banques de données. Une fois les portes du système ouvertes, vous pouvez le parcourir dans tous les sens à la recherche de fichiers à télécharger. On dit aussi *ouvrir une session* (*log in* en anglais).

- Vous pouvez également utiliser FTP pour récupérer automatiquement des fichiers. C'est ce que vous faites lorsque vous téléchargez des fichiers d'un site distant via FTP.

- D'autres termes de la même famille sont traités plus loin : *Archie* et *Gopher*.

- Priez pour que votre kit d'accès à Internet contienne un "shell" (interpréteur de commandes interactif) FTP facile à utiliser ou un guide convivial. N'oubliez pas que vous entrez dans un environnement où rien n'est simple (UNIX). Si ce n'était pas le cas, *tout le monde* l'utiliserait.

# Archie

Grâce à FTP et, bien sûr, à des millions de méga octets d'informations stockées sur les disques des plus grandes universités, une quantité incommensurable de fichiers vous attend sur Internet. Pour vous faciliter la tâche, Archie est votre serveur.

Archie est un programme qui vous aide à localiser des fichiers sur le Net. C'est un index recensant des millions d'entrées, chacune d'elles pointant sur un fichier enfoui quelque part dans le cyberespace. Vous pouvez comparer Archie à un libraire qui sait exactement où sont rangés les livres, de sorte que vous n'avez pas à les rechercher vous-même.

Pour utiliser Archie, vous pouvez soit contacter un serveur Archie, soit lui envoyer un courrier électronique. Les serveurs Archie vous permettent d'exécuter le programme Archie qui vous aide à localiser votre fichier. Le message que vous lui adressez doit contenir votre requête, vous recevrez alors rapidement une réponse.

"Comment ça marche ?" vous demandez-vous. Je n'en ai pas la moindre idée. Mais si vous voulez vraiment savoir, je vous conseille d'acheter un bon livre sur le sujet ou de vous reporter à la documentation de votre fournisseur d'accès.

- Archie n'est pas un acronyme. Il vient de la racine *archive* (archiver) qui signifie stocker quelque chose.

- D'autres programmes de recherche sur Internet sont dotés de noms tout aussi étranges : Veronica par exemple.

- Veronica vous permet d'effectuer des recherches dans le gopherespace (voir la section suivante).

- Au fait, Archie trouve uniquement des fichiers stockés sur des ordinateurs reliés à Internet. Pour localiser des personnes, vous devez utiliser un programme appelé *finger*.

## Gopher

Gopher est un outil qui vous permet de parcourir toutes les régions d'Internet à la recherche de trésors cachés. C'est un peu comme une combinaison de divers autres outils - FTP, Archie, etc. - qui vous permet d'effectuer des recherches par thème et de récupérer l'information pour vous, quel que soit l'endroit où elle se trouve.

Pour utiliser Gopher, vous avez besoin d'un client Gopher, qui devrait faire partie de votre kit de connexion. A l'aide de ce programme, vous pouvez alors contacter un serveur Gopher qui fera tout le travail pour vous.

- *Gopher* en anglais signifie gerboise (petit rongeur besogneux, voisin de l'écureuil) ; c'est également la mascotte de l'université du Minnesota, où le programme Gopher a été écrit.

- *Gopher* se prononce *go fer* (argot de *go for* qui signifie *aller chercher*).

- Ecureuil travaillant sans relâche, mascotte, jeu de mots ? A vous de choisir la véritable origine de Gopher.

- Veronica est un programme graphique vous permettant d'utiliser votre souris sous Gopher. Veronica est l'acronyme de *Very Easy Rodent-Oriented Net-wide Index to Computerized Archives* (index d'archives électroniques très simple et orienté rongeur - petit clin d'oeil à Gopher, son fidèle ami). Vous parlez d'un acronyme !

# *Petit lexique pour cyber branchés*

Les termes suivants sont directement liés au monde d'Internet. Il va sans dire que les notions auxquelles ils font référence sont en constante évolution. De nouvelles cyber friandises apparaîtront sans aucun doute, et certaines de ces vieilleries devraient disparaître. D'ici là, vous pouvez utiliser ce mini-glossaire comme un guide de base pour vous familiariser avec les termes les plus élémentaires, ou, au moins, ne pas vous sentir perdu lorsque vous ferez vos premiers pas dans le cybermonde.

**Adresse Internet** : Identification numérique ou sa correspondance alphanumérique d'un ordinateur sur réseau. Dans le second cas, elle est formée du nom de l'utilisateur, suivi du caractère @ (prononcé "at") et enfin du domaine, autrement dit le site de connexion.

**Archie :** Système de localisation d'informations sur fichiers et répertoires disponibles publiquement via *FTP anonyme*.

**Archive :** Fichier contenant d'autres fichiers. Souvent utilisé pour stocker des fichiers aux informations communes. Egalement utilisé pour faire référence aux sites *FTP* hébergeant des fichiers destinés à être téléchargés.

**E-mail** (*electronic mai*l, courrier électronique ou messagerie) : Ensemble de services de communication sur réseau permettant l'échange de messages entre utilisateurs ou groupes d'utilisateurs. Le service principal collecte les messages électroniques émis par les abonnés, et les transmet à leurs destinataires en fonction de l'adresse indiquée.

**Finger :** Programme affichant des informations concernant un utilisateur particulier, ou tous les utilisateurs ayant un compte sur un système donné. Il donne généralement le nom complet, la date, l'heure et la durée de la dernière connexion, ainsi que l'emplacement du terminal.

**FTP** (File Transfer Protocol) : *Protocole* faisant partie de la suite TCP/IP et permettant à un utilisateur de transférer des fichiers d'ordinateurs distants vers l'ordinateur local. Egalement le nom du logiciel utilisé pour exécuter ce protocole.

**Gopher :** Service d'informations distribuées utilisant un protocole simple pour permettre à des clients Gopher d'accéder aux informations de tous les autres serveurs Gopher disponibles, constituant ainsi un "gopherspace" ou "gopherespace" d'informations.

**Hypertexte :** Procédé utilisé pour relier entre eux, par l'intermédiaire de mots ou de phrases clés, des documents de même domaine ou de même portée.

**IRC** (Internet Relay Chat) : Un programme vous permettant de bavarder avec d'autres utilisateurs. Vous tapez votre texte et il apparaît quelques secondes après sur l'écran de toutes les personnes connectées.

**Login** (ou logon) : Opération de connexion à un réseau ou à un serveur distant qui s'effectue après avoir indiqué son adresse personnelle et son mot de passe. On parle d'*ouverture de session* ou d'*entrée en communication*.

**Netphone** : Un moyen de téléphoner n'importe où pour le prix d'un appel local. Vous parlez à travers le micro de votre ordinateur et votre voix, traitée par un logiciel de communication vocale, circule (tant bien que mal) d'un bout à l'autre de la planète à travers Internet, jusqu'à votre interlocuteur qui doit disposer du même équipement que vous.

**Newsgroup** : Aussi appelé *groupe de news* (ou simplement groupe). Lieu où s'échangent des informations sur un thème donné.

**Protocole** : Ensemble de règles et de formats gouvernant l'échange d'informations entre systèmes.

**Réseau** : Système de communications entre ordinateurs. Il peut s'agir d'un simple câble et d'un logiciel, ou de plusieurs câbles, fibres optiques ou satellites reliant des centaines d'ordinateurs dans le monde.

**Serveur** : Ordinateur, accessible par un réseau, capable de fournir des informations à la demande. Il existe différents types de serveurs, dont les serveurs de fichiers, les serveurs de terminaux et les serveurs de noms.

**TCP/IP** (Transmission Control Protocol/Internet Protocol) : Ensemble de protocoles (ou suites de protocoles) utilisé pour la transmission d'informations entre ordinateurs. Suite de protocoles standard sur Internet.

**Téléchargement** : Opération qui consiste à récupérer des fichiers (textes, images, programmes, etc.) sur un réseau afin de pouvoir les exploiter sur un ordinateur.

**Telnet** : Un des composants de la suite de protocoles logiciels TCP/IP permettant à un utilisateur d'accéder à un terminal distant depuis son ordinateur local. Les données du clavier sont envoyées à l'ordinateur distant qui retourne les informations affichées sur l'écran de l'ordinateur local. L'opération est transparente, ce qui signifie que l'utilisateur a l'impression d'exécuter le programme de l'ordinateur distant localement.

**Veronica** (Very Easy Rodent-Oriented Net-Wide Index to Computerized Archives) : Service offrant un index des titres d'options des serveurs Gopher et permettant des recherches par mots clés de ces titres.

**WAIS** (Wide Area Information Servers) : Système d'informations distribuées permettant des saisies en langage naturel, des recherches indexées, et des recherches par niveau de pertinence.

**World Wide Web** : Système d'informations distribuées basé sur la technologie *hypertexte* dans lequel les utilisateurs peuvent créer, éditer ou rechercher des documents hypertextes.

# Sixième partie
# Rien ne va plus !

*"Attention ! Tout le monde est prêt.*
*Margot, tu t'approches du clavier et tu appuies*
*en douceur sur ECHAP."*

Quatrième partie

Mise en panne !

## Dans cette partie...

"J'étais là, assis tranquillement à m'occuper de mes propres affaires, quand soudain - pour aucune raison apparente - l'ordinateur s'est bloqué. Qu'est-ce que j'ai bien pu faire ?"

Les propriétaires d'ordinateur ont toujours tendance à se culpabiliser lorsque leur PC tombe en panne. Ils pensent que c'est de leur faute, qu'ils ont fait quelque chose de mal, que d'une certaine façon ils ont heurté la sensibilité de leur capricieuse machine. Faux ! Les ordinateurs se détraquent toujours pour un rien. Ne prenez pas leurs insuffisances pour des erreurs de votre part. Reportez-vous plutôt aux chapitres de cette partie pour quelques remèdes à appliquer lorsque votre ordinateur "se bloque" et ne veut plus rien entendre.

# Chapitre 23

# Comment appeler de l'aide (et à qui s'adresser)

*V*ous avez beau être un cadre, un professeur, un scientifique échevelé ou tout autre individu doué, talentueux et perspicace, cette petite boîte à malice que l'on appelle ordinateur vous en fait voir de toutes les couleurs. Et vous vous sentez tout simplement *nul*. Pas de problème ! C'est pour cela que ce livre a été écrit. Mais, est-il nécessaire de tout retenir par coeur ? Nooon ! De nombreuses personnes ont déjà tout mémorisé pour vous. Votre tâche consiste à utiliser les compétences de ces individus, à les remercier avec éloges et friandises, puis à reprendre votre travail.

Ce chapitre vous explique comment obtenir de l'aide d'amis experts en informatique et de collègues de travail. Quelle que soit la personne vers qui vous vous tournez pour obtenir de l'aide, appelez-la *gourou de l'informatique* ou simplement *gourou*. Ce chapitre traite également des différences entre les problèmes majeurs qui nécessitent une assistance technique et les petits "bobos" que vous pouvez soigner vous-même.

# Qui est votre gourou ?

Votre gourou informatique personnel va être une personne qui adore les ordinateurs et qui les connaît suffisamment bien pour vous aider lorsque le vôtre vous pose des problèmes. C'est une personne importante qu'il faut connaître et respecter. Tout le monde en a un - même les gourous ! Si vous n'en avez pas, il est grand temps de vous en préoccuper.

Au bureau, le gourou est probablement l'administrateur du système, mais demandez également autour de vous, quelqu'un d'autre peut être en mesure de vous aider. Des "fous de PC" sont souvent en liberté. Essayez d'en attraper un au passage. Il se fera un plaisir de vous aider, de vous donner son avis et des conseils plus rapidement que le responsable informatique (avec qui il faut souvent prendre rendez-vous). Lorsque vous rencontrez un problème sur un logiciel précis par exemple, adressez-vous plutôt à une personne qui l'utilise régulièrement.

A la maison, trouver un gourou peut être plus compliqué. Le plus souvent, un voisin, un ami ou une connaissance en saura suffisamment sur les ordinateurs pour vous aider à installer le matériel ou les logiciels, ou au moins pour vous conseiller sur certains programmes.

Quel que soit votre choix, ne l'oubliez jamais et faites appel à lui ou à elle lorsque vos nerfs sont prêts à lâcher ou lorsque vous avez besoin d'un conseil. Avoir dans son entourage un expert en informatique, c'est comme avoir un ami mécanicien ou médecin ; vous n'utiliserez pas ses services tous les jours, mais savoir qu'il ou elle est là vous facilitera la vie.

- N'oubliez pas qu'une certaine dose de finesse et d'astuce est requise ; il existe une limite entre obtenir de l'aide occasionnelle et abuser de la patience de votre gourou.

- Les gourous de la micro connaissent tout et peuvent être remarquables s'ils comprennent ce que vous dites. Si vous leur demandez "quand faut-il faire *risette*", ils passeront leur chemin en haussant les épaules et vous resterez avec votre problème sur les bras. Apprenez d'ores et déjà la bonne prononciation. Par exemple, *reset* ne se prononce pas *risette* mais *ri-cette*. Lorsque vous n'êtes pas sûr de vous, écrivez le terme qui vous pose problème sur un bout de papier et agitez-le respectueusement au-dessus de votre tête.

# Quelques autres endroits utiles

Les gourous de l'informatique ne sont pas toujours disponibles. Si vous avez besoin d'aide ou d'un conseil de toute urgence alors que votre gourou est en vacances, ne perdez pas espoir. Il vous reste d'autres solutions :

- Certaines écoles privées et universités proposent des cours d'introduction à l'informatique, vous permettant de vous familiariser avec un ordinateur et de connaître l'essentiel des programmes les plus courants. Allez-y avec votre valise remplie de questions.

- N'oubliez pas les magazines et ouvrages spécialisés. Bien que celui-ci et quelques autres livres de la collection *... Pour les Nuls* soient peut-être tout ce dont vous avez besoin, d'autres textes d'aide existent. Certains magazines informatiques contiennent des rubriques d'apprentissage, fiches pratiques et autres pages remplies d'astuces pour les nouveaux propriétaires de PC. Toutefois, gardez à l'esprit que la plupart de ces magazines sont très techniques.

- N'oubliez pas le gourou dont les services ont déjà été payés : l'assistant technique du magasin qui vous a vendu votre matériel ou l'assistance téléphonique dont vous disposez avec chaque logiciel acheté.

- Si ces voies traditionnelles ne vous satisfont pas, considérez les autres ; celles fournies par les services d'Internet, par exemple, ou d'autres services en ligne BBS. (Mais si vous êtes capable de vous brancher et de manipuler un modem, vous savez probablement déjà vous servir d'un ordinateur.)

# Quand réclamer de l'aide

Vous pouvez avoir besoin d'aide dans deux types de situations ; lorsque vous voulez faire quelque chose, mais que vous ne savez pas comment le faire. Par exemple, lorsque vous voulez créer des colonnes dans Word 6, mais que vous n'avez pas la moindre idée de la procédure à suivre. Dans ce cas de figure, un gourou expert en informatique ou connaissant très bien le logiciel en question sera le bienvenu.

La seconde situation est celle que l'on redoute le plus : lorsque quelque chose ne tourne pas rond. Et cela arrive à tout le monde un jour ou l'autre, même aux gourous. Dans la mesure où il n'est pas possible pour un être humain normalement constitué de tout savoir sur les ordinateurs et leur système d'exploitation, il faut savoir réclamer de l'aide.

- Avant de crier au secours, essayez de résoudre le problème une dernière fois. Par exemple, si vous n'arrivez pas à imprimer un document, essayez de nouveau après quelques instants. Ainsi, votre gourou ne pensera pas que vous abusez de son temps et de sa patience.

- De nombreuses applications proposent des *fonctions d'aide*. Ces fonctions offrent des conseils, suggestions et autres astuces sur l'utilisation d'un programme. Essayez le menu d'aide avant d'ennuyer un gourou. Vous pouvez également ouvrir le manuel d'utilisation. (Si, si.)

- Pressez la touche de fonction F1 pour obtenir de l'aide.

- Ne vous accusez pas trop rapidement si vous n'arrivez pas à obtenir le résultat escompté. Si vous avez procédé comme l'indique le manuel et que ça ne marche toujours pas, alors soit le manuel se trompe, soit vous êtes en présence d'un *bug*. Le cas échéant, votre gourou - ou le fabricant du programme - devrait en être informé.

- La plupart des gourous de l'informatique opèrent gratuitement. N'abusez jamais de leur générosité. Reportez-vous à la rubrique "Comment le remercier", page suivante, si vous voulez remercier le vôtre comme il se doit.

## Comment formuler votre demande

Attirer l'attention de votre gourou sur un problème particulier requiert un certain degré d'habileté. Il ne suffit pas de dire "ça ne marche pas et d'agiter votre main". A moins d'être une star de la télé, n'attendez rien de ce type d'approche. Procédez plutôt ainsi :

1. **Ayez l'air détendu.**

   Tout le monde a des multitudes de choses à faire et des délais à respecter. Ne déchargez pas votre stress sur votre gourou. Si vous ne pouvez faire autrement, alors arrangez-vous pour qu'il examine votre PC pendant votre absence. Les gourous n'aiment pas être stressés. (Qui aime ça d'ailleurs ?)

2. **Illustrez votre problème.**

   Lorsque vous expliquez votre problème, soyez très précis. Ne vous contentez pas de dire, par exemple : "Quand j'essaie d'allumer mon ordinateur, il ne veut pas démarrer." Ecrivez sur un papier les messages d'erreurs qui s'affichent, tels que Erreur disque. Si l'ordinateur émet des bips plaintifs, écrivez-le aussi ; il en va de même si l'imprimante ne veut rien imprimer alors que son voyant de marche clignote. Ce type d'informations permet aux gourous de mieux cerner le problème (et ça montre aussi que vous vous y intéressez un minimum).

3. **Faites une démonstration.**

   Si votre gourou est à vos côtés devant votre ordinateur, faites une démonstration du problème. Par exemple, faites un essai d'impression et montrez-lui les étranges caractères qui apparaissent.

   Si vous êtes en conversation téléphonique avec lui, installez-vous près de votre ordinateur. Tapez les commandes qu'il vous indique et efforcez-vous d'être le plus précis possible lorsque vous faites une description de la situation ou de ce qui apparaît à l'écran.

4. **Proposez une solution.**

Cette étape est optionnelle. De toute évidence, vous ne savez pas comment résoudre votre problème, mais toute proposition sera la bienvenue ; vous montrez ainsi que vous vous intéressez vraiment au problème.

- Personne ne vous aidera si vous posez toujours les mêmes questions. Après vous avoir expliqué trois fois comment imprimer vos feuilles de calcul dans le sens de la longueur, votre gourou pourrait perdre patience et devenir grossier. Ne risquez pas de telles mésaventures, notez toutes les vénérables paroles de votre gourou et gardez toujours ces notes à portée de main.

# Comment le remercier

Les accros de la micro sont une espèce très étrange. En plus de les remercier pour leur aide, pensez à leur faire un petit cadeau de temps à autre.

Ne leur offrez ni argent, ni logiciels en échange de leurs bons services, mais alimentez plutôt vos rapports avec une sélection des ingrédients suivants :

- Biscuits en paquet familial.

- Crackers - peu importe la marque dès l'instant qu'ils sont craquants.

- Essayez aussi les cacahuètes et les chips (c'est plein de cholestérol, la communauté informatique adore ça) accompagnées d'un bon verre de jus de fruit.

- Du coca à volonté - c'est plein de caféine et de sucre ; très bon pour les petits génies de l'informatique qui ne sont pas très portés sur l'alcool.

- Une pizza, épaisse avec beaucoup de fromage - probablement le meilleur choix et en plus vous pouvez vous la faire livrer à domicile.

Evitez de donner de la nourriture saine. Eloignez-vous des crudités et de tout ce qui est vert.

L'auteur et l'éditeur de cet ouvrage ne peuvent en aucun cas être tenus responsables des problèmes de santé qui pourraient résulter de l'application de ce régime alimentaire. En outre, si vous décidez de donner une petite réception avec toutes ces bonnes choses, nous vous serions reconnaissants de bien vouloir exposer ce livre fièrement ou, au moins, de le mentionner discrètement et favorablement.

# Chapitre 24
# Quelques problèmes courants (et leurs remèdes)

*H*eureux les innocents n'est pas un adage qui s'applique aux utilisateurs d'un ordinateur. Plus vous en saurez, mieux vous arriverez à résoudre ces problèmes qui surgissent tout à coup, sans aucune raison apparente et qui hantent même les pros de l'informatique. En un mot comme en cent, quand votre ordinateur vous laisse en plan.

Quelles que soient les causes de la panne, vous devez mobiliser toute votre énergie pour en trouver la solution.

Ce chapitre n'apporte pas toutes les réponses à toutes les questions. Pour être honnête, outre le fait que ce livre n'y suffirait pas (on me dit d'ailleurs qu'il est déjà trop gros), cette pensée me terrifie. En revanche, il décrit diverses situations de crise, les plus courantes, et vous explique la bonne marche à suivre pour récupérer le contrôle de votre monstre en délire.

- Les pannes présentées dans ce chapitre sont toutes facilement réparables par vous ou votre gourou de la micro.

- Avant de songer à emporter votre ordinateur malade chez un spécialiste, jetez vite un coup d'œil au Chapitre 25.

# Le syndrome CMPH "ça marchait pourtant hier"

Les ordinateurs devraient se manifester par quelques bruits étranges avant de tomber en panne. Les voitures ? Elles font du bruit. Le petit cliquetis devient un grincement, puis un gémissement prolongé et strident, et enfin un vacarme assourdissant. Ensuite, quelque chose de métallique, avec de l'huile dégoulinant de partout, surgit hors du capot dans un épais nuage de fumée noire. C'est ainsi que les voitures vous font savoir qu'elles ont un petit problème.

Avec les ordinateurs, rien de tel. Ils s'arrêtent simplement de tourner. Vous répétez exactement les mêmes opérations que la veille, que toute la semaine, le mois, l'année, et soudain - peut-être est-ce à cause du nouveau cycle lunaire ? - l'ordinateur refuse de coopérer. Il est devenu complètement incontrôlable.

## Utiliser le bouton Reset ?

Lorsque vous avez l'étrange impression que votre ordinateur est possédé, appuyez sur le bouton Reset . Suivez les instructions du Chapitre 4 pour réinitialiser votre PC. Vous devriez redevenir maître de la situation.

- Comment ça marche ? Je n'en ai pas la moindre idée. Peut-être l'ordinateur est-il tout simplement fatigué de répéter toujours les mêmes choses et il a besoin, de temps à autre, d'une petite dose de Reset pour le maintenir éveiller.

- *Fatigué* n'est pas le terme exact, bien entendu. Le problème vient généralement de la mémoire de votre PC. Il a tendance a perdre la tête. Oh, ce n'est pas vraiment de sa faute, mais de celle de vos programmes dont les subtils défauts provoquent des erreurs de mémoire. Ces erreurs augmentent jusqu'à saturation et il faut réinitialiser le système (en appuyant sur le bouton Reset) pour les corriger et vider la tête de votre PC.

- Certains programmes ont tendance à engloutir toute la mémoire de l'ordinateur et à empêcher vos autres applications de fonctionner correctement et ce, quel que soit le nombre de mégaoctets de RAM disponibles sur votre PC. Le vilain doigt accusateur est pointé ici sur Microsoft Word. Ce programme est un véritable goinfre. Si vous remarquez que d'autres programmes ont des ratés lorsque vous utilisez un glouton tel que Word, fermez ce programme mal élevé et relancez-le plus tard.

## Penser au passé

Parfois, le syndrome CMPH a une origine décelable, si seulement vous y réfléchissez un peu. Posez-vous les questions suivantes :

- Ai-je ajouté récemment un accessoire à mon PC ?

- Ai-je installé un nouveau logiciel ?

- Ai-je changé un logiciel ?

- Ai-je modifié une des options Windows ?

- Ai-je utilisé la fonction de désinstallation pour supprimer quelque chose ?

Si vous faites une rétrospective de tout ce qui s'est passé avant l'incident, vous finirez généralement par trouver la cause de votre souci. "Aaah oui... J'ai modifié les options de mon imprimante hier pour imprimer dans le sens de la largeur. Pas étonnant que toute ma correspondance soit sortie aussi bizarrement."

## Fermer un programme qui ne répond plus

Les programmes peuvent disparaître. Le cas échéant, ils ne vous préviennent pas. Ils ne font aucun signe d'adieu, n'émettent pas même ce petit "heu !" que font les gosses lorsqu'ils jouent à la guerre. Ils s'évanouissent purement et simplement dans la nature numérique. Le pire est que parfois un programme peut entraîner dans sa chute l'ordinateur tout entier. J'en ai souvent fait l'expérience lorsque j'apprenais la programmation en langage C. Même des programmes bien intentionnés peuvent provoquer de telles catastrophes en chaîne si on les pousse trop loin. Pour vérifier que vous avez toujours le contrôle, essayez de faire bouger la souris. Si le curseur répond, c'est un bon signe.

Ensuite, essayez d'afficher le menu Démarrer de Windows : appuyez sur Ctrl+Echap, ce qui vous permettra de vérifier que le clavier fonctionne toujours. (Pressez la touche Echap pour faire disparaître le menu Démarrer.) Vous devrez peut-être attendre quelques instants que Windows réponde ; parfois, le mauvais comportement d'un programme engourdit temporairement le système d'exploitation de votre PC.

Après cela, pressez la combinaison de touches Alt+Tab pour basculer vers un autre programme ou une autre fenêtre. Si vous y parvenez, alors il y a des chances pour que vous puissiez fermer en toute sécurité le programme défaillant. Voici comment :

1. **Pressez Ctrl+Alt+Suppr.**

Cette combinaison de touches affiche la fenêtre Fermer le programme (Figure 24.1).

Figure 24.1 :
La fenêtre
Fermer le
programme.

2. **Dites adieu au trouble-fête.**

    Dans la liste des programmes, cliquez sur celui qui "ne répond pas".

    Si plusieurs programmes sont dans ce cas, répétez ces étapes pour vous débarrasser de chacun d'entre eux.

3. **Cliquez sur le bouton Fin de tâche.**

    Le rebelle est écarté.

- Si vous utilisez ce moyen pour fermer un programme qui ne répond plus, relancez le système pour plus de sécurité. Un programme fermé de la sorte ne se retire pas toujours sans laisser de traces derrière lui qui risquent d'empoisonner la vie de Windows jusqu'à ce qu'il craque de nouveau.

- Si votre clavier et votre souris ne répondent plus, vous devrez relancer le système à la main (voyez le Chapitre 4).

## "Est-ce que mon PC a un virus ?"

Une question qui hante souvent l'esprit des utilisateurs angoissés face à leur PC agité est : "Peut-il s'agir d'un virus ?" J'ai le regret de vous dire que oui. Et plus particulièrement si vous êtes dans l'une des situations suivantes :

- J'ai téléchargé des fichiers trouvés sur Internet.

- J'ai exécuté un jeu sur mon PC à partir d'une disquette de lancement du lecteur A.

- J'utilise des logiciels volés que mes amis et collègues me donnent.

- D'autres personnes utilisent mon PC.

Vous avez peut-être répondu oui à toutes ces situations sans pour autant avoir de virus. Mais vous avez de grandes chances de contaminer votre PC si vous gardez ces mauvaises habitudes. Malheureusement, Windows n'est pas livré avec un programme antivirus. Vous devrez vous en procurer un vous-même (en l'achetant, de préférence). Les antivirus vous aident à détecter ces programmes démoniaques avant qu'ils n'infectent votre ordinateur, et suppriment tous les virus qui ont pu se propager dans votre système.

- La plupart des virus informatiques affichent d'ironiques messages à l'écran. Celui qui a infecté mon PC a affiché un "Arf ! Arf !" et c'est tout - ensuite, il a effacé la totalité de mon disque dur.

- Certaines personnes incriminent bien trop souvent les virus. N'en faites rien. Les médias adorent propager des histoires de virus informatiques. Ce sont des êtres à tendance paranoïaque, surtout dès qu'il s'agit d'informatique (et ils pensent que vous êtes aussi paranoïaque qu'eux dans ce domaine).

- Non, votre PC ne peut attraper de virus si vous éternuez devant votre écran. Mais il vaut mieux avoir une boîte de mouchoirs en papier sous la main lorsque cela se produit.

# *"Mon écran n'affiche plus rien !"*

Parfois, l'écran de votre ordinateur apparaît totalement vide. Le néant. Votre ordinateur fonctionne - il fait du bruit, ses voyants sont allumés, etc. - mais l'écran semble en panne. Le cas échéant, suivez ces étapes :

1. **Assurez-vous que le moniteur est bien branché.**

2. **Assurez-vous que le moniteur est bien allumé.**

   Certains écrans d'ordinateur ont un interrupteur marche/arrêt indépendant de l'interrupteur principal du PC.

3. **Appuyez sur une touche.**

   Parfois, certains programmes, appelés *économiseurs d'écran*, désactivent l'affichage. La frappe d'une touche - la touche Maj ou la barre d'espacement de préférence - restaure l'image.

4. **Vérifiez le bouton de luminosité.**

Quelqu'un peut avoir baissé complètement ce bouton, auquel cas le réglage de la luminosité ou du contraste fera réapparaître l'image.

Le problème peut aussi provenir du logiciel que vous exécutez. Certains programmes sont stupides, ils ne vous préviennent pas que vous n'êtes pas équipé de la bonne carte graphique. Ils se contentent de ne rien afficher. Si vous respectez ces étapes et que rien n'y fait, relancez votre ordinateur en suivant les instructions du Chapitre 4.

# Troubles de l'appareil imprimant

Rien n'est plus affligeant que ces petits appareils entraînés à recracher des pages écrites. Il en existe tellement et de toutes les sortes ! Et puis, les imprimantes sont des objets terriblement mécaniques, ce qui peut perturber les logiciels et conduire à des bourrages de papier. En outre, vous n'utilisez peut-être votre imprimante que très rarement, et oubliez régulièrement comment elle fonctionne. Toutes ces situations, et bien d'autres encore, peuvent causer des troubles du côté de l'imprimante.

## Des caractères étranges apparaissent au début de la page

Occasionnellement, des caractères étranges peuvent s'imprimer en haut de chaque page ou seulement de la première. Par exemple, vous pouvez voir un ^ suivi d'un &0 ou d'un E@ ou de n'importe quel autre affreux caractère que vous ne voulez pas imprimer et qui n'apparaît pourtant pas sur votre écran. Cela nécessite un grand "Hmmm".

Hmmm.

Ces caractères sont en fait des codes secrets de configuration d'imprimante. Normalement, ces caractères sont avalés par l'imprimante avant l'impression. Le problème est que le logiciel du PC n'envoie pas les bons codes à l'imprimante. Et, dans la mesure où l'imprimante ne les comprend pas, elle les imprime tels qu'ils lui parviennent. D'où ces affreux caractères. Pour résoudre ce problème, vous devez sélectionner le bon logiciel de pilotage (ou *driver*) pour Windows. Vous voulez un logiciel qui connaît votre imprimante et sait comment lui parler. Le mieux consiste à demander de l'aide (à la personne qui aurait installé votre logiciel sur l'ordinateur, par exemple).

Il arrive aussi que vous ne choisissiez pas la bonne imprimante dans la boîte de dialogue Imprimer (voir le Chapitre 16). Si votre PC utilise plus d'une imprimante, assurez-vous que vous sélectionnez bien l'imprimante requise dans la liste *avant* de lancer l'impression.

# "La page n'est pas sortie de mon imprimante laser !"

Les imprimantes laser ne ressemblent pas à leurs plus primaires cousines à impact. Avec une imprimante matricielle, par exemple, outre le fait que vous obtenez une qualité d'impression médiocre, vous pouvez voir ce que vous imprimez au moment où c'est imprimé (vous pouvez même l'entendre !). Les imprimantes laser sont silencieuses. Mais elles n'impriment rien tant qu'une de ces deux situations ne se présente pas :

1. **L'imprimante commence à travailler si vous avez rempli une page de texte, pas avant.**

   Contrairement aux imprimantes à aiguilles, rien ne s'imprime tant que vous ne remplissez pas une feuille.

2. **Vous pouvez forcer une imprimante laser à imprimer ce que vous avez envoyé jusque-là en utilisant la fonction "Saut de page" : mettez l'imprimante "Hors ligne" en appuyant sur le bouton "En ligne" ou "Sélectionnée" (le voyant "Prête" s'éteint).**

   Appuyez ensuite sur le bouton "Saut de page" ou "Avance papier". N'oubliez pas de remettre l'imprimante en ligne lorsque vous avez terminé.

# Les problèmes de bourrage de papier

Le bourrage de papier est un problème auquel vous serez inévitablement confronté un jour ou l'autre. Les raisons pour lesquelles le papier se coince parfois dans une imprimante sont diverses (une agrafe oubliée, le taux d'humidité excessivement élevé, etc.) ; mais peu importent les raisons, l'important étant ici de savoir comment y remédier.

Si vous disposez d'une imprimante *matricielle*, annulez l'impression dans votre programme actif, puis éteignez l'imprimante et tournez le rouleau en sens inverse pour extraire la feuille. N'essayez pas de tirer sur la feuille pour l'extraire du mécanisme, vous risqueriez de la déchirer et il faudrait alors démonter l'imprimante pour en retirer les bouts de papier.

Si votre imprimante est une laser, vous verrez probablement le message `Bourrage papier` apparaître dans une langue ou un dialecte quelconque. Vous devrez alors soulever son couvercle pour y trouver la feuille fautive et la retirer. Faites attention à ce que vous touchez car la plupart des pièces seront certainement très chaudes. Pas besoin d'annuler l'impression ici, les imprimantes laser étant plus évoluées que leurs cousines matricielles.

Si le bourrage a été causé par un papier trop épais, relancer l'opération provoquera probablement le même résultat. Utilisez plutôt des feuilles plus fines. Toutefois, de nombreuses autres causes peuvent provoquer des bourrages de papier. Dans tous les cas, enlevez la feuille et recommencez.

## Imprimer en double interligne ou tout sur la même ligne

Deux phrases que l'on entend souvent chez les utilisateurs d'imprimantes à impact sont l'expression de panique "Tout s'imprime sur la même ligne !" et l'inquiète constatation "Mais pourquoi tout s'imprime toujours en double interligne ?" Ces deux problèmes communs peuvent facilement se résoudre (sous réserve d'avoir conservé le guide d'utilisation de votre imprimante).

Quelque part sur votre imprimante se trouvent des commutateurs de fonction. Un de ces commutateurs concerne l'interligne. Vous devez donc le baisser s'il est levé ou inversement.

Si vous avez conservé le guide d'utilisation de l'imprimante, vous trouverez probablement un tableau précisant les fonctions des divers commutateurs présents. Celui qui vous intéresse peut être désigné par les mentions "LF after CR" pour Line Feed after Carriage Return (Saut de ligne après Retour chariot) ou tout autre texte comportant un de ces termes. Dans le cas contraire, il ne vous reste plus qu'à effectuer des essais. Bonne chance ! (N'oubliez pas d'éteindre l'imprimante avant de tripoter ses commutateurs.)

- Ces commutateurs se situent le plus souvent à l'avant ou à l'arrière de votre imprimante, mais il arrive parfois qu'ils soient placés à l'intérieur.

- Si cela ne semble pas régler le problème, éteignez votre imprimante, attendez, puis rallumez-la.

## Troubles de l'appareil communiquant

Dès que votre modem est installé, communiquer via votre ordinateur ne devrait poser aucun problème. Mais oui... Bien sûr... J'ai même entendu dire que certains tarés sont capables de s'arracher leurs ongles de pied sans ressentir aucune douleur. Vous rencontrerez probablement un problème de temps en temps. Et peut-être même un de ceux-ci :

- Vous n'avez pas branché le bon câble entre l'ordinateur et le modem. Ce dernier requiert un câble série RS-232 ou un câble modem. Vous ne pouvez utiliser un câble série pour imprimante ou un câble null-modem.

- Vous n'avez pas raccordé le modem au bon port de l'ordinateur. La plupart des PC ont deux ports série, COM1 et COM2, et presque tous les programmes de communication présument que vous utilisez COM1. Si ce n'est pas le cas, précisez à votre logiciel que vous êtes différent et que vous utilisez COM2.

- Votre modem n'est pas complètement compatible Hayes. Votre logiciel de communication pense que vous utilisez un modem compatible Hayes. Si votre modem est différent, vous devez sélectionner le bon driver de modem ou vous asseoir dans un coin et verser quelques larmes d'amertume parce qu'un ahuri vous a vendu un modem totalement incompatible.

# Chapitre 25

# Diagnostiquer et soigner votre PC

**C**ertains concours de circonstances font que l'on se retrouve bien seul devant sa panne. Dans ces cas difficiles, il faudra faire face. Nous vous donnons ici quelques conseils qui devraient vous aider à faire redémarrer votre ordinateur.

## Déterminer l'origine du problème : matériel ou logiciel

Votre gourou, ou même vous, pourrez peut-être dépanner le matériel, mais la plupart du temps il est nécessaire d'emmener votre ordinateur chez un spécialiste pour un examen détaillé. Les problèmes logiciels, en revanche, pourront être résolus par votre gourou ou en appelant le numéro de l'assistance téléphonique du produit. Mais comment savoir si l'on doit incriminer le matériel ou le logiciel ? Vérifiez ces quelques points :

1.  **Le problème se produit-il régulièrement, quel que soit le logiciel ?**

    Par exemple, est-ce que Word, Excel et votre programme de comptabilité ont des difficultés à imprimer ? Si oui, c'est un problème matériel. Amenez votre ordinateur chez le docteur.

2. **Le problème est-il récent ?**

Est-ce que la fonction d'aperçu avant impression fonctionnait la semaine dernière et ne fonctionne plus aujourd'hui ? Vérifiez qu'aucun changement n'est intervenu dans votre ordinateur, nouveau logiciel ou nouvel accessoire. Si ce n'est pas le cas, le matériel est en cause. Amenez votre ordinateur chez le docteur.

3. **Est-ce que le problème se produit avec un seul logiciel ?**

Si votre ordinateur se réinitialise lorsque vous imprimez avec Access, pas de doute, c'est un problème logiciel. Appelez l'assistance téléphonique.

En général, si le problème ne se produit qu'avec un programme, c'est un problème lié au logiciel ; s'il se produit avec tous les logiciels, cherchez du côté du matériel.

# Vérifier les connexions

Les câbles mal branchés peuvent vous mener la vie dure. Si votre souris se paralyse, si votre clavier refuse d'obtempérer ou si un rideau noir s'abat sur votre écran, cherchez du côté des câbles.

1. **Eteignez votre ordinateur**

Eteignez tout, vraiment tout (voyez le Chapitre 4 pour procéder correctement).

2. **Vérifiez tous les câbles situés à l'arrière de l'unité centrale.**

Vérifiez que les prises sont enfoncées à fond.

3. **Si une prise est mal branchée, enfoncez-la doucement.**

Si le câble est trop tendu, déplacez les appareils pour les rapprocher et rebranchez les câbles correctement.

Certaines prises se branchent et se fixent avec des vis que l'on peut tourner à la main. D'autres utilisent de minuscules vis peu pratiques qui requièrent l'usage d'un minuscule tournevis aussi peu pratique. D'autres encore peuvent s'enfoncer bien gentiment. Les prises de réseau se vissent en se branchant. Les prises pour imprimante s'attachent avec des colliers métalliques.

4. **Après avoir tout vérifié, rallumez l'ordinateur et vérifiez si le problème a disparu.**

S'il persiste, amenez votre ordinateur chez le docteur.

---

**Que faut-il apporter exactement chez le réparateur ?**

Si vous ne parvenez pas à dépanner vous-même votre PC, faut-il emballer tout votre matériel, avec son armada de câbles, prises, vis et autre bazar, et trimballer le tout chez un spécialiste ? Probablement pas. Mais il arrive qu'on vous le demande.

Lorsque mon imprimante est tombée en panne, le spécialiste que j'ai appelé m'a demandé de lui apporter l'unité centrale, les câbles d'imprimante et l'imprimante. Par chance, je n'ai pas eu à déménager le moniteur, le clavier et la souris, puisqu'il en avait et ne les suspectait pas d'être responsables des problèmes de mon imprimante.

Demandez toujours ce que vous devez apporter et ce que vous pouvez laisser chez vous. Si vous déposez plusieurs éléments, vérifiez qu'ils sont bien mentionnés sur votre reçu pour être sûr de tous les récupérer. Inscrivez votre nom et numéro de permis de conduire ou de tout autre papier d'identité à l'intérieur du boîtier de votre UC, sous votre clavier, imprimante, etc. Ce n'est pas le symptôme d'une paranoïa latente, mais une sage précaution.

---

# Quelques trucs à essayer lorsque cette satanée machine ne veut pas démarrer

Rien n'est plus effrayant que de faire basculer l'interrupteur marche/arrêt du PC et d'entendre un *clic*. "Hé ! Mais c'est la souris qui doit faire *clic* ! Le PC est censé vrombir hors de son sommeil et ronronner !"

Les sections suivantes vous proposent quelques petits trucs à essayer avant d'appeler le réparateur dans l'affolement général.

## Brancher l'ordinateur dans une autre prise

Il arrive que les prises secteur ne soient plus alimentées. Si votre ordinateur ne fonctionne plus, essayez de le brancher dans une autre prise murale.

On trouve dans le commerce des petits gadgets qui testent les prises murales. Ces petits bidules ne coûtent généralement pas plus de 30 F. Vous les branchez dans une prise, et des petites lumières apparaissent si la prise est toujours alimentée. Expliquez ce que vous recherchez à un vendeur, il se fera une joie de vous aider.

## Court-circuiter le boîtier multiprise

Pour vous assurer que le problème ne provient pas du boîtier multiprise, branchez l'ordinateur directement dans la prise murale. S'il fonctionne, le problème vient du boîtier. Changez-le.

## Vérifier le disjoncteur

Si plus rien ne fonctionne (ni votre chaîne, ni votre ordinateur), vérifiez votre alimentation générale et en particulier votre disjoncteur.

Vérifiez le bouton vert de votre disjoncteur, enfoncez-le. N'insistez pas s'il disjoncte immédiatement, il y a un problème d'alimentation électrique. Le disjoncteur peut sauter pour plusieurs raisons. Il y a trop d'appareils électriques branchés en même temps ou il y a un problème d'isolation dans une de vos machines. Changez de maison ou appelez l'électricien.

# Etre attentif aux bruits

En temps normal, l'ordinateur émet une multitude de sons. Ces bruits "normaux" proviennent du disque dur, des disquettes, du ventilateur et du clavier lorsque vous tapotez sur ses touches. Lorsque quelque chose tourne mal, entendez-vous toujours ces mêmes bruits ? Est-ce qu'il en manque ? Ou distinguez-vous de nouveaux sons effrayants ?

Relevez tout changement notoire pour en parler à votre réparateur. Contrairement aux voitures, les bruits étranges qu'émettent les ordinateurs ne disparaissent pas au moment où vous les emmenez chez le réparateur.

Si votre disque dur émet un son de plus en plus fort, les roulements sont probablement usés, sans pour autant signifier un dysfonctionnement. Lorsque le bruit commence à être vraiment insupportable, achetez un nouveau disque.

# Vérifier si le disque a un problème

Comme le vin, les disques vieillissent mais contrairement à ce délicieux breuvage (à consommer avec modération), ils ne se bonifient pas avec le temps et peuvent vite tourner au vinaigre. Ils peuvent également s'abîmer et devenir complètement inutilisables. Le cas échéant, demandez à votre gourou si il ou elle peut récupérer vos données (c'est parfois possible).

Vous pouvez vérifier l'état d'un disque vous-même à l'aide d'un des utilitaires Windows. Voici comment procéder :

1. **Ouvrez le Poste de travail.**

   Double-cliquez sur l'icône Poste de travail pour l'ouvrir et afficher une fenêtre dressant la liste de vos lecteurs.

2. **Cliquez sur l'unité suspecte.**

3. **Choisissez Fichier/Propriétés.**

   La boîte de dialogue Propriétés du disque sélectionné apparaît.

4. **Cliquez sur l'onglet Outils pour afficher ses options en avant-plan.**

5. **Cliquez sur le bouton Contrôler maintenant.**

   Cette opération lance le programme ScanDisk, qui vérifie l'état de vos disques, tel un docteur examinant votre état de santé général. La Figure 25.1 illustre la boîte de dialogue ScanDisk.

Figure 25.1 La boîte de dialogue ScanDisk.

6a. **Pour effectuer un examen rapide, cliquez sur le bouton radio Standard.**

6b. **Pour une analyse plus complète, cliquez sur le bouton Minutieuse.**

7. **Cliquez sur le bouton Démarrer.**

   ScanDisk vérifie l'état de votre disque et, avec de la chance, ne trouvera aucune erreur.

   Lorsque l'examen est terminé, une petite boîte de dialogue affichant les résultats de l'analyse apparaît. Si des erreurs ont été décelées, le programme vous demandera si vous souhaitez qu'il les répare. Acceptez sa délicate proposition. ScanDisk fera de son mieux en fonction des circonstances.

8. **Cliquez sur le bouton Fermer (deux fois).**

   Merci docteur !

* Si le programme fait état d'un nombre important d'erreurs, cela peut signifier que les jours de votre disque dur sont comptés. Faites une sauvegarde complète de tous les fichiers de votre disque et remplacez-le immédiatement.

# Septième partie
# Les petits plus

*"Pour des raisons évidentes, nous avons décidé
de ne pas utiliser d'acronyme".*

Sixième partie

Les pour plus

## Dans cette partie...

La touche finale de ce livre, en guise de cerise sur le gâteau, est un condensé, en quatre chapitres, de trucs et astuces, de recommandations et mises en garde, de règles de type "à faire/à ne pas faire", et autres trivialités néanmoins précieuses.

# Chapitre 26
# Les erreurs des débutants

*O*n peut faire des millions d'erreurs avec un ordinateur, d'effacer le mauvais mot à se faire tomber le moniteur sur les pieds. Rassurez-vous, seulement huit d'entre elles ont été sélectionnées pour ce chapitre. Ce sont des erreurs de tous les jours, celles que les gens font régulièrement jusqu'à ce qu'on leur dise de ne plus recommencer.

## *Acheter trop de logiciels*

L'erreur à ne pas faire ici n'est pas tant d'acheter trop de logiciels (je serais hypocrite si je vous le déconseillais, puisque j'en ai moi-même des centaines - mais je suis un accro de la micro, alors c'est normal), mais d'en acheter trop *en même temps*.

L'apprentissage d'un logiciel peut vous prendre plusieurs mois. Un an après avoir acheté un logiciel, vous découvrirez encore de nouvelles fonctions. Même si vous avez lu toute la documentation, vous ne connaîtrez jamais votre logiciel à fond. Les logiciels possèdent toujours des fonctions cachées, non documentées, que les éditeurs ont oublié de mettre dans les manuels ou ne connaissent pas.

Epargnez-vous les maux de tête et les insomnies, conséquences directes de l'installation de cinq logiciels dans la même journée pour, en fin de compte, vous retrouver avec un ordinateur qui ne fonctionne pas. Qui est donc le coupable parmi vos cinq suspects ?

# Acheter des accessoires incompatibles

Les différentes pièces d'un ordinateur doivent vivre en harmonie. Une seule dissonance et l'harmonie est rompue, l'ordinateur ne fonctionne plus.

Lorsque vous achetez un nouveau moniteur, il faut qu'il soit compatible avec votre adaptateur graphique (ce truc à l'intérieur de votre PC qui envoie les informations au moniteur). De la même manière, vous ne pouvez utiliser un vieux clavier XT avec un ordinateur plus récent. Parfois, même les choses les plus simples ne fonctionnent pas : vous avez acheté une disquette à haute densité et votre PC n'est équipé que d'un lecteur à basse densité.

Vous pouvez éviter ce type d'erreur de deux manières : Premièrement, faites toujours installer vos nouveaux accessoires par un spécialiste. Deuxièmement, faites vos achats avec soin. N'achetez jamais rien - et surtout pas les disquettes - à la va-vite.

# Ne pas enregistrer votre travail

Perdre des informations sur un ordinateur est une situation frustrante mais prévisible. Après tout, vous êtes débutant. Au bout de la troisième ou quatrième fois, cela devient nettement moins drôle et le niveau d'énervement monte beaucoup plus rapidement.

Chaque fois que vous créez un document, utilisez la commande d'enregistrement et copiez votre œuvre sur disque dur. L'objectif que vous devez poursuivre est d'utiliser cette commande dès que vous y pensez et d'y penser le plus souvent possible. La bonne mesure se situe toutes les quatre minutes environ.

Vous ne pouvez pas prévoir le moment où votre ordinateur décidera de vous lâcher, mais c'est généralement au moment où vous approchez de cette conclusion si laborieuse que la mémoire lui fait soudain défaut. Sauvegardez votre travail fréquemment quand vous travaillez et systématiquement quand vous quittez votre siège, même si c'est simplement pour aller chercher une barre chocolatée dans la pièce voisine.

# Utiliser une disquette à la place du disque dur

Les disquettes sont d'utilité notoire. Vous en avez besoin pour déplacer des fichiers d'un PC à un autre. Vous en avez besoin pour vos sauvegardes. Et elles permettent de distribuer des logiciels. Mais vous n'en avez certainement pas besoin pour enregistrer votre travail ; c'est la tâche du disque dur.

Un jour, j'ai reçu une lettre d'un lecteur , frustré de ne pouvoir enregistrer sur sa disquette le superbe fichier graphique qu'il venait de créer. Il s'est avéré en fait qu'il ne s'était jamais servi de son disque dur - pas même une seule fois depuis qu'il avait acheté son ordinateur. De peur de l'abîmer, de le faire déborder ou je ne sais quoi, il utilisait toujours des disquettes.

S'il vous plaît, utilisez toujours votre disque dur. N'ayez pas peur de le remplir. Achetez-en un autre lorsqu'il est plein. Utilisez vos disquettes uniquement pour les sauvegardes. A ce propos d'ailleurs...

# Ne pas sauvegarder les fichiers

Les trois principes de base d'une sauvegarde dans les règles de l'art sont : Tout d'abord, enregistrez votre fichier sur votre disque dur en cours de travail. En fin de journée, sauvegardez les fichiers créés sur disquette (si une catastrophe se produisait sur votre disque dur, vous n'auriez perdu, au pire, qu'une journée de travail). Et enfin, par sécurité, copiez la disquette sur une autre.

La sauvegarde sur bande peut être une solution simple et pratique. Au bureau, par exemple, tous mes ordinateurs sont configurés pour enregistrer automatiquement leurs fichiers sur bande tous les jours à 2 heures du matin.

# Lire un écran trop clair

Un moniteur trop lumineux fatigue les yeux et son écran s'use plus vite.

Pour obtenir un réglage parfait, augmentez la luminosité à fond. Réglez le contraste pour obtenir une bonne image. Baissez ensuite la luminosité pour faire disparaître le bord de l'image.

C'est tout.

## Allumer et éteindre l'ordinateur trop rapidement

L'allumage d'un ordinateur constitue un réel choc pour tous ses composants sensibles. L'usure d'un ordinateur provient principalement de cette phase critique. En outre, allumer et éteindre un ordinateur à une cadence trop rapprochée peut l'endommager très sérieusement. Si vous devez éteindre votre ordinateur, laissez-lui au moins 20 secondes de repos avant de le rallumer.

Il arrive parfois qu'une coupure de courant soit responsable d'un arrêt brutal de votre PC. Une coupure d'une minuscule demi-seconde un jour a coûté la vie de mon disque dur. Depuis, un onduleur protège tous mes PC, au cas où un orage s'abattrait sur mon bureau.

## Ecrire avec un stylo à bille sur une disquette

Les disquettes sont des créatures fragiles, leur fine enveloppe ne les protège que partiellement. Elles ne résistent pas à la simple pointe d'un stylo à bille.

La pointe d'un stylo à bille peut marquer la surface magnétique à travers la pochette plastique, laissant une trace indélébile. La disquette enregistrera les données écrites à la place des données magnétiques. Ce n'est pas le but du jeu.

Ecrivez sur les étiquettes autocollantes *avant* de les coller sur les disquettes, ou utilisez une pointe feutre souple. En collant l'étiquette, ne recouvrez pas les parties vitales de la disquette (les encoches et autres ouvertures) et ne la faites pas dépasser.

# Chapitre 27
# Quelques trucs à éviter

*V*otre mère vous aime. OK, elle vous couve trop, mais elle vous aime. C'est important. Petit, avant de quitter la maison, elle vous faisait ses éternelles recommandations : ne saute pas dans les flaques d'eau, ne va pas dans le terrain vague, ne mange pas ce que tu trouves par terre, regarde avant de traverser la route, ne t'amuse pas à lancer des cailloux sur les fenêtres de Mme Barjo, et ne joue pas avec l'affreux gosse des Thomson. Et, bien sûr, vous promettiez tout ce qu'elle vous demandait, puis vous couriez vite chez le fils Thomson pour aller jouer dans le terrain vague en faisant un détour par chez Mme Barjo.

Ce chapitre contient une liste de trucs à ne pas faire, voir ou tripoter lorsque vous utilisez un PC. Votre mère vous aurait probablement dit la même chose, si elle avait écrit ce livre.

## Réinitialiser le système pour fermer un programme

N'appuyez jamais sur le bouton Reset pour fermer un programme. Cette méthode était peut-être populaire autrefois, et même encore aujourd'hui dans certains bureaux décrépits, mais c'est une très mauvaise habitude.

Quittez toujours un programme comme il se doit, à l'aide des commandes de fermeture appropriées. N'utilisez le bouton Reset qu'en cas d'intense panique.

## Démarrer l'ordinateur avec une disquette non conforme

Le moyen le plus sûr de laisser un virus pénétrer dans les circuits de votre PC consiste à allumer l'ordinateur à partir d'une disquette inconnue. Je ne parle pas de la disquette de lancement que vous avez créée ou d'une disquette qui proviendrait d'un coffret logiciel hermétiquement cacheté. Je parle de ce, heu, vous savez, *jeu* que votre collègue vous a laissé la semaine dernière. Lancez votre ordinateur à partir de cette disquette et vous avez de grandes chances de laisser entrer un de ces programmes démoniaques - et je ne parle plus du jeu - dans votre PC. Vous aurez été prévenu !

## Forcer une disquette dans son lecteur

Une disquette ne s'insère dans son lecteur que d'une seule façon. Si elle refuse d'y entrer, ne la poussez pas avec force, vous êtes face à l'un de ces deux problèmes :

**Problème 1 :**  Vous tentez d'introduire la disquette dans le mauvais sens.

**Solution 1 :**  Replacez-la correctement et recommencez.

**Problème 2 :**  Le lecteur est déjà occupé.

**Solution 2 :**  Ejectez l'intrus et recommencez.

## Formater une disquette à une densité différente

Votre PC est probablement équipé d'un ou de deux lecteurs de disquettes à haute densité. Dans ce cas, vous devez vous plier aux Quatre Commandements des disquettes formatées :

- Ne vous approchez pas des disquettes basse densité.

- Ne formatez pas une disquette haute densité à une basse densité. Aucun ordinateur sur terre n'a besoin d'une telle chose.

- Ne formatez pas une disquette basse densité à une densité supérieure.

- Ne faites pas d'encoche sur vos disquettes basse densité pour les convertir magiquement en disquettes à haute densité.

# *Relier le clavier au PC pendant qu'il est allumé*

> Le petit grésillement que vous venez d'entendre est le dernier soupir de votre carte mère. Vous devez en acheter une autre. Ou acheter un autre clavier. Eteignez toujours votre PC avant d'y brancher quoi que ce soit. Vous aurez été prévenu !
> - Votre ordinateur -

# *Ouvrir des trucs auxquels vous ne devriez pas toucher*

Tout dans un PC ou autour ne porte pas la mention "Ne pas ouvrir". Certains accessoires ont même des ouvertures faciles. Les nouveaux ordinateurs, par exemple, ont des couvercles qui s'emboîtent pour en faciliter l'accès. Les anciens boîtiers avaient six petites vis. Pourquoi ce changement ? Parce que de nombreux utilisateurs ouvrent leur PC pour y installer des nouveaux composants.

Votre moniteur ? Ne l'ouvrez pas. Pareil pour les composants à l'intérieur de l'unité centrale, tels que le boîtier d'alimentation. Ne jouez pas au petit bricoleur avec ces choses-là.

N'ouvrez pas non plus les accessoires de votre imprimantes, et plus particulièrement le kit toner de votre imprimante laser.

Inutile d'ouvrir votre modem ou toute autre unité externe de votre PC.

 Si vous décidez d'ouvrir votre unité centrale pour y installer de nouveaux composants ou simplement parce que vous êtes curieux, prenez la précaution d'éteindre et de débrancher votre PC d'abord. Cela est préférable autant pour vous que pour votre matériel.

# *Sortir par la mauvaise porte*

Lorsque vous en avez terminé avec Windows, fermez-le. Choisissez la commande Arrêter du menu Démarrer (quelle logique !), cliquez sur le bouton OK et attendez que l'écran vous informe que vous pouvez éteindre votre ordinateur en toute sécurité.

Ne faites pas simplement basculer l'interrupteur marche/arrêt lorsque vous voulez éteindre votre PC. Ciel ! C'est pire que de lancer des cailloux sur les fenêtres de cette chère vieille Mme Barjo. Fichtre !

# Chapitre 28
# Quelques idées cadeau pour votre PC

*N*ous n'avons aucune intention mercantile en vous suggérant de vous équiper d'un certain nombre de "gadgets", mais ils amélioreront votre confort et vous rendront de grands services.

## Des logiciels

Le cerveau de votre ordinateur, c'est le logiciel. Son choix doit être entouré d'une attention toute particulière. Il en existe des quantités phénoménales, chacun répondant à un besoin bien spécifique. Lorsque l'utilisation d'un de vos logiciels n'est plus aussi satisfaisante, il est peut-être temps de le remplacer par un autre plus performant.

# Un tapis de souris

La souris peut être utilisée sur n'importe quelle surface non encombrée de votre bureau, mais un tapis de souris vous apportera un plus grand confort et assurera une meilleure précision dans le déplacement du curseur. Choisissez-le avec un revêtement rugueux, les revêtements doux sont peut-être plus agréables au toucher mais ne permettent pas un déplacement fiable de la souris. En ce qui concerne son graphisme, les imaginations sont fertiles...

# Un repose-poignets

Le repose-poignet se positionne sous le clavier et permet d'avoir la position parfaite du dactylo qui maintient ses poignets au-dessus du clavier pour que les doigts percutent les touches avec plus de force. Aucun besoin de force avec le clavier d'un ordinateur, mais le repose-poignets apporte un confort d'utilisation indéniable.

# Un filtre antireflet pour écran

Il s'agit d'un simple carré découpé dans une matière synthétique, monté sur un cadre adhésif qui doit s'adapter à la taille de votre écran. Certains fabricants de moniteurs ont la bonne idée d'inclure un filtre antireflet sur leur matériel.

Les réflexions sont la cause principale de la fatigue oculaire. Elles proviennent de différentes sources : les éclairages, les fenêtres, etc. Les filtres réduisent ces réflexions parasites, améliorent la lisibilité de l'écran et diminuent la fatigue oculaire.

Il existe des écrans encore plus sophistiqués qui possèdent une protection contre les radiations électromagnétiques "dangereuses". Ne vous laissez pas influencer par le ton alarmiste de certaines publicités. Des millions de gens restent devant leur écran huit heures par jour et n'ont pas l'air d'en souffrir, quoique, en y réfléchissant bien...

# Un protège-clavier

L'utilisation d'un protège-clavier est recommandée lorsque vous travaillez dans un milieu "hostile" où liquides et poussières en tous genres peuvent s'infiltrer dans le délicat mécanisme du clavier. Si vous possédez un bureau "fumeur" et avez la mauvaise habitude de fumer en utilisant votre ordinateur, attention aux cendres sur le clavier, la productivité dactylographique s'en trouverait quelque peu affectée.

Ne pas confondre protège-clavier et housse. Avec une housse, on ne peut plus utiliser le clavier. Dans le même ordre d'idées, ne mettez pas de housse sur l'ordinateur, cela n'a d'intérêt que pour protéger son aspect extérieur. Ne mettez jamais de housse sur un ordinateur allumé, il pourrait se mettre à "bouillir".

## Plus de mémoire

N'importe quel ordinateur se portera mieux avec plus de mémoire. Inutile d'aller à des extrêmes de 128 mégaoctets, mais installer 8 ou 16 Mo de mémoire RAM (en fonction de votre budget) est une excellente idée. Vous verrez immédiatement une nette différence dans la vitesse d'exécution de programmes graphiques comme Windows. Achetez la mémoire et faites-la installer par un initié.

## Un disque dur plus rapide et plus grand (si nécessaire)

Les disques durs ont une fâcheuse tendance à se remplir trop vite. N'hésitez pas à faire du ménage et à effacer tout ce qui peut l'être. Mais arrive le jour où tout ce qui est sur votre disque dur doit y rester.

Vous avez deux solutions : installer un deuxième disque dur si vous le pouvez ou remplacer votre disque actuel par un plus rapide et d'une capacité plus grande. Un disque plus rapide va améliorer sensiblement les performances de votre vieux PC et repousser sa date d'expiration.

## Un modem

Le modem constitue une ouverture sur le monde. Avec l'acquisition d'un modem, votre ordinateur ne se trouve plus seul et vous non plus. Vous pouvez dialoguer avec d'autres utilisateurs, échanger des idées et des fichiers. Cela peut être intéressant et surtout très prenant.

Une conséquence directe de l'acquisition du modem est l'installation d'une deuxième ligne de téléphone. Un peu comme avec les enfants lorsqu'ils monopolisent la ligne avec leurs amis, les modems aussi ont tendance à monopoliser la ligne téléphonique.

# *Un support d'écran réglable*

Certains moniteurs sont livrés avec un support réglable. Si ce n'est pas votre cas, vous pouvez acheter un support ajustable qui vous permettra d'orienter l'écran face à vous et d'améliorer ainsi votre confort oculaire.

Il existe également des moniteurs montés sur bras mécaniques. Ils permettent non seulement d'orienter l'écran mais aussi de le placer en l'air au-dessus du bureau pratique pour libérer un bureau trop encombré, mais très cher.

# *Un boîtier multiprise*

Les ordinateurs sont de grands consommateurs de prises. Il leur en faut au moins trois : une pour l'unité centrale, une pour le moniteur et une autre pour l'imprimante. Tous les gadgets que vous pouvez ajouter nécessitent également une prise : l'imprimante, le modem, le scanner, votre lampe de bureau, etc. Pour ne pas être pris de court, procurez-vous un boîtier multiprise.

Certains boîtiers vous assurent une sorte de protection contre les facéties de l'alimentation électrique. Si votre alimentation est fluctuante, investissez dans les protections contre les surtensions et contre les parasites. Dans la plupart des cas, le boîtier standard suffit. Un boîtier possédant un interrupteur général vous économisera du temps et les pannes d'interrupteur.

# Chapitre 29

# Ce qu'il ne faut jamais oublier

*F*aut-il donc encore faire travailler notre mémoire ? N'est-ce pas suffisant d'avoir à se rappeler que, pour obtenir de l'aide, il faut appuyer sur la touche F1 pour fermer une fenêtre, il faut appuyer simultanément sur les touches Alt et F4 ; et pour désengorger l'imprimante, il faut lui assener un grand coup sec sur le côté ?

Rassurez-vous, les trucs de ce chapitre ne sont pas aussi compliqués à retenir. Ils sont même amusants. Gardez-les quelque part dans votre tête et faites-leur prendre l'air de temps à autre, lorsque votre ordinateur (travail, voisin, etc.) vous semble insupportable.

## Vous contrôlez l'ordinateur

Vous avez acheté l'ordinateur. Vous nettoyez derrière lui. Vous l'alimentez en disquettes chaque fois qu'il vous le demande. Vous contrôlez l'ordinateur, c'est aussi simple que ça. Ne laissez pas cette machine vous convaincre du contraire avec ses étranges agissements et conversations alambiquées. Après tout, ce n'est qu'une machine.

Si quelqu'un enfonçait une petite boîte plate remplie d'huile de moteur dans votre bouche, voudriez-vous la goûter ? Bien sûr que non. Mais insérez un petit récipient d'huile de moteur dans un lecteur de votre ordinateur et il essaiera aussitôt d'y lire des informations, croyant qu'il s'agit d'une disquette.

Vous contrôlez cette machine sans cervelle tout comme vous contrôlez un enfant. Vous devez les traiter de la même façon, avec respect et toute l'attention qu'ils méritent. Ne vous laissez pas mener par votre PC. Il ne vous commande pas plus qu'un bébé hurlant pour avoir son biberon à trois heures du matin.

## Mettre à jour vos logiciels n'est pas une nécessité absolue

Les modes passent, les versions de logiciels également. Est-il utile de suivre la mode ?

Absolument pas. Si vous vous sentez à l'aise dans vos chaussures, pourquoi voulez-vous en changer ? Si vous vous sentez à l'aise avec votre logiciel, pourquoi se laisser séduire par les sirènes des éditeurs de logiciels ?

La mise à jour possède sans doute quelques nouvelles fonctions en plus de toutes celles que vous n'avez pas encore explorées dans la version que vous utilisez. Mais elle possède aussi très certainement d'autres problèmes (bugs) qui "planteront" votre programme dans de nouvelles et différentes circonstances...

## Si vous sauvegardez correctement vos fichiers, vous ne perdrez, au maximum, qu'une journée de travail

Sauvegarder des fichiers sur des disquettes est à peu près aussi distrayant que de passer l'aspirateur sous le canapé. Vous savez qu'il faut le faire, mais c'est vraiment rasoir. Et, en plus, il y a de fortes chances pour que cela ne serve à rien.

Mais les accidents sont si vite arrivés. Votre chat peut aller chasser un papillon sous le canapé le jour où tante Margot est la maison. Et votre logiciel préféré, fidèle jusqu'à ce jour, peut décider soudainement de vous jouer un mauvais tour.

Faites des sauvegardes à la fin de chaque session de travail. Si vous effectuez des sauvegardes quotidiennes, au pire vous ne perdrez qu'une journée de travail.

# La plupart des accros de la micro adorent aider les débutants

C'est triste à dire, mais la plupart des experts en micro passent le plus clair de leur temps devant leur écran d'ordinateur. Ils savent que ce n'est pas vraiment une chose à faire, mais ils ne peuvent s'en empêcher.

C'est leur mauvaise conscience qui les incite généralement à aider les débutants. En transmettant un peu de leur savoir, ils peuvent justifier le temps passé loin de leur ordinateur chéri. Sans compter que cela leur donne l'opportunité de pratiquer une activité sociale en voie de disparition : l'art de la conversion.

Mais, n'oubliez pas, ces gourous de la micro sont plus habitués à traiter avec leur ordinateur qu'avec des êtres humains. Lorsqu'ils donnent une commande à leur PC, celui-ci agit aussitôt en conséquence. Aussi, lorsque le gourou a répondu à votre question, notez bien sa réponse sur un petit carnet de bord à consulter en temps de crise, cela vous évitera d'avoir à l'ennuyer quelques jours plus tard avec la même question. Ne retenez pas un gourou de la micro trop longtemps loin de son ordinateur.

# La vie est trop grave pour être prise au sérieux

Hé ! Calmez-vous. Les ordinateurs ne font pas partie de la vie. Ils ne sont rien de plus qu'un assemblage de minéraux et de matières plastiques. Fermez les yeux et respirez profondément. Ecoutez les vagues s'écraser contre les rochers sous votre patio. Ecoutez le gazouillis du bain bouillonnant de la Chambre Bleue.

Imaginez-vous au volant d'une décapotable le long d'une allée pavée de flamboyants baignés par le soleil des tropiques. Le vent chaud caresse votre visage et fait danser vos cheveux. Vous êtes en direction de la plage, là où la mer a des reflets vert bleus, où le sable est blond et chaud et où l'ombre est rare.

Imaginez-vous allongé sur ce sable, les embruns de la mer vous chatouillant les pieds. Vous vous levez, prenez votre masque et tuba et allez nager dans cette eau verte et chaude remplie de coraux magnifiques. Au-dessus de vous, le soleil est toujours au zénith.

Maintenant, ouvrez les yeux doucement. Ce que vous voyez devant vous n'est qu'un simple ordinateur. Vraiment. Ne le prenez pas trop au sérieux.

# Glossaire

**80x86** : Cette abréviation est utilisée pour désigner l'ensemble des microprocesseurs installés sur PC. Le nom d'un microprocesseur commence toujours par 80 et se termine toujours par 86, le "x" est remplacé par un autre chiffre (80286, 80386, 80486, etc.).

**Alt+touche** : Combinaison de touches associant la touche Alt à une autre touche du clavier, généralement une lettre, un chiffre ou une touche de fonction. Lorsque vous voyez Alt+S, cela signifie que vous devez presser la touche Alt, la maintenir appuyée pendant que vous tapez la touche S et relâcher les deux en même temps. Notez que vous ne devez pas appuyer sur les touches Alt+Maj+S ; le S tout seul suffit.

**ASCII** (American Standard Code for Information Interchange, code standard américain pour l'échange d'informations) : Un texte ASCII est un texte pur ne comportant aucun enrichissement. C'est un ensemble de 128 caractères auxquels correspondent symboles, caractères et lettres de l'alphabet.

**AZERTY** : Cet acronyme caractérise le clavier français dont la première rangée de touches commence par les lettres AZERTY. Le clavier anglais s'appelle QWERTY pour les mêmes raisons. Un clavier Dvorak est adapté à une méthode de frappe rapide mais n'est pas d'une utilisation courante du fait de sa configuration totalement différente. (Sa première rangée de touches ne commence pas par les lettres DVORAK ; Dvorak est simplement le nom de son inventeur.)

**BASIC** (Beginner's All-purpose Symbolic Instruction Code, code de commande symbolique générale pour débutant) : Le BASIC est un langage de programmation simple. Il est aussi appelé BASICA, GWBASIC ou QBASIC. Ce langage est livré avec tous les ordinateurs, ce qui permet aux plus téméraires de se lancer dans la programmation.

**Baud :** Certaines personnes utilisent incorrectement le terme *baud* à la place de *bps* pour désigner la vitesse d'un modem. Au temps de l'ère préhistorique des télécommunications, 300 baud et 300 bps désignaient la même vitesse. Mais, lorsque les modems commencèrent à prendre de la vitesse, le terme *baud* ne fut plus approprié. Ce terme n'est pas un acronyme, mais il vient du nom de l'inventeur français du télégraphe, J.M.E. Baudot.

**BBS** (Bulletin Board Services) : L'une des nombreuses abréviations liées au monde des modems et de la communication. Il s'agit d'un type de logiciel qui, une fois installé sur un ordinateur équipé d'un modem, permet de communiquer, d'échanger des programmes, de jouer, etc., avec d'autres ordinateurs.

**binaire** : Système de numérotation acceptant uniquement deux chiffres, le zéro et le un. Le système traditionnel est un système décimale (base 10). Les ordinateurs comptent en binaire ; nous rassemblons leurs bits en groupes de huit pour une digestion plus simple en tant qu'octets (voir *bit* et *octet*).

**BIOS** (Basic Input/Output System, système de base d'entrée/sortie) : Programme d'instructions enregistré dans un circuit de l'ordinateur. Il indique à ce dernier comment travailler avec chacun de ses composants (comment lire un caractère en provenance du clavier, afficher un caractère sur l'écran, imprimer, etc.).

**bit** : Contraction de *binary digit* (unité binaire), la plus petite unité d'un ordinateur, soit 1 ou 0. Des millions de ces unités se promènent à l'intérieur d'un PC et constituent les éléments de base des mémoires et disques d'un ordinateur. Huit bits valent un octet.

**bps** : Cette abréviation (bits par seconde) désigne l'unité de mesure de la vitesse de communication entre deux ordinateurs. Un modem à 9 600 bps traduit approximativement 960 caractères par seconde, ce qui correspond à peu près à l'envoi de 9 600 mots par minute d'un ordinateur à l'autre. Le Minitel fonctionne à 1 200 bps (c'est vous dire s'il est lent).

**bureau** : L'arrière-plan de Windows. La table de travail virtuelle sur laquelle vous collez des icônes et ouvrez des fenêtres.

**carte graphique** (aussi appelée **adaptateur graphique**) : C'est une carte qui permet aux informations contenues dans votre ordinateur d'être projetées sur l'écran grâce à des circuits spéciaux qui commandent le moniteur.

**carte mère** : Circuits électroniques principaux d'un ordinateur. La carte mère contient le microprocesseur, des mémoires, et des emplacements d'extension dans lesquels vous pouvez installer d'autres gadgets.

**CD-ROM** (Compact Disc-Read Only Memory) : Disque compact pouvant contenir des millions d'octets d'informations. Vous pouvez uniquement lire les informations qui s'y trouvent (aucune écriture ou modification n'est possible).

**CGA** (Color Graphics Adapter, adaptateur graphique couleur) : La première carte qui permit un affichage couleur sur les PC. Elle n'utilisait que quatre couleurs avec une résolution très faible, mais elle a ouvert les portes aux standards suivants : les cartes EGA, VGA et SVGA.

**couic couic** : Petits bruits que font les souris d'ordinateur. Voir *souris*.

**CPU** : Central Processing Unit (unité centrale de traitement). Le terme utilisé en français est, généralement, UC. Une autre façon de désigner le cerveau de l'ordinateur, le microprocesseur.

**CRT** : Terme paléolithique réservé aux initiés pour désigner votre moniteur. Pour être plus précis, le tube de votre moniteur. En anglais, cela se traduit par Cathode Ray Tube (tube à rayons cathodiques).

**Ctrl+touche** : Combinaison de touches associant la touche Ctrl à une autre touche du clavier, généralement une lettre, un chiffre ou une touche de fonction. Lorsque vous voyez Ctrl+S, cela signifie que vous devez presser la touche Ctrl, la maintenir appuyée pendant que vous tapez la touche S et relâcher les deux en même temps.

**curseur** : Petit trait vertical, horizontal ou carré clignotant à l'écran. Le curseur marque la position à l'écran où tout nouveau texte que vous saisissez va apparaître.

**densité (**ou **capacité**) : Quantité d'informations que vous pouvez stocker ; le nombre total d'octets que vous pouvez stocker en mémoire ou, plus vraisemblablement sur disque. Certains disques durs ont une densité de 600 méga octets. Les disquettes ont une densité pouvant aller de 360 kilo-octets à 2,8 méga octets.

**disque** : Unité de stockage d'un ordinateur. Il existe trois types de disque, les disques compacts (voir *CD-ROM*), les disques durs et les disquettes. Les disquettes sont amovibles et disponibles en deux tailles : 3 pouces 1/2 et 5 pouces 1/4. (Oui, bon, il y a aussi les disques magnéto optiques, les disques vinyle, etc.)

**disque compact :** Voir *CD-ROM.*

**disque dur :** Unité de stockage à long terme et rapide d'un ordinateur. Les disques durs sont plus rapides et stockent beaucoup plus d'informations que les disquettes.

**disque magnéto optique :** Disque optique spécial, comme un CD-ROM, mais sur lequel vous pouvez également inscrire des informations. Ces disques peuvent contenir des montagnes de données. Ils sont un peu plus lents que les disques durs, mais on peut les retirer comme les disquettes.

**disquette :** Terme désignant les petits disques amovibles des ordinateurs, pour les différencier des disques durs (qui ne sont *normalement* pas amovibles).

**DOC** : Abréviation de *document.* Elle est généralement ajoutée à la fin d'un nom de fichier de traitement de texte (en tant qu'extension de nom de fichier). Voici quelques exemples : VIAN.DOC, KOIDNEUF.DOC, CHAT.DOC.

**document :** Fichier créé par un traitement de texte, mais ce terme est couramment utilisé pour désigner tout ce que vous pouvez créer sous Windows.

**données :** Ce que vous créez ou manipulez à l'aide d'un ordinateur : un document de traitement de texte, une feuille de calcul, une base de données, etc.

**DOS** (Disk Operating System, système d'exploitation sur disque) : Le DOS est le programme principal qui contrôlait votre PC avant que Bill Gates le détrône avec Windows.

**dossier :** Emplacement de stockage de fichiers sur disque. Un dossier peut contenir plusieurs fichiers et/ou sous-dossiers contenant eux-mêmes d'autres fichiers.

**EGA** (Enhanced Graphics Adapter, adaptateur graphique amélioré) : Le second standard graphique couleur après CGA. Il offrait un éventail plus large de couleurs avec une meilleure définition. Il a été détrôné par le standard VGA.

**e-mail** (*electronic mail*, courrier électronique ou messagerie) : Ensemble de services de communication sur réseau permettant l'échange de messages entre utilisateurs ou groupes d'utilisateurs. Le service principal collecte les messages électroniques émis par les abonnés, et les transmet à leurs destinataires en fonction de l'adresse indiquée.

**emoticons :** Voir *smiley*.

**fenêtre :** Zone de l'écran où apparaissent des informations spécifiques.

**fichier :** Ensemble de trucs sur disque. Votre PC stocke les informations dans des fichiers. Le contenu d'un fichier peut être très varié : un programme, un document, une base de données, une image graphique de Sharon Stone, etc.

**formater :** Procédé qui consiste à préparer un disque pour une utilisation sur PC. Tous les disques sortent nus de la fabrication. Vous devez les formater pour pouvoir les utiliser sur votre PC et y inscrire des informations. La procédure à suivre est probablement expliquée quelque part dans ce livre.

**Go** : Giga octet ou 1 000Mo ou un million de Ko ou un milliard d'octets. Exprime la capacité des mémoires ou des disques durs.

**hôte :** L'ordinateur que vous appelez à l'aide d'un modem. L'hôte est l'ordinateur qui répond.

**hypertexte :** Procédé utilisé pour relier entre eux, par l'intermédiaire de mots ou phrases clés, des documents de même domaine ou de même portée.

**IBM** (International Business Machines) : Le plus grand constructeur américain de machines de bureau et de systèmes informatiques. Il a établi les standards IBM PC et PS/2.

**icône :** Dans les églises, peinture ou symbole religieux. Sous Windows, petite image graphique représentant un programme et sur laquelle vous pouvez cliquer pour lancer la commande ou série de commandes correspondantes. Par exemple, cliquez sur un petit W accroché à une feuille de papier et vous affichez le programme Word.

**imprimante à impact** : Type d'imprimante qui produit une image sur papier comme une machine à écrire. Rien à voir avec les imprimantes laser. On appelle également ce type de machine imprimante *matricielle* ou *à aiguille*.

**imprimante laser** : Type d'imprimante spécial qui utilise le rayon laser pour créer une image sur papier. Les imprimantes laser sont rapides et silencieuses, et elles produisent des images d'excellente qualité.

**Ko** : Abréviation de kilo-octet (1 000 octets). Exprime la capacité des mémoires ou des disquettes.

**logiciel (software)** : Ce qui rend un ordinateur moins bête : une vaste collection de programmes contrôlant le matériel et capable de réaliser votre travail. Le logiciel contrôle le matériel.

**login** (ou logon) : Opération de connexion à un réseau ou à un serveur distant qui s'effectue après avoir indiqué son nom d'utilisateur et son mot de passe.

**matériel (hardware) :** L'aspect physique de l'informatique. Tout ce que vous pouvez voir, toucher, jeter par la fenêtre, etc.

**MDA** (Monochrome Display Adapter, interface d'affichage monochrome) : Désigne le standard monochrome de tous les anciens PC. Dépassé depuis par le standard Hercules. Si vous possédez un écran monochrome (vert sur noir, ambre sur noir, etc.), il s'agit probablement d'un écran au standard Hercules.

**mégahertz :** Unité physique mesurant la fréquence d'une oscillation. Un MHz correspond à un million de hertz ou d'oscillations par seconde. Dans le monde de l'informatique, c'est l'unité qui caractérise la vitesse de fonctionnement d'un ordinateur.

**mémoire :** Là où votre ordinateur stocke les informations sur lesquelles vous travaillez. La mémoire est un emplacement de stockage temporaire, généralement sous la forme de barrettes de RAM. Le microprocesseur ne peut manipuler que les données en mémoire, après quoi les données doivent être enregistrées sur disque pour un stockage à long terme. Voir aussi *RAM*.

**microprocesseur :** La puce principale d'un ordinateur, là où tous les calculs sont effectués, centre de contrôle du PC. Les microprocesseurs sont également désignés par les termes *processeurs* et *PC*. On leur donne des nombres, tels que 80286, 80386, etc., (voir *80x86* au début de ce glossaire).

**micro-ordinateur :** Synonyme de PC.

**Mo** : Abréviation de méga octet. Unité de mesure de la capacité de stockage. Elle correspond à environ 1 000 octets (1 024 exactement). Si un octet représente une lettre, un roman de 1 Mo fera 700 pages. On exprime la capacité des mémoires vives, des disquettes et des disques durs en Mo.

**modem** : Acronyme de MOdulateur/DEModulateur. C'est une petite boîte que l'on installe soit à l'intérieur de l'ordinateur, soit à l'extérieur branchée sur un port série. Le modem se branche sur une ligne téléphonique, et les logiciels de communication lui permettent d'appeler d'autres ordinateurs pour converser.

**moniteur :** L'affichage de votre ordinateur. Un moniteur ressemble à un poste de télévision affichant des informations. C'est en fait la moitié du système graphique de votre ordinateur. L'autre moitié est constituée de la *carte graphique* installée sur la *carte mère* du PC.

**MS-DOS** (MicroSoft Disk Operating System ou MS-DOS, système Microsoft d'exploitation sur disque) : Le titre officiel complet de l'ancien maître des PC.

**PC** (Personal Computer, ordinateur personnel) : Le premier ordinateur créé par IBM pour les petites entreprises et les particuliers. PC est devenu le terme standard pour désigner tout ordinateur compatible IBM, quelle que soit sa marque.

**PCMCIA** : Cette abréviation désigne un standard décrété par une association répondant au doux nom de Personal Computer Memory Card International Association. Cette association détermine les caractéristiques des prises et des cartes que l'on trouve dans les portables. Ces cartes, de la taille d'une carte de crédit, contiennent la plupart du temps des modems ou des mémoires.

**périphérique :** Un composant matériel raccordé à l'ordinateur, tel qu'une imprimante, un moniteur, un clavier, etc.

**PGA** (Professional Graphics Adapter, adaptateur graphique professionnel) : Un standard graphique pour professionnels, supérieur à VGA.

**programme** : Un fichier spécial contenant des instructions informatiques. Pour exécuter un programme, vous devez trouver son icône et double-cliquer dessus pour l'ouvrir ou le choisir dans la liste du menu Démarrer.

**protocole** : Ensemble de règles et de formats gouvernant l'échange d'informations entre systèmes.

**QWERTY** : Voir *AZERTY*.

**RAM** (Random Access Memory, mémoire à accès aléatoire, ou mémoire vive) : La mémoire d'un ordinateur se compose, en général, de RAM, c'est-à-dire de mémoires à accès aléatoire accessibles en écriture et en lecture. Ce sont des circuits intégrés qui, lorsqu'ils sont alimentés, peuvent stocker des nombres selon les instructions du logiciel. Lorsque l'ordinateur est éteint, l'électricité s'échappe des circuits et ils oublient tout ce qu'ils ont stocké.

**redondant :** Voir *redondant* !

**répertoire :** L'ancien terme DOS pour désigner un dossier. Voir *dossier.*

**réseau** : Système de communication entre ordinateurs. Il peut s'agir d'un simple câble et d'un logiciel, ou de plusieurs câbles, fibres optiques ou satellites reliant des centaines d'ordinateurs dans le monde.

**ROM** : Un ordinateur utilise des mémoires vives et des mémoires mortes (ROM). A l'inverse des RAM, ces mémoires mortes ne perdent pas leurs informations après que l'ordinateur a été éteint, mais elles sont inchangeables et ineffaçables. On ne peut pas écrire dans ces mémoires.

**RS-232** : C'est un standard de transmission des données en série. Le port série de votre ordinateur est appelé RS-232 ou COM. Il s'agit d'une prise ovale à l'arrière de votre unité centrale où vous pouvez brancher votre souris ou votre modem. Si vous souhaitez travailler en réseau, vous devrez y brancher un câble null-modem.

**R2-D2** : Le gentil petit robot dans *La Guerre des étoiles.*

**touches fléchées** : Touches du clavier sur lesquelles figure une flèche pointant dans une direction spécifique. Notez que certaines touches, telles que Maj, Tab, Retour arrière et Entrée comportent également des flèches. Mais les touches fléchées traditionnelles servent à déplacer le curseur à l'écran.

**SCSI** (Small Computer System Interface, interface système pour petits ordinateurs) : Un port SCSI est un port série permettant à un ordinateur d'envoyer et de recevoir des informations très rapidement. On y branche généralement des lecteurs de CD-ROM.

**shareware** : Logiciel pour lequel, en cas d'utilisation, il incombe d'expédier la somme demandée par son auteur à l'adresse qu'il a indiquée.

**smiley :** Groupe de caractères qui, lorsqu'ils sont regardés en se penchant sur la gauche, représentent un visage. Utilisé pour ajouter du "style" à des communications électroniques.

**souris :** Petit accessoire que l'on tient dans la main et qui permet de manipuler des objets à l'écran dans des programmes graphiques.

**SVGA** (Super Video Graphics Array, super-adaptateur graphique vidéo) : Le standard SVGA a une plus large palette de couleurs et une plus grande résolution que le standard VGA.

**touches de fonction :** Touches spéciales de votre clavier, désignées par les termes F1 à F12. Les touches de fonction réalisent des opérations spécifiques en fonction du programme que vous utilisez. Elles sont parfois associées à d'autres touches, telles que Ctrl, Maj et Alt.

**TXT** : Extension de fichier (comme DOC, GIF, PCX et RTF). Les fichiers TXT contiennent du texte ASCII dans leur plus simple expression. Ils peuvent être lus par la plupart des logiciels à condition d'avoir été "traduits" par un logiciel de traitement de texte.

**unité centrale** : Le boîtier principal de votre ordinateur auquel tous les autres accessoires se raccordent. Il s'agit en général d'une boîte métallique placée à l'horizontale sous le moniteur ou à la verticale sous le bureau. Voir aussi *CPU*.

**utilisateur :** Toute personne qui utilise un ordinateur ou exécute un programme.

**VGA** (Video Graphics Array, adaptateur graphique vidéo) : C'est le standard d'affichage vidéo actuel. Il permet d'afficher 256 couleurs dans de petites rangées de 320 points sur 200. Le résultat est un affichage de qualité avoisinant celle de la photographie, si vous louchez un peu, de sorte que les petits points fondent les uns dans les autres (voir également CGA, EGA, SVGA et, si vous n'êtes pas épuisé, XGA).

**XGA** (EXtended Graphics Array, adaptateur graphique étendu) : Le dernier standard IBM d'affichage vidéo. Il peut afficher 256 couleurs sur 1 024 lignes de 768 points. Ces images sont très "piquées" (nettes).

**XMODEM** : Désigne le mode de communication entre deux ordinateurs. Ce standard de communication est aussi appelé "transfert de fichiers binaires". Il existe d'autres protocoles de communication comme YMODEM, ZMODEM ou KERMIT.

# Index

SYBEX dans le monde entier

**FRANCE :**
SYBEX FRANCE
*Services administratif et éditorial*
12, villa Coeur-de-Vey
75685 Paris cedex 14
Tél. : 01 40 52 03 00
Fax : 01 45 45 09 90
Minitel : 3615 SYBEX
(2,23 F/mn)

*Service commercial*
*Comptoir de vente aux libraires*
1, villa Coeur-de-Vey
75685 Paris cedex 14
Tél. : 01 44 12 61 30
Fax : 01 45 41 53 06
*Support technique*
Tél. : 01 44 12 61 36 ou 45

**ETATS-UNIS :** SYBEX Inc.
1151 Marina Village Parkway
Alameda, CA 94501, U.S.A.
Tél. : (1) 510 523 8233
Fax : (1) 510 523 2373

**ALLEMAGNE :**
SYBEX VERLAG GmbH
Erkrather Str. 345-349
40231 Düsseldorf, Germany
Tél. : (49) 211 97390
Fax : (49) 211 973 9199

**PAYS-BAS :** SYBEX Uitgeverij BV
Birkstraat 95
3768 HD Soest, Netherlands
Tél. : (31) 3560 27625
Fax : (31) 3560 26556

## DISTRIBUTEURS ÉTRANGERS

**BELGIQUE**
PRESSES DE BELGIQUE
117, boulevard de l'Europe
B-1301 Wavre
Tél. : (32) 10 42 03 20
Fax : (32) 10 41 20 24

**SUISSE**
OFFICE DU LIVRE
Case Postale 1061
CH-1701 Fribourg
Tél. : (41) 37 835 111
Fax : (41) 38 835 466

**CANADA**
DIFFULIVRE
817, rue Mac Caffrey
Saint-Laurent - Québec H4T 1N3
Tél. : (1) 514 738 29 11
Fax : (1) 514 738 85 12

## SYBEX EST PRÉSENT ÉGALEMENT DANS CES PAYS

Côte d'Ivoire
Espagne
Liban

Maroc
Portugal
Sénégal

Tunisie
et également,
dans les DOM-TOM.

### 24 heures sur 24 et 7 jours sur 7

Recevez, en direct sur votre fax, les sommaires détaillés de nos publications et un bon de commande en composant le 08 36 70 00 11*.
Pour recevoir notre documentation, il vous suffit d'appeler du combiné téléphonique de votre fax ou d'un téléphone branché sur la même prise téléphonique que votre fax ou votre modem-fax.

* Prix d'appel : 8,91 F la connection puis 2,23 F/mn quelle que soit votre région d'appel (uniquement France métropolitaine).

Achevé d'imprimer le 17 février 1997
sur les presses de l'imprimerie «La Source d'Or»
63200 Marsat
Dépôt légal : 1er trimestre 1997
Imprimeur n° 6660